ANN LETHBRIDGE

La rebelle et le libertin

Les Historiques

éditions Harlequin

Titre original : WICKED RAKE, DEFIANT MISTRESS

Traduction française de JACQUES CEZANNE

Photo de couverture
Sceau : © ROYALTY FREE/FOTOLIA

83-85, boulevard Vincent-Auriol 75646 PARIS CEDEX 13.
Service Lectrices — Tél. : 01 45 82 47 47
www.harlequin.fr
ISBN 978-2-2802-2271-6 — ISSN 1159-5981

Chapitre 1

Sussex, Angleterre, mai 1811

Garrick, marquis de Beauworth, était aveuglé par la colère. L'amertume et les regrets l'assaillaient tandis que, sous une lune blafarde, les chevaux filaient à travers la campagne vallonnée du Sussex. Il luttait contre l'envie de tourner bride et de repartir vers Londres.

Il ravala sa fureur et poursuivit sa route vers Beauworth — l'endroit au monde qu'il détestait le plus.

Personne, pas même l'être qui lui était le plus proche, Duncan le Clere, ne comprenait sa haine pour la demeure familiale. Parfois, il lui arrivait de ne pas la comprendre lui-même ; cela ne lui ôtait pour autant aucun poids des épaules et n'apaisait pas davantage le tourment que lui causaient ses sombres prémonitions.

La douleur qui lui vrillait les os et la chair lui rappelait la raison de son retour chez lui. Au prix d'un effort pénible, il desserra les poings et reposa les mains sur ses genoux ; puis, une fois qu'il eut inspiré largement et repris quelque peu le contrôle de lui-même, il étendit ses jambes entre les deux sièges, d'un air insouciant.

Après tout, le marquis de Beauworth avait une réputation à défendre. Celle d'un débauché oisif, d'un joueur invétéré, d'un dandy indolent traînant son ennui dans les salons et les salles de jeu.

La voiture fit une brusque embardée. Surpris, Garrick se retint à la poignée de cuir qui pendait au-dessus de sa tête.

Le véhicule ralentit jusqu'à l'arrêt complet.

— Tonnerre ! Que se passe-t-il encore ?

Les chevaux secouaient la tête nerveusement, indistincts dans l'ombre des haies épaisses qui bordaient la route de chaque côté. Seuls leur souffle rapide et le cliquetis de leurs brides troublaient le silence.

— Johnson ! Vous voyez quelque chose ?

Il devait s'agir d'une ornière. Le vieux cocher aurait dû cesser de conduire depuis longtemps déjà.

Garrick plissa les yeux pour percer les ténèbres. Quelque chose de blanc luisait, en avant de la voiture. Un cheval d'un gris très clair apparemment, marchant au milieu de la route. Une silhouette, noire celle-là, le tenait par le licol. Une femme, en tenue de cavalière. Seule ? Par saint Georges, elle devait être en péril.

Il fit tourner la poignée de la porte et sauta à terre, prêt à s'élancer au secours de l'inconnue.

La vue de deux canons de pistolet, braqués l'un sur lui et l'autre sur ses domestiques, le fit s'immobiliser.

Un rayon de lune révéla un masque, qui dissimulait entièrement le visage de cette femme, à l'exception de sa bouche, et un chapeau juché au sommet d'une perruque poudrée. Une dentelle noire couvrait les poignets et la gorge de l'étrange apparition.

— Seigneur Dieu ! s'exclama-t-il sans pouvoir s'en empêcher.

Se pouvait-il que ce fût la Dame du Clair de Lune, l'héroïne de l'époque de Cromwell ? L'absence de son époux l'avait forcée à devenir bandit de grand chemin pour nourrir sa famille et, depuis son exécution, ses exploits légendaires hantaient cette région du Sussex — de même que son fantôme, que certains juraient avoir vu sur les routes, la nuit.

— La bourse ou la vie !

La voix rauque, teintée de l'accent des faubourgs de Londres, résonna sous la voûte des arbres ; mais, quand le cheval fit un écart, elle le calma d'un murmure.

Ce n'était pas un fantôme. Simplement un bandit. Du beau sexe, mais un bandit quand même.

Garrick jeta un coup d'œil vers Johnson et Dan qui, sous la menace du pistolet de l'inconnue, s'étaient figés comme des statues de sel.

— Envoyez-moi vos bijoux, vos montres et votre argent, sans quoi je tue ce garçon, lança-t-elle.

Il y avait dans sa voix une intonation qu'il n'aimait pas du tout, comme si elle n'avait plus rien à perdre. Elle tenait ses armes d'une main ferme. Damnation ! songea Garrick. Ce n'était vraiment pas le moment !

La colère bouillait dans ses veines, presque palpable. Lentement, il serra les poings.

En respirant longuement, profondément.

Il fallait qu'il se contienne. Un geste de trop et un innocent mourrait sans doute. Plus innocent que lui, en tout cas. Derrière son masque, les yeux de l'inconnue brillaient dans la nuit. De peur ? Ou bien d'un courage à toute épreuve ? Oserait-elle tirer sur un homme sans armes ?

Blanc comme un linge, Dan se leva tout doucement.

— Bon Dieu, mon garçon, tiens-tu donc à mourir ? cria la voleuse.

Nom de nom, jura Garrick en français. Il voulait bien prendre des risques pour lui-même, mais sûrement pas risquer la vie de Dan, qui plus que tout autre méritait mieux que de mourir sur le bord d'un chemin.

— Assieds-toi, ordonna-t-il.

Quand les yeux effrayés du garçon croisèrent les siens, il lui adressa un signe de tête pour l'encourager. Dan se tassa sur son siège auprès de Johnson.

— Restez tranquilles, tous les deux, dit Garrick en secouant la tête.

Mesurant le dilemme devant lequel il se trouvait, la petite gueuse garda un pistolet pointé sur Dan pendant qu'elle remisait l'autre dans un étui accroché à sa selle, à côté d'un fourreau d'où dépassait la poignée au dessin compliqué d'une épée bien assortie à son costume. Il aurait bien aimé qu'elle le défie l'arme à la main.

Au lieu de cela, elle jeta son chapeau à terre, puis ordonna d'une voix sonore :

— Jetez vos breloques là-dedans !

Une lueur entourait son visage et sa silhouette quand elle marchait. Fantomatique. Etait-il en train de devenir fou ?

Soudain, il vit les sequins.

Ils ornaient son masque et les pans de son manteau, reflétant la lumière de la lune. Cette petite gueuse était vêtue comme pour un bal masqué pour faire sa sale besogne !

D'un mouvement élégant du poignet, qui fit voleter la dentelle autour de celui-ci, elle désigna le chapeau retourné.

— Je n'ai pas que ça à faire. Pressons !

Garrick s'inclina en la saluant d'un geste de la main, répondant à son impatience avec grâce :

— Vos désirs sont des ordres, madame.

Un sourire amusé aux lèvres, elle lui rendit sa révérence.

— Trop aimable, monsieur.

Il fronça le sourcil.

— Tiens donc ! Voilà une Dame du Clair de Lune bien polie. J'attends, ma chère…

Le sourire de l'inconnue s'évanouit à ces mots, ce qui — bizarrement — chagrina un peu Beauworth.

— Et quoi donc ? demanda-t-elle. Une balle dans votre jolie tête ?

— Mon baiser, répliqua-t-il. La Dame du Clair de Lune embrasse toujours ceux qu'elle détrousse, quand elle les trouve beaux.

Elle eut un petit rire nasal.

— Contentez-vous de mettre votre montre et votre argent dans ce chapeau, milord.

Conscient que ceux qui l'observaient depuis leur banquette devaient en être bouche bée, il déploya les bras comme pour supplier.

— Suggérez-vous que je manque de beauté ? Diable, quelle avanie ! Vous me brisez le cœur.

L'inconnue gloussa, d'un rire clair et très féminin, sans baisser pour autant le pistolet qu'elle pointait sur la poitrine de Garrick.

— Dépêchez-vous, milord.

Il porta la main à sa poche comme s'il cherchait sa montre et jura entre ses dents. Son pistolet de voyage était resté dans la poche de son manteau, à l'intérieur de la voiture. Peut-être était-ce aussi bien, cela dit, car il n'avait aucune envie de blesser cette superbe créature.

— C'est un métier bien dangereux pour une femme, lui dit-il d'une voix calme et douce. Si l'on vous attrape, on vous pendra. C'est dommage, d'autant que je pourrais vous offrir un emploi plus lucratif.

— Oh, je sais bien à quel... emploi un homme comme vous peut penser dès qu'il s'agit d'une femme ! Cessez vos boniments, si vous ne voulez pas rejoindre prématurément vos ancêtres.

Sous l'apparente fermeté du ton, on discernait tout de même une grande nervosité.

S'il se moquait bien de rejoindre ou non ses ancêtres, il ne souhaitait pas qu'elle s'énerve par trop et menace de nouveau ses domestiques ; aussi tira-t-il de son gousset sa montre, qu'il balança entre eux au bout de ses doigts, enroulant la chaîne d'or autour de ceux-ci avec une lenteur irritante. Le boîtier incrusté de diamants luisait dans la lumière blafarde comme un rayon de lune sur l'eau d'un lac.

Le pistolet tremblait dans la main de l'inconnue. Il aurait mis sa tête à couper qu'elle ne s'en servirait pas.

Elle tendit sa main gantée de cuir, s'approchant tout près pour s'emparer du bijou. Trop près : Garrick lui attrapa le poignet — qu'elle avait fin, nota-t-il au passage — d'un geste vif comme l'éclair et lui tordit le bras sans ménagement, l'attirant à lui pour la saisir par la taille.

Elle avait l'haleine chaude et parfumée et exhalait une odeur de vanille que pimentaient celles du cuir et des chevaux. Tout cela combiné avec la sensation de ses seins comprimés contre la poitrine de Garrick formait un mélange étrangement excitant, à tel point que, sans réfléchir, il se pencha sur elle et prit sa bouche, ravi de la sentir, sous le coup de la surprise, s'ouvrir à lui.

L'air autour d'eux s'échauffa brusquement, et il sentit le sang se ruer dans ses veines.

Le corps mince de l'inconnue, d'abord roide, s'assouplit assez pour laisser à penser qu'elle ne disait pas non. En fait, à mesure que passaient les secondes, elle se plaquait à lui avec de moins en moins de retenue. De la main, il savoura la courbure affolante de sa chute de reins.

Dans cette curieuse étreinte, la colère de Garrick semblait s'être dissoute, remplacée par l'ardeur du désir. Encore un élan qu'il fallait réprimer, songea-t-il. Et il le réprimerait, pour sûr.

Son baiser se fit plus profond, cependant qu'il faisait glisser ses doigts sur le poignet de l'inconnue, cherchant le pistolet.

Aussitôt, la gueuse se dégagea, le souffle court, ses yeux lançant des éclairs à travers les fentes étroites du masque couvert de sequins. La poitrine agitée d'un mouvement ample et rapide, elle leva le canon vers lui, presque à bout portant.

— Reculez ! cria-t-elle, ajoutant à l'adresse des domestiques : tous autant que vous êtes !

Garrick tendit la main vers elle en riant.

— Allons, je suis sûr que nous pouvons vous trouver

une manière plus agréable de gagner votre vie. Une, en tout cas, dont nous pourrions profiter l'un et l'autre.

— J'en doute, répondit-elle, un sourire mutin plissant ses lèvres encore roses du baiser qu'il venait de lui donner.

— Prenez garde, milord ! s'écria Johnson.

Du coin de l'œil, Garrick perçut un vague mouvement sur sa droite. En jurant, il se retourna vivement, pour se retrouver face à face avec un homme masqué, qui levait une arme au-dessus de sa tête pour l'en frapper. D'un bond, il tenta d'esquiver le coup — en vain. Une douleur fulgurante l'aveugla ; il tomba à genoux ; un trou noir l'engloutit.

Le sang battait follement aux tempes de lady Eleanor Hadley. Elle en avait le vertige et craignit de rejoindre l'homme qui gisait à ses pieds sur la boue du chemin.

Elle poussa un soupir de soulagement en trouvant le pouls sur son poignet et, se redressant, fusilla Martin du regard.

— Avais-tu besoin de le frapper aussi fort ?

— Qu'est-ce qui vous a pris de le laisser s'approcher autant ? répliqua l'autre d'une voix dure et pleine de colère en pointant son arme sur Johnson et Dan, qui s'agitaient sur leur banquette.

Atterrée, elle contemplait le corps inerte du gentilhomme. Quelle mouche l'avait donc piquée ? L'avait-elle trouvé incroyablement séduisant, au clair de lune ? Et inoffensif, avec son sourire avenant ? Sans l'intervention de Martin, elle aurait très bien pu tomber dans le piège qu'il lui tendait, comme une mouche dans la confiture. Il fallait qu'il soit bigrement sûr de ses qualités d'amant pour croire qu'il allait la faire se pâmer avec un baiser.

Un rire lui monta dans la gorge, hystérique. Quelles étranges sensations ne venait-elle pas d'éprouver entre les bras de sa victime ! Jamais elle ne s'était sentie aussi horriblement, aussi délicieusement faible. Elle avait eu l'impression de se liquéfier à son contact, et que son esprit l'abandonnait. Cela ne lui ressemblait pas.

S'il n'avait pas commis l'erreur de chercher à lui prendre son pistolet, elle aurait sûrement fini par s'abandonner contre lui.

— Où étais-tu, Martin ? Ne devais-tu pas tenir le cocher en joue ?

— Je ne vous ai pas vue vous avancer. D'après le plan, c'est moi qui devais donner le signal.

Malgré la pénombre, elle vit le visage de Martin s'assombrir. Pauvre homme. Selon son père, c'était un serviteur modèle, sur lequel on pouvait s'appuyer les yeux fermés ; mais comme bandit de grand chemin il ne valait pas tripette. Après leur première attaque, elle avait bien tâché de se débarrasser de lui, mais il était aussi têtu que loyal. Cher Martin !

— Peu importe, coupa-t-elle en désignant sa victime du bout de son arme. Regarde ce qu'il a dans les poches avant qu'il ne s'éveille.

Comme Martin s'exécutait, Eleanor vit le cocher se pencher en avant pour fourrager sous son siège. Les choses pouvaient rapidement tourner très, très mal, pour peu qu'elle n'y prenne garde.

— A votre place, je n'essaierais même pas, lui dit-elle en le mettant en joue.

Johnson se redressa brusquement sur la banquette, levant les mains au-dessus de la tête pour faire bonne mesure. Le garçon au visage angélique assis à son côté se tenait raide comme un piquet, quoique ses épaules fussent secouées de tremblements, en se mordillant les lèvres d'un air angoissé.

Dieu merci, elle n'avait pas à craindre qu'il tente de jouer les héros.

Quand Martin fit rouler l'homme sur lui-même, ce dernier gémit faiblement, sa tête roulant sur le côté, le front plissé comme si, bien qu'il fût inconscient, la douleur le tenaillait encore. Son cou puissant disparaissait sous une cravate élégamment nouée, et ses larges épaules tendaient l'étoffe de sa veste de velours. Ses cheveux noirs et son teint mat donnaient à ses traits vigoureux un air exotique.

Il était très beau, décidément. Eleanor n'usait pas souvent de cette épithète pour décrire un homme ; ceux qu'elle connaissait étant d'ordinaire rudes ou distingués mais certainement pas beaux, quand ils ne lui étaient pas tout simplement si familiers qu'elle ne leur prêtait aucune attention. On aurait dit un bronze antique, avec sa mâchoire et ses joues parfaitement dessinées, son front haut et ses sourcils noirs surplombant un nez droit plein de noblesse. Elle mourait d'envie de suivre ses traits du bout des doigts, de savourer la texture de sa peau. La ligne de ses lèvres répondait comme en écho au souvenir qu'elle gardait de leur baiser, brûlant et incroyablement excitant.

Et sa voix, avec son léger accent français, qui lui avait fait passer des frissons sur la nuque…

C'était de la folie.

Elle tressaillit en l'entendant gémir de nouveau. Ouf ! il gardait les yeux clos.

Martin l'avait frappé vraiment très fort. Pas mortellement, il fallait l'espérer. Il avait beau ne pas sembler faire grand cas de la vie, elle n'avait pas envie qu'il soit gravement blessé.

Tout comme elle espérait ne pas le revoir.

— Il est temps de partir. Toi ! Descends de là-haut et aide-nous à le charger dans la voiture, lança-t-elle au cocher. Et ne t'avise pas de tenter quelque chose.

Johnson hissa sa lourde carcasse par-dessus le garde-fou et se laissa tomber à terre.

— Prends-lui les pieds, ordonna Martin en se dirigeant vers la tête de l'homme évanoui.

Le vieux serviteur obtempéra, glissant ses mains sous les genoux de son maître, qui portait des bottes montantes impeccablement cirées.

— Un instant ! fit Eleanor.

— Quoi encore ? maugréa Martin.

— Prends-lui ses bottes.

En grommelant, contrarié, Martin libéra les jambes de l'homme évanoui de leur fourreau de cuir souple.

Eleanor ouvrit la porte de la voiture et s'effaça pour laisser les deux hommes déposer leur fardeau sur le plancher de bois du véhicule. Cela fait, Martin referma la portière sèchement.

— Allez, file ! lança la jeune femme au cocher. Et hâte-toi avant que je ne change d'avis.

Hors d'haleine, Johnson ne se fit pas prier et remonta sur sa banquette. La voiture s'ébranla aussitôt, la lueur de sa lanterne disparaissant dans l'obscurité dès le premier virage.

Martin croisa les doigts pour faire un marchepied à Eleanor et l'aider à monter sur Mist, sa petite jument, qui venait de passer tout ce temps à attendre placidement sans bouger.

Elle batailla quelque peu avec ses jupons pour trouver une position confortable sur sa selle.

— La prochaine fois, je mettrai les culottes de William ! s'écria-t-elle, excédée.

— Il n'y aura pas de prochaine fois, marmonna Martin en fourrant leur butin dans les sacoches accrochées à la selle de son alezan. Je vous aurai prévenue, milady. Vous finirez comme la Dame du Clair de Lune, au gibet de Tyburn.

Eleanor sentit son ventre se nouer.

— As-tu une meilleure idée ? répliqua-t-elle en donnant du talon sur le flanc de Mist, qui s'élança rapidement sous le couvert des bois.

Elle aimait le sentiment de liberté que lui procuraient ses chevauchées nocturnes.

Autrefois.

Bien souvent, elle et son jumeau, William, s'étaient échappés de leur chambre à la nuit tombée pour aller courir la campagne aux alentours de leur domaine du Hampshire.

A l'époque, ils étaient encore les meilleurs amis du monde. Elle empruntait ses vêtements. Et pourquoi ne l'aurait-elle pas fait ? Elle montait aussi bien, sinon mieux que ses frères, et maniait le fusil avec autant de précision qu'eux. C'était d'ailleurs pour cela qu'elle en était là aujourd'hui : à force de les égaler, elle avait fini par se croire plus maligne qu'eux.

Les péripéties de ce soir le prouvaient : sa victime était magnifiquement riche et lui avait rapporté gros, mais il s'en était fallu de peu que l'aventure tourne au désastre. Tout ce qu'elle entreprenait allait de travers ! William devait être sur le chemin du retour à cette heure, puisque son bateau devait arriver à Portsmouth d'un jour à l'autre. Il devait avoir hâte de retrouver ses pénates. Hélas, ce serait pour apprendre qu'il était ruiné !

Tout ça parce qu'elle ne pouvait se tenir tranquille ! Elle en rougissait de honte. Il allait vraiment la prendre pour une folle, doublée d'une sotte de surcroît.

A moins qu'elle ne trouve un moyen d'arranger les choses avant son arrivée.

Il ne leur fallut pas longtemps pour rejoindre la grange dans laquelle ils cachaient leurs chevaux. Eleanor vida sa selle et fit entrer Mist dans l'abri de planches grossières, puis ôta son masque, sa perruque et son chapeau et jeta le tout à terre. Ses cheveux libres retombèrent en une cascade blonde sur ses épaules.

— Savez-vous qui était cet homme ? s'enquit Martin en la suivant dans la grange.

— Un dandy aux poches pleines d'or et de bijoux.

— C'était Beauworth. J'ai reconnu sa voiture.

— Quoi ? Que dis-tu ? s'exclama-t-elle, la gorge subitement serrée.

Beauworth ? L'homme décidé à ruiner sa famille ? Et elle avait flirté avec lui, l'avait laissé l'embrasser ! Elle en avait le visage en feu rien que d'y penser. Quelle humiliation !

— Tu aurais dû me prévenir ! murmura-t-elle en passant le licol de Mist dans l'anneau scellé dans le mur.

— Je n'ai pas eu le temps de dire grand-chose, rétorqua Martin d'une voix pleine de désapprobation en tournant la tête vers elle alors qu'il allumait la lanterne suspendue à une poutre. C'est un joueur et un libertin. Il fauche les femmes comme un moissonneur les blés mûrs, à ce qu'on dit. J'ai le sang qui bout quand je pense à la façon dont il vous a traitée, mais je pense aussi que nous n'aurions jamais dû l'attaquer. Son oncle est magistrat, et m'est avis que nous verrons bientôt plus de policiers ici que de puces sur le dos d'un chien.

Eleanor fit la grimace.

— Sans argent, nous allons mourir de faim, répondit-elle. Et que vais-je dire à William ? Que j'ai, par négligence, perdu sa maison et sa fortune ?

Elle en avait l'estomac tout retourné et les mains moites, comme chaque fois qu'elle y pensait. William lui avait confié ses intérêts jusqu'à son retour et elle, en imitant la signature de son frère, avait dépensé tout son argent jusqu'au dernier penny.

Et voilà que ce satané Beauworth avait surgi de nulle part, pour réclamer le paiement d'une hypothèque dont elle ne savait strictement rien.

Devant son refus de payer, ou plutôt l'incapacité où elle était de le faire, il lui avait envoyé les huissiers, les forçant, elle et Sissy, à trouver refuge où elles pouvaient.

Si seulement le bateau dans lequel elle avait investi tout l'argent de William pouvait enfin rentrer à bon port de son voyage en Orient, le cauchemar prendrait fin immédiatement ! Mais ce maudit rafiot semblait avoir disparu sans laisser de traces. Et s'il ne rentrait jamais ? Rien que d'y penser, elle en avait le cœur tout affolé.

Sans compter qu'il lui fallait de l'argent pour simplement

manger. Tonnerre ! Elle qui s'était crue si diablement futée, elle les avait tous menés à la ruine !

Se penchant sur le côté, elle tira une carotte de sa poche et la tendit à la jument, qui s'en saisit en lâchant un souffle d'air chaud et humide sur sa main.

— Si j'allais parler au marquis, peut-être entendrait-il raison ? suggéra-t-elle.

— Vous voulez dire qu'il prendra pitié d'une pauvre femme ?

Ainsi tournée, la chose semblait déshonorante. William n'approuverait jamais une telle démarche. Cela dit, il n'approuverait pas non plus qu'elle écume les routes de la région en détroussant les voyageurs... Le métier de bandit de grand chemin, elle l'avait découvert assez rapidement, n'était pas, loin de là, aussi romantique et excitant qu'on le prétendait dans les livres. S'ils étaient pris, les autorités les châtieraient sans pitié.

— Il faut demander du temps pour le paiement.

— Jarvis a dit qu'il lui fallait l'argent sans délai. Il a lui-même les créanciers aux trousses.

Comme tous les gentilshommes. Michael, le frère aîné d'Eleanor, était mort couvert de dettes énormes.

Voilà pourquoi elle avait investi dans ce fichu bateau...

Il devait y avoir une solution, forcément.

— Il nous faut trouver quelque chose à proposer en échange de cette hypothèque.

— Dommage que vous n'ayez pas pensé à ça il y a une heure. Nous aurions pu enlever sa seigneurie.

La mâchoire serrée, les yeux ronds, elle regarda Martin, qui lui tournait le dos.

— Tonnerre ! J'ai manqué la meilleure occasion de nous sortir de ce mauvais pas.

— Dieu du ciel, se récria Martin en se retournant brusquement, je plaisantais ! J'ai promis à votre père d'être loyal envers ses enfants et jusqu'ici j'ai tenu parole, mais jamais je ne me ferai le complice d'un enlèvement.

— Tu as raison. C'est bien trop dangereux, admit Eleanor en jetant une couverture sur le dos de sa jument tandis que Martin en faisait autant avec son cheval. Au fait, pourquoi ne m'as-tu pas raconté le reste de cette stupide légende ? Cette histoire de baiser…

Un baiser sucré, et sombre comme le brandy qu'elle avait goûté sur ses lèvres… Sans parler des frissons exquis qui l'avaient secouée, éveillant un désir insoupçonné en elle ! Le corps de Beauworth lui avait semblé joliment ferme, au point qu'elle se souvenait d'avoir eu envie de le toucher, de le caresser. Rien que d'imaginer ses doigts sur sa peau, elle en avait des spasmes dans le ventre.

Les yeux dans le vague, elle fixait la cloison de planches. Comment pouvait-elle se mettre dans des états pareils en songeant à cet homme, quand elle savait ce qu'il avait fait ?

— Mon frère n'a jamais mentionné un quelconque baiser, milady, objecta Martin en se grattant le menton.

Autrement dit, cette histoire devait être un mensonge pur et simple. Elle sentit le rouge lui monter aux joues en voyant Martin la dévisager curieusement.

— Au fait, pourquoi lui avez-vous pris ses bottes, milady ?

Elle ne comprenait toujours pas ce qui pouvait bien lui avoir subitement donné envie de tourmenter cet homme, et il était évidemment hors de propos qu'elle avoue à son domestique à quel point ses regards — sans parler de son baiser — l'avaient bouleversée.

— Elles étaient neuves, et cet homme est un dandy, répondit-elle en haussant les épaules. Cela va sûrement le mettre en rage. Tu sais à quel point William peut se montrer ridicule quand il s'agit de ses bottes. Et puis il faisait le fier, bien trop à mon goût. Un vrai bandit l'aurait tué sans autre forme de procès. Une petite leçon d'humilité ne lui fera pas de mal. Jette-les dans la mare.

Là-dessus, elle ramassa son chapeau, y fourra la perruque et le masque, ôta sa veste et son gilet et les tendit à Martin, qui passa le tout dans un nœud de corde et, au moyen d'une poulie, le monta dans les combles de la grange.

— Il va falloir que nous recommencions, déclara Eleanor.

— Je vous en supplie, milady. Risquer votre vie pour quelques babioles et un peu d'argent, c'est de la folie !

Elle eut une moue boudeuse. Après une vie au service de son père, comme sergent dans l'armée puis en qualité de majordome, Martin aurait donné sa vie pour elle sans hésiter une seconde. Pour l'heure, il tenait scrupuleusement sa promesse de servir les enfants de feu son maître, mais elle ne pouvait pas lui demander de prendre encore plus de risques qu'il ne le faisait déjà. Surtout quand toutes ses entreprises échouaient lamentablement.

— Les intérêts de William seraient mieux servis si tu rentrais à Castlefield, Martin. Veille à ce que rien ne disparaisse dans la maison. Ces huissiers sont des voleurs.

— Vous me demandez de vous laisser risquer la potence toute seule ? grommela le majordome en secouant sa vieille tête déplumée. Vous alors ! Votre père avait bien raison de se plaindre que vous n'étiez pas facile à élever.

Autant dire qu'elle était un garçon manqué, bien trop délurée pour une fille. Trop impétueuse.

Elle entendait encore son père l'affirmer devant sa mère, comme chaque fois que celle-ci prenait sa défense. Et dire qu'elle avait voulu montrer à William combien elle pouvait se montrer une gestionnaire avisée en son absence ! Elle payait cher cet orgueil, aujourd'hui. Si elle ne trouvait pas une parade rapidement, elle entraînerait sa famille dans l'abîme.

Garrick se redressa pour s'asseoir sur le plancher de la voiture, puis, en jurant épouvantablement, tâta la bosse qui lui poussait sur le crâne. Elle avait la taille d'un œuf. Maudite créature !

Et diablement belle, avec ça, s'il ne se trompait pas. Avec un frisson, il se remémora la chaleur délicieuse qui montait de son corps, tout à l'heure, tandis qu'il la serrait de près, et les petits tremblements qui l'agitaient. L'espace d'une seconde, il avait bien cru lui avoir fait oublier ses mauvaises intentions ; il y serait parvenu, d'ailleurs, s'il s'était trouvé seul avec elle. Mais, ces derniers temps, il jouait de malchance. D'abord il avait décidé de prendre le mors aux dents et d'annoncer la mauvaise nouvelle à son oncle. Et voilà qu'il se faisait détrousser au bord de la route !

Son crâne était fort douloureux. Peut-être un peu de brandy le soulagerait-il ? De la poche de son manteau, il tira une flasque, puis il frotta la bosse avec quelques gouttes d'alcool — en grimaçant, car cela piquait diablement — et, pour bien faire, en but une bonne rasade.

Sur leur banquette, les domestiques devaient être terrifiés.

La douleur ne diminuait pas, aussi s'appuya-t-il contre le siège en fermant les yeux pour reprendre un peu ses esprits. Vingt minutes plus tard, quand la voiture s'arrêta dans un grand crissement de gravier, il soupira bruyamment.

Beauworth Court, enfin !

Johnson ouvrit la porte et tira le marchepied.

— Comment vous sentez-vous, milord ? Je n'ai pas osé m'arrêter plus tôt.

— Très bien, repartit Garrick en se forçant à sourire.

Il laissa le cocher l'aider à sortir de la voiture, puis contempla la maison devant laquelle ils venaient de se ranger. Des lions de pierre gardaient le grand escalier qui menait à la porte d'entrée, au-dessus de laquelle se dressait un beau portique à colonnade dans le style palladien. De chaque côté de la façade, les fenêtres s'illuminaient d'une lumière orangée.

L'oncle Duncan devait avoir des gens à dîner, songea-t-il

en grommelant un juron en français. Il n'avait vraiment pas envie d'être ici.

— Dan, lança-t-il à l'adresse du garçon encore pétrifié. Apporte-moi mon manteau.

Trop heureux d'avoir quelque chose à faire, Dan se rua à l'intérieur de la voiture pour y chercher le vêtement.

— Voilà, milord.

— Bien. Reste près de moi.

Marcher sur les quelques pieds de gravier qui le séparaient du perron n'était pas précisément agréable, et il voua l'inconnue aux gémonies. Qu'est-ce qui pouvait bien lui avoir pris de lui voler ses bottes ?

Comme à un signal, la porte d'entrée s'ouvrit sur un majordome à l'air pincé — sans doute nouvellement embauché car Garrick ne le reconnaissait pas — qui l'examina un instant avant de reculer d'un pas et de l'accueillir d'un discret :

— Bienvenue, milord.

A la bonne heure !

— Merci, fit Garrick en lui tendant son manteau.

Il se dirigeait vers le grand escalier double qui menait au premier lorsqu'une porte s'ouvrit soudain, jetant un rai de lumière sur l'entrée. Une silhouette massive, à l'allure militaire, traversa d'un air décidé l'espace dallé de marbre noir et blanc. C'était Duncan le Clere, son oncle, curateur de sa fortune pour encore douze longs mois.

Dan se cacha derrière Garrick dès qu'il vit Le Clere prendre la mesure de la scène qui s'offrait à ses yeux.

— Par le diable, que signifie tout ceci ?

— J'ai été retenu…

L'oncle se raidit à ces mots.

— … en otage, par des bandits, acheva Garrick en riant.

— Es-tu blessé ? s'inquiéta Le Clere en pressant le pas.

Il dut sentir l'alcool sur son haleine, car il ajouta :

— Ou bien ivre ? Es-tu encore en train de me jouer l'un de tes tours ?

Décidément, rien n'échappait à l'oncle Duncan quand il s'agissait de l'héritier des Beauworth.

— Je suis peut-être un peu éméché, mon oncle, mais j'ai toute ma tête, rassurez-vous. Ces damnés bandits m'ont dépouillé de tout mon argent — et de mes bottes, par-dessus le marché.

Deux autres personnages firent leur entrée dans le vestibule : Matthews, le majordome des Beauworth, et Nidd, l'ancien valet de chambre du père de Garrick, qui remplissait cet office pour ce dernier à chacune de ses visites.

Autrement dit, plutôt rarement.

— Johnson nous a raconté ce qui s'était passé, déclara Matthews. Ces scélérats ont besoin d'une bonne leçon.

Bâti comme il l'était, il pouvait tout à fait se charger lui-même de ce dernier point. L'idée de voir l'impertinente inconnue entre les pattes de ce colosse ne plaisait guère à Garrick, sans qu'il sache trop pourquoi d'ailleurs.

— Envoyez quelqu'un chercher la police, ordonna Duncan en considérant d'un air sombre les pieds presque nus de son neveu.

— Pas ce soir, objecta Garrick en se massant la tête avec une grimace douloureuse. Il sera bien assez tôt demain matin. Pour l'heure, je vais me coucher.

L'oncle eut l'air déçu, tout à coup.

— Je t'attendais pour dîner, dit-il en regardant du côté de la salle à manger. Il faut plus qu'une rencontre avec la lie de cette société pour détourner un homme de son devoir, Garrick.

— Johnson a dit que les bandits avaient frappé milord à la tête, plaida Nidd.

L'expression de Le Clere changea du tout au tout à ces mots.

— Que ne me l'as-tu dit plus tôt ? Je vais envoyer chercher le médecin !

Pour qu'il me palpe et appuie sur ma bosse ? Merci bien.

— Ce n'est rien, je vous assure, se récria Garrick. Demain matin il n'y paraîtra plus.

— Je n'ai que ta santé en tête, mon neveu…

— Ne vous inquiétez pas.

— Mais enfin… ta tête…

Garrick savait parfaitement à quoi pensait Le Clere. Il n'était que de voir son air consterné pour comprendre ce qu'il craignait. Et cela, il ne pouvait le supporter.

Et encore n'était-il pas informé de la dernière débâcle…, songea-t-il en frottant ses phalanges endolories.

— Je suis navré, mon oncle. Je sais que vous ne pensez qu'à mon bien mais, franchement, je n'ai pas envie qu'on me saigne ni qu'on m'ausculte ce soir.

— Comme tu voudras, soupira Duncan, mais s'il te prend le moindre…

Il n'avait pas besoin d'en dire plus. Son sourire affectueux valait mieux qu'un long discours.

— Je verrai un médecin, c'est promis.

— Entendu. Je ne peux t'exprimer ma joie de te voir de retour ici, mon garçon. Tu as encore fort à faire et beaucoup de choses à apprendre dans les douze mois qui viennent.

Mon garçon ?

Il préférait attendre le lendemain pour entendre le reste du sermon.

— Bonne nuit, mon oncle. Ah ! Au fait, j'ai amené mon jeune tigre avec moi, ajouta Garrick en désignant Dan de la main.

L'oncle considéra ce dernier avec une moue intriguée.

— Sa place est dans les écuries, déclara-t-il, balayant d'un revers de la main l'objection de son neveu. Nous parlerons de tout cela demain, quand tu te seras rétabli. Je dois rejoindre mes invités. Prenez bien soin de lui, Nidd, et vous aussi, Matthews. Je vous verrai tout à l'heure, dans la bibliothèque.

Là-dessus, il se hâta de rejoindre la salle à manger.

Matthews s'inclina devant lui puis, une fois qu'il se fut éloigné, sortit à son tour.

Pâle comme un mort, et maigre à faire peur, Nidd regardait son jeune maître d'un air inquiet.

— Il se fait du souci pour vous, milord, vous savez comment il est.

— Oui, je sais, soupira Garrick, mais j'aurais bien aimé que mon père se dispense de lui confier mon héritage de la sorte.

— Vous n'étiez encore qu'un enfant, à l'époque, milord. Il ne pensait sûrement pas que le destin les emporterait si tôt, lui et votre mère.

Un silence plein de regrets tomba sur le vestibule, aussi pesant sur les épaules de Garrick qu'une montagne de granit. D'un pas lourd, il commença à gravir l'escalier.

Dans sa chambre, Nidd lui ôta son manteau et s'affaira sur sa veste crottée. Lui, de son côté, fit signe d'avancer à Dan, qui piétinait sur le seuil d'un air gêné.

— Où avais-je la tête ? J'aurais dû l'envoyer aux écuries avec Johnson.

— Laissez-moi m'occuper de lui, milord, offrit Nidd. Je veillerai à ce qu'il aille retrouver votre cocher. Je l'ai entendu dire l'autre jour qu'il avait besoin d'aide.

Cela aussi le tracassait. Pourquoi diable y avait-il si peu de personnel dans cette maison ? Autrefois, il y avait un valet de pied dans chaque couloir. Que se passait-il, ici ?

Il en était révolté, par moments — et souvent la colère ancienne qu'il essayait de contenir lui remontait à la gorge.

Il se laissa aller contre le dossier de son siège en fermant les yeux, pour prendre un peu de distance avec tout cela.

— Emmène-le, Nidd. Je peux me débrouiller seul.

N'ayant pas de bottes à enlever, il se déshabillerait sans difficulté. Quand il rouvrit les yeux, Nidd, sur le seuil, posait la main sur l'épaule chétive de Dan.

— Dis à Johnson de le traiter avec ménagement. Il en a vu beaucoup pour son âge.

Nidd et Dan s'en furent. Resté seul, Garrick déboutonna son gilet et, machinalement, glissa un doigt dans son gousset. Vide.

Horrifié, il regarda sa main droite. L'anneau portant le sceau des Beauworth, que lui avait confié son père sur son lit de mort, avait disparu lui aussi !

La colère monta dans ses veines comme une marée furieuse. Et, cette fois, il allait lui donner libre cours !

Perdre son bien le plus précieux, presque une relique, à ce moment précis, alors même qu'il venait de prendre finalement sa décision ! Il y avait de quoi hurler. Que cette femme périsse dans les flammes de l'enfer !

Et lui aussi, pour avoir succombé à la douceur de son baiser…

Tout en ôtant sa chemise, il contempla les armoiries de la famille gravées sur le chambranle du baldaquin. Elles représentaient un bouclier et un cygne blanc ; ce motif se répétait partout dans le château, sur les plafonds de sa chambre et de la salle à manger en particulier.

Le même exactement que celui de l'anneau.

Il le retrouverait, même s'il lui fallait pour ça fouiller l'Angleterre des Cornouailles au mur d'Hadrien.

Et, quand il mettrait la main sur cette femme, elle regretterait d'avoir croisé son chemin.

Chapitre 2

Le lendemain, aux aurores, après une collation rapide, Garrick traversa le palier du premier et s'engagea dans l'escalier. Des colonnes soutenaient le plafond sculpté surplombant le sol en damier de marbre noir et blanc qu'il ne pouvait jamais voir sans grincer des dents. Déterminé à garder son calme, il se força à respirer lentement. A vingt-quatre ans, il n'était plus un enfant, bon sang ! La sollicitude sourcilleuse de son oncle ne devait pas lui mettre ainsi les nerfs à fleur de peau.

Par courtoisie, il frappa à la porte de la bibliothèque. Un grand bureau d'acajou occupait presque tout le fond de la pièce. Assis derrière celui-ci, Duncan ne leva pas même le nez des documents qu'il consultait.

Garrick attendit, submergé par un flot de souvenirs. Il pouvait presque entendre la voix de son père, sentir le poids de sa main bienveillante sur son épaule juvénile comme il lui faisait le récit coloré de ses batailles.

Un jour de printemps ensoleillé comme celui-ci, les portes-fenêtres à la française auraient été largement ouvertes sur la terrasse, et l'air parfumé de l'odeur des roses qui soufflait du jardin aurait fait se gonfler comme des voiles les grands rideaux de velours bleu tendus devant les fenêtres.

Il détestait l'odeur des roses.

Il battit les paupières pour chasser ces souvenirs, mais en vain. Ils demeuraient imprimés dans sa mémoire comme l'image d'une chandelle qu'on aurait fixée trop longtemps : son père, cigare à la main, décrivant dans de larges volutes de fumée tel mouvement de troupes, tel assaut, jusqu'à ce que sa mère les fasse déguerpir vers le jardin pour, disait-elle, qu'ils profitent du bon air. Le visage de son père s'illuminait immanquablement en la voyant, pimpante, avec ses cheveux noirs poudrés rassemblés en chignon et ses mains qui s'agitaient pour expliciter le mélange de français et de mauvais anglais dont elle usait en famille.

Sa mère. Un courant d'air froid lui glaça la poitrine, comme lorsqu'en hiver on laisse par inadvertance une porte ouverte sur les frimas du dehors. S'il n'avait craint de passer pour un pleutre, il aurait envoyé une lettre à son oncle.

Cela lui demanda un effort considérable, mais il parvint tout de même à mettre ses souvenirs sous clé, tout comme l'étaient les vieilles cartes d'état-major de son père, pour se concentrer uniquement sur l'homme qui lui faisait face.

L'oncle Duncan, comme il l'appelait depuis son enfance, semblait s'être quelque peu empâté depuis quatre ans. Ses bajoues couperosées se confondaient désormais avec son cou de taureau et ses cheveux, quoique toujours aussi épais, étaient plus gris. Il faisait plus que ses cinquante ans, assurément ; la faute en incombait sans doute aux responsabilités qui l'écrasaient.

Comme s'il avait senti le regard de Garrick sur lui, il leva enfin ses yeux noirs sur ce dernier, qui réprima le geste instinctif qui lui venait soudain de rajuster sa cravate. Diable, ce fichu vieillard avait encore barre sur lui.

— Eh bien, Garrick ?

La voix de stentor de Le Clere résonna dans la petite pièce, comme elle l'aurait fait autrefois pour commander à un régiment. Cet organe puissant lui vrillant le cerveau, Garrick grimaça.

— Que peux-tu me dire de ces bandits qui vous ont attaqués hier soir ? C'est la seconde fois qu'ils détroussent les passagers d'une voiture.

Si Le Clere prenait sa charge de magistrat très au sérieux,

Garrick n'entendait pas laisser les imbéciles censés faire régner la loi et l'ordre dans la région faire peur à ces bandits avant qu'il n'ait récupéré son bien.

— Ils portaient des masques, répondit-il en haussant les épaules. J'ai eu à peine le temps de les distinguer avant d'être assommé.

Pas question non plus d'admettre qu'il avait été mis en joue par une femme. Quant à leur baiser, il savait que Johnson n'en dirait pas un mot.

Diantre ! Voilà qu'il souriait à ce souvenir…

— J'espérais que tu pourrais m'aider un peu mieux que cela, repartit son oncle avec une certaine aigreur. La dernière victime a parlé d'un fantôme…

Duncan savait toujours aussi bien se contrôler, songea Garrick en le voyant inspirer profondément. Il détestait surtout que les choses n'aillent pas comme il voulait. Après une courte pause, il reprit en souriant :

— Peu importe. Je suis heureux de te voir ici, prêt à te consacrer enfin à ton devoir.

Son expression réjouie rendait la honte de Garrick encore plus cuisante. Comment lui dire que son ordre de rentrer à Beauworth pour assumer ses responsabilités avait pesé très lourd dans la décision qu'il venait de prendre ?

— J'ai résolu de m'engager dans l'armée, mon oncle.

Le Clere se raidit dans son fauteuil.

— Tu n'es pas sérieux.

La colère qui couvait toujours lentement dans les veines de Garrick se mit à bouillir.

— Si, absolument, répliqua-t-il sèchement.

L'oncle fronça les sourcils, l'air furieux. Garrick s'attendit à ce qu'il hurle, de cette voix habituée à commander les hommes qui lui faisait si peur autrefois mais le laissait froid désormais. Le Clere prit une longue inspiration mais, quand il ouvrit finalement la bouche, ce fut pour parler d'une voix rageuse peut-être mais égale.

— Et d'où te vient cette idée saugrenue ?

— J'ai trouvé l'un des carnets de campagne de mon père dans la bibliothèque de ma maison de Londres. J'avais oublié combien il aimait servir son pays. Je veux suivre son exemple.

Le Clere frappa du poing sur son bureau.

— Pourquoi mon Dieu, pourquoi n'ai-je pas brûlé ces maudits cahiers ? Ton père n'aurait jamais dû risquer sa vie de la sorte. Et il ferait beau voir que tu le fasses à ton tour, mon garçon.

— Père n'a jamais souffert de la moindre égratignure, répondit Garrick.

En effet, il était mort chez lui, dans un banal accident de chasse !

— Et rien de ce que vous pourrez dire ne me fera changer d'avis.

Le Clere se laissa aller contre le dossier de son fauteuil en se prenant la tête entre les mains.

— Toutes ces années, j'ai travaillé sans relâche pour sauvegarder ton héritage, et voilà le cas que tu fais de mes efforts ?

Encore une fois, il voulait l'accabler de remords. Comme s'il n'avait pas assez de choses sur la conscience !

— Je dois partir.

— Pourquoi ?

— Vous le savez très bien.

— Il ne s'est rien passé de neuf depuis cet incident, Garrick. Après ton départ de cette école, j'ai repris les choses en main.

Les choses…

Autant dire la malédiction des Le Clere. On ne l'avait jamais plus évoquée depuis que Garrick savait de quoi il retournait.

— Non, répondit-il en fixant ses doigts blessés.

Si son cousin Harry ne l'avait pas séparé de l'ignoble

individu qui venait de battre Dan comme plâtre avec une fourche, il aurait très bien pu se retrouver accusé de meurtre. Depuis, il dépensait tout son argent pour acheter le silence de cet homme.

— Je vois, murmura Le Clere en plissant le front. En ce cas, tu as tout simplement gaspillé les quelques années qui viennent de passer en n'apprenant rien de la gestion de ce domaine. La guerre ne durera sûrement plus très longtemps, et quand tu reviendras ici il est possible que je ne sois plus de ce monde. Je me fais vieux, mon garçon.

— Je pars, c'est décidé, insista Garrick en tirant sur le col de sa veste.

— Attends seulement que ma charge de curateur vienne à échéance. Douze mois, ce n'est pas si long. Apprends tout ce que tu pourras, fonde un foyer, fais-nous un héritier. Ensuite, tu pourras t'engager. Avec ma bénédiction.

L'inquiétude du vieillard flottait dans l'air comme le brouillard sur les quais de la Tamise. Si cela n'avait été impossible, Garrick aurait juré qu'il sentait l'odeur de la peur envahir la bibliothèque. Mais il ne pouvait pas laisser son oncle le convaincre de changer d'avis. Trop dangereux. Rester en Angleterre, alors qu'il menaçait d'exploser à tout moment comme un baril de poudre à la mèche raccourcie, était bien trop risqué.

— Non, non, je pars.

Le Clere se passa la main dans les cheveux.

— Et, si tu es tué, qu'adviendra-t-il de Beauworth ?

— Mon cousin Harry héritera.

Duncan se figea. On aurait dit un bloc de granit. Son visage s'empourpra de plus belle, et les veines de son cou saillirent dangereusement. Il ne manquait plus qu'il ait une attaque, à présent !

— Mon oncle, je vous en prie, calmez-vous, s'exclama Garrick en s'approchant de la petite table dressée près de la cheminée pour y prendre un verre et le remplir du brandy qui chatoyait dans sa carafe de cristal. Tenez, buvez !

Le Clere accepta l'alcool d'une main tremblante et, au prix de quelques gouttes renversées, en but une longue gorgée.

— Combien de temps vas-tu rester ici ? demanda-t-il en contemplant le fond du verre vide.

Il avait seulement prévu de récupérer sa jument et de prendre congé de son oncle, rien de plus, mais la perte de cette bague allait forcément l'obliger à retarder un peu son départ. Elle faisait partie de l'héritage d'Harry. Lui au moins n'avait pas la malédiction des Beauworth dans le sang.

— Une semaine.

Cela suffirait amplement pour faire rendre gorge à cette petite gueuse…

— En ce cas, dit Duncan en se redressant, nous tâcherons de faire bon usage de ces quelques jours de répit.

Garrick fit la grimace intérieurement. Si le vieil homme espérait mettre cette semaine à profit pour le faire changer d'avis, il en serait pour ses frais.

Et lui se sentirait encore plus coupable…

Tant qu'à faire…

— Entendu, mon oncle.

— Parfait ! fit Duncan, visiblement ravi. Commençons tout de suite, mon garçon. Après tout, nous n'avons pas beaucoup de temps…

Garrick soupira discrètement. Il comptait user de ce contretemps pour interroger les gens des environs au sujet des bandits mais, si son oncle l'entreprenait sur le domaine, il ne pourrait pas s'esquiver avant des heures.

— Comme vous dites…

Eleanor portait l'essentiel du poids du panier que sa sœur cadette, Sissy, douze ans, et elle-même balançaient à bout de bras en traversant Boxted pour regagner leur maison. Un filet de sueur coulait entre ses omoplates : elles marchaient depuis une heure, de retour de Standerstead, et il faisait chaud en cette belle journée de printemps.

Elle avait aussi l'estomac noué, car le temps commençait à lui manquer très sérieusement et, au lieu de le passer à essayer de résoudre la situation presque désespérée dans laquelle elle se trouvait, elle se voyait contrainte de gaspiller des heures et des heures à acheter des provisions.

Comme elles passaient devant La Gerbe, un estaminet situé sur la place du village, un homme grand et large d'épaules vêtu d'une veste de velours rouge vint se mettre en travers de leur route. Il s'agissait du marquis de Beauworth en personne. Nul dans un humble village comme Boxted ne pouvait être aussi élégant, hormis le seigneur lui-même.

Et, en plein jour, il était encore plus beau qu'au clair de lune…

Le cœur d'Eleanor s'affolait, et elle se sentait le souffle court à force de vouloir éviter de lever les yeux sur lui et de faire comme si de rien n'était. Mais, quand il s'inclina devant elle en tirant son chapeau, un sourire charmeur sur les lèvres, elle fut bien forcée de s'arrêter.

— Bonjour, mesdames, les salua-t-il de sa voix caressante.

Une bouffée de chaleur extrêmement gênante monta au visage de la jeune femme en même temps qu'un frisson la faisait frémir de la tête aux pieds. Si un seul de ses sourires la mettait dans un état pareil, cet homme était dangereux. Sans compter qu'elle n'aimait pas beaucoup l'espèce d'étonnement qu'elle lisait dans ses yeux d'ambre sombre. Seigneur, faites qu'il ne la reconnaisse pas !

— Bonjour, milord, repartit-elle dans une discrète révérence.

— Puis-je vous aider à porter ce panier, mademoiselle ?

Avant qu'Eleanor ait le temps de lui répondre de ne pas prendre cette peine, Sissy lança, l'air soulagé, avec un sourire espiègle qui faisait pétiller ses yeux noisette :

— Bien sûr !

Eleanor maugréa in petto. Pourquoi diable cette gamine ne pouvait-elle tenir sa langue ?

— Sissy, je t'en prie ! Excusez ma sœur, milord. Elle est un peu trop franche, parfois.

— Mais non, elle est simplement honnête, contra Beauworth. Cela ne me dérangerait pas du tout, vous savez.

Et là-dessus, avec un sourire qui aurait fait fondre un glacier, il empoigna l'anse du panier.

— Je vous remercie, milord, minauda Sissy en lâchant la poignée d'osier.

En le voyant soulever le panier, on aurait cru qu'il était vide.

— C'est une belle journée, n'est-ce pas, mademoiselle…

— Brown, Ellie Brown, milord, répondit Eleanor. Et voici ma sœur, Sissy.

— Mesdemoiselles…, dit-il en s'inclinant poliment devant elles comme s'il s'adressait à des égales et non à de simples villageoises.

Le cœur d'Eleanor battit encore plus vite dans sa poitrine. Pour la première fois depuis des semaines, elle avait l'impression de ne pas être une moins-que-rien. Et ses joues qui n'arrêtaient pas de rougir ! Qu'allait-il penser ?

— Vous revenez du marché ? s'enquit-il.

— Oui, milord. Nous avions besoin de farine.

— Ellie fait les meilleurs biscuits du monde, commenta Sissy. A mon avis, elle devrait les vendre.

Eleanor aurait voulu mettre sa main sur la bouche de sa sœur pour l'empêcher de parler. Sissy avait la sale habitude de faire des confidences à n'importe qui. Le marquis sourit devant l'ingénuité de la fillette, qui le dévorait littéralement des yeux. A l'évidence, il usait de son charme avec toute la gent féminine, sans se soucier de l'âge ou de la condition.

En le voyant sourire à sa jeune sœur, elle ressentit un étrange petit pincement au cœur.

— J'espère que j'aurai la chance d'y goûter un de ces jours, déclara-t-il.

Comment ce débauché de la pire espèce pouvait-il être aussi poli et positivement charmant ? Voilà un homme à qui sa famille devait d'avoir subi des dommages irréparables, et franchement l'émoi étrange qu'elle éprouvait en sa présence était tout bonnement inexcusable.

Elle jeta un regard furieux à Sissy pendant qu'il regardait ailleurs.

Apparemment peu émue par la chose, la jeune fille crut bon de répondre :

— Peut-être aimeriez-vous en acheter.

Elle jouait à la marchande, maintenant ! Cela dit, accéder à Beauworth Court pourrait bien résoudre les problèmes d'Eleanor. Pas question, cependant, d'impliquer Sissy là-dedans.

— Voyons, sœurette, monsieur le marquis ne s'occupe pas d'acheter les provisions.

— C'est exact, mademoiselle Brown, dit-il en cherchant les yeux d'Eleanor, mais je parlerai de vous à Mme Briddle, notre cuisinière.

A son corps défendant, Eleanor admirait les traits harmonieux de son interlocuteur. Assurément, ils n'avaient rien d'anglais. Et son accent français lui donnait tout simplement le frisson… Il fallait que cela cesse, et vite, songea-t-elle, morte de honte.

— Mademoiselle Brown, je ne sais pas pourquoi, mais j'ai l'étrange impression que nous nous sommes déjà rencontrés, reprit-il. Avant que je ne parte en pension, peut-être ?

Il n'y avait aucune chance qu'il reconnaisse en elle la Dame du Clair de Lune dont bruissaient toutes les conversations, aussi répondit-elle avec ce qu'elle espérait être de l'assurance :

— C'est impossible, milord.

Seigneur, hors d'haleine comme elle l'était, elle allait

finir par se trahir ! Il fallait absolument qu'elle reprenne son souffle et qu'elle calme les battements de son cœur.

— Nous ne nous sommes installées ici que très récemment, précisa-t-elle.

— A Londres, alors, peut-être ?

— Je n'y ai jamais mis les pieds, milord.

Ce qui était, du reste, tout à fait vrai. Les deuils subis par sa famille avaient retardé de trois ans sa sortie dans le monde, laquelle risquait fort de ne jamais avoir lieu si elle ne parvenait pas à arranger rapidement la situation. Encore que cela ne lui importait pas vraiment ; elle détestait depuis toujours les mondanités et les ronds de jambe.

— Nous habitions le Hampshire…, commença Sissy.

Eleanor la pinça discrètement pour endiguer le flot de ses paroles.

— Aïe ! s'écria la fillette en se frottant le bras.

— Oh, t'es-tu fait mal, Siss ? s'enquit Eleanor en se penchant sur elle.

— Non, c'est toi qui…

— Ah, tant mieux ! coupa Eleanor. Nous sommes arrivées, milord, ajouta-t-elle en pointant du doigt la dernière maison d'une rangée de cinq derrière lesquelles les champs de blé s'étendaient à perte de vue. Merci infiniment pour votre aide.

D'un geste décidé, elle prit le panier d'osier.

— Allons, Sissy, viens.

Malgré le regard de Beauworth qu'elle sentait peser sur sa nuque, elle s'avança vers la maison, la tête et les épaules bien droites, les yeux fixés sur la porte. Surtout, ne pas se retourner. La prochaine fois qu'ils se rencontreraient, elle serait prête à les affronter, lui et son sourire ravageur.

Tel un amateur de vins admirant les reflets du nectar dans son verre, Garrick regarda Mlle Brown emprunter la petite passerelle de bois lancée au-dessus du ru qui longeait paresseusement la route, savourant le délicat balancement de ses hanches et son port de tête plein de grâce et de noblesse.

Comme si elle ne se souvenait déjà plus de sa présence, elle ouvrit la porte et traversa rapidement le jardin en friche. Avec ses cheveux d'or tirés en arrière sous son chapeau de paille tout simple et son air sérieux, on aurait dit une allégorie de la réserve et de la pudeur de la femme anglaise. Sur bien des points, elle aurait fait de l'ombre aux femmes de la capitale.

Pourtant, toute modeste qu'elle fût, le rose de ses joues manifestait sans conteste qu'elle n'était pas indifférente à son charme. Il n'avait pas souvenir qu'aucune de ses conquêtes ait jamais si divinement rosi devant lui. Certes, au début, ses grands yeux gris de colombe l'avaient observé avec une certaine froideur ; mais il les revoyait encore prendre la teinte profonde de l'étain fondu quand sur ses lèvres exquises se dessinait un sourire.

C'était franchement extraordinaire d'avoir déniché une telle splendeur dans le petit village endormi de Boxted.

Pourtant, au fond de lui, il n'arrivait pas à chasser cette impression de l'avoir déjà vue. En vain il fouillait sa mémoire à la recherche du moindre indice ; tant pis, cela finirait par lui revenir. Mlle Ellie Brown n'était pas une femme qu'un homme pouvait oublier facilement. La voir l'avait arraché aux plaisirs de La Gerbe ; il se souvenait d'avoir éprouvé soudain une attirance particulière, pas du tout lascive comme avec cette canaille en jupons de l'autre nuit, plutôt comme de l'admiration devant la pureté qui émanait de son visage. Bien sûr, il ne pouvait se vanter d'avoir une grande expérience en la matière, mais enfin tout de même, le feu de la passion qu'il avait senti couver sous l'apparente modestie de la jeune femme lui semblait constituer un défi irrésistible. Il voulait bien le relever, même s'il y avait de fortes chances que tout cela ne mène finalement qu'à un petit flirt sans importance. Cela ferait toujours quelques jours de passés.

Quand la petite Sissy agita joyeusement la main avant d'entrer dans la maison sur les talons de son aînée, il lui rendit son salut.

En observant la demeure, il fronça le sourcil. Comme les quatre autres sur sa rangée, la bâtisse était en fort mauvais état. Le mortier s'effritait autour des fenêtres, et la pierre apparaissait par endroits sous la chaux rongée par la pluie et le froid. Des nids d'oiseaux trônaient au milieu du toit de chaume envahi par la mousse, et une odeur fétide d'eau stagnante flottait dans l'air. Garrick n'avait pas souvenir que son oncle, lors de leur discussion du matin, ait fait mention de quelconques difficultés financières, mais en tout cas, du temps de son père, ces maisons étaient impeccables, il s'en rappelait fort bien. Peut-être devrait-il examiner les choses d'un peu plus près, finalement.

Posément, il reprit la direction de La Gerbe, où l'attendaient son cheval ainsi qu'une cruche de bière, tous deux abandonnés pour les yeux d'une femme aux chevilles fines et bien faites. Les clients de l'estaminet sauraient sans doute deux ou trois choses sur ces bandits. Après quelques pintes de bière, les langues se délieraient facilement.

Une fois que son cœur eut repris un rythme normal après sa rencontre avec le marquis de Beauworth, Eleanor avait entrepris de faire cuire une fournée de biscuits, qu'elle entreposait à présent dans la réserve pour qu'ils y refroidissent tranquillement. Leur odeur délicieuse lui rappelait les heures passées autrefois à seconder sa mère dans la cuisine médiévale du château de Castlefield. Les domestiques y avaient pris l'habitude de voir leur maîtresse, fille d'un pauvre vicaire élevée par mariage au rang de comtesse, en tablier blanc et les mains dans la farine. Dès quatre ans à peine, Eleanor l'aidait, juchée sur un tabouret, à casser les œufs dans un bol de porcelaine. Elle adorait faire la cuisine, et surtout l'art de la pâtisserie, qui permettait comme par magie de confectionner d'incroyables merveilles à partir de quelques ingrédients parfaitement banals. En outre, il s'agissait de la seule activité à laquelle elle se soit jamais adonnée en compagnie de son frère William ; chaque fois, celui-ci engloutissait avec enthousiasme le fruit de son labeur.

C'étaient de merveilleux souvenirs, mais il valait mieux leur tenir la bride. Elle se frotta les bras, surprise par le froid. Le feu s'était de nouveau éteint. On pouvait toujours compter sur lui pour vous empoisonner l'existence... Parfois, on en venait à penser qu'il avait sa volonté propre et qu'il prenait plaisir à vous rendre la vie impossible. Il suffisait qu'elle s'absente une minute pour qu'il meure, ou qu'il se mette à fumer sans raison apparente, par pure méchanceté.

Elle ouvrit la porte qui donnait sur l'arrière de la maison. Assise à l'ombre d'un rosier hirsute, Sissy lisait en serrant contre elle miss Boots, un chat tigré au pedigree douteux.

— Va me chercher du bois, lui lança Eleanor.

La fillette leva les yeux avec une moue boudeuse.

— Pourquoi est-ce toujours à moi de le faire ?

— Oh, je t'en supplie, cesse de geindre ! J'ai besoin d'aide. Ce n'est tout de même pas beaucoup demander.

Sissy se leva en bougonnant tandis qu'Eleanor retournait s'occuper de son vieil ennemi, bien décidée à ne pas le laisser lui gâcher son après-midi.

Pour une fois, le papier froissé s'enflamma dès que le briquet eut craché sa première étincelle. Le petit bois l'imita, en projetant une volute de fumée âcre qui lui piqua les yeux.

Où diable était Sissy ?

Eleanor courut jusqu'à la porte et jeta un œil dehors. Nom de nom ! Sissy était là, penchée sous le rosier épais, visiblement occupée à secourir miss Boots.

— Comment as-tu pu me faire ça ? grommela la jeune femme. Tu sais très bien que j'ai besoin de bûches !

Sissy se rua vers la maigre pile de bois dressée contre le mur au fond du jardin.

— Voilà, voilà, j'arrive ! s'exclama-t-elle d'un air penaud.

— Vraiment ! J'avais réussi à allumer le feu sans difficulté pour une fois. A présent, le papier et le petit bois doivent s'être consumés. Il va falloir tout recommencer !

Eleanor en aurait pleuré de rage. Elle prit sans ménagement les premières bûches des mains de sa sœur et se précipita vers le poêle pendant que Sissy courait en chercher d'autres.

Les dents serrées, elle prépara une nouvelle flambée ; mais ses mains tremblaient, et aucune étincelle ne jaillit du briquet quand elle le battit.

Calme-toi, s'exhorta-t-elle.

Elle fit une nouvelle tentative. Une petite particule incandescente tomba sur le papier froissé.

— Allume-toi, je t'en supplie.

Une flamme jaillit, qu'elle accueillit d'une exclamation tendue. Elle jeta sur le feu quelques bûches.

Et maintenant, le thé !

Elle alla droit à la réserve. Entendant Sissy arriver derrière elle, elle lui lança :

— Range le reste du bois près du foyer et mets la table.

Là-dessus, elle cala une miche de pain sous son bras et prit le beurre et la confiture sur leur étagère.

Sissy poussa un cri perçant. Aussitôt, Eleanor se retourna vers elle et avisa, sur le sol, un morceau de charbon de bois sur lequel couraient des serpents de feu rougeoyants. Le tapis, sous les pieds de la petite fille, roussissait déjà en fumant, menaçant de s'enflammer à tout instant.

— Ecarte-toi, vite ! lui cria-t-elle, d'une voix que la panique rendait stridente.

Sissy restait pétrifiée, toussant affreusement à mesure que la fumée l'étouffait.

Eleanor lâcha tout ce qu'elle tenait à la main pour se

précipiter vers sa sœur, agrippa celle-ci par le bras et la poussa hors de la maison avant de retourner à l'intérieur.

Depuis le seuil, Sissy hurla :

— Le tapis est en feu !

— Ne bouge pas ! répondit l'aînée.

Une saute de vent venue de la porte béante fit voler quelques flammèches, qui embrasèrent immédiatement la nappe en tombant sur la table. Seigneur ! Dans quelques secondes, toute la maison allait être la proie des flammes.

Se rappelant les conseils de son père, selon lesquels il fallait toujours commencer par essayer d'étouffer un feu, elle courut vers sa chambre, arracha la couverture du lit et se rua de nouveau dans la grande salle pour la jeter sur les flammes, ce qui eut pour effet de produire encore plus de fumée.

— Au feu ! entendit-elle vaguement hurler Sissy.

La porte, qui devait s'être refermée, s'ouvrit brusquement à la volée. Tel un guerrier sortant de la brume, un homme surgit au milieu des volutes épaisses. Saisissant la couverture, il se mit à en asséner de grands coups autour de lui. Les flammes furent bientôt maîtrisées, et la nappe encore fumante atterrit dans la rue tandis que le contenu d'un grand seau noyait le tapis.

Subjuguée, Eleanor regardait son sauveur, les yeux pleins de larmes.

Le marquis de Beauworth agita la couverture roussie devant lui pour chasser les derniers lambeaux de fumée à travers la fenêtre grande ouverte.

— Eh bien, heureusement que je passais par là ! On dirait que votre dernière fournée risque d'être un peu cuite…

— Le feu est parti de la cheminée, non de mon four, objecta Eleanor d'un air pincé.

Beauworth répondit d'un sourire. Il plaisantait, en fait ; aussi s'efforça-t-elle d'avoir l'air de se prendre au jeu ; las, elle accusait le coup de sa frayeur. Le tapis n'était plus qu'un petit tas de cendres fumantes. Elles l'avaient échappé belle. Quelques minutes de plus et la maison s'embrasait entièrement. Sissy aurait pu être blessée, voire pire encore. Elle en avait la chair de poule et les jambes en coton…

Elle se laissa tomber sur le canapé couvert de suie.

— Merci, milord ! Je n'ose penser à ce qui aurait pu advenir si vous n'étiez pas arrivé.

— Bah ! Il me semble que vous aviez la situation bien en main.

Ce n'était pas le cas, bien évidemment, mais elle apprécia ce petit mensonge. Quand son cœur eut retrouvé son rythme habituel, elle contempla le désastre.

Sissy risqua un œil dans la pièce en restant prudemment cachée derrière la porte.

— C'est fini ? Le feu est éteint ?

— Oui, répondit Eleanor. Mais reste dehors. Il y a de la suie et de l'eau partout.

— Votre cheval n'est pas attaché, milord, ajouta la cadette. Ne craignez-vous pas qu'il s'échappe ?

— Non, rassurez-vous, dit le marquis avec un sourire. Cette jument n'ira nulle part sans moi.

Sissy disparut, apparemment satisfaite par cette réponse.

Eleanor se remit sur ses pieds, encore tremblante, et entreprit de rouler sur lui-même le tapis, ou ce qu'il en restait.

— Permettez, offrit Beauworth en le lui prenant des mains.

Les restes malodorants rejoignirent bientôt la nappe calcinée sur l'herbe du petit jardin, ainsi que la couverture.

Le marquis embrassa la pièce du regard avec curiosité. Il devait considérer avec mépris la misère dans laquelle elles vivaient, le salpêtre qui tachait la pierre des murs par endroits, le mobilier dépareillé acheté pièce par pièce à Dieu savait qui, et Dieu savait où, par William. Le tout, éclairé par le peu de lumière que laissait passer le lattis de la fenêtre, avait un air terriblement chiche. Elle espérait que sa gêne ne se voyait pas trop sur son visage.

— Je suis navré de ne pas avoir pu sauver ce tapis, déclara-t-il.

Il semblait tellement sincère qu'elle ne put s'empêcher de sourire.

Quand il l'imita, de petites rides se formèrent au coin de ses yeux. Ses dents paraissaient encore plus blanches au milieu de son visage couvert de suie. Il ne ressemblait plus du tout au marquis rencontré quelques heures plus tôt.

— On dirait un ramoneur ! dit-elle en s'esclaffant.

— Je n'en doute pas, répondit-il en s'essuyant le front avec le revers de sa manche.

Eleanor se leva, prit le seau et, depuis la porte, appela sa jeune sœur.

— Sissy, va chercher de l'eau au puits. Quand tu reviendras, tu pourras entrer.

Elle marqua une pause, puis, prise d'une impulsion subite, proposa :

— Voulez-vous prendre une tasse de thé avec nous ?

Beauworth hésita.

Quelle mouche la piquait d'inviter ainsi une personne de sa condition ? Dans sa situation, elle n'appartenait clairement plus au même monde que lui. D'un haussement d'épaules, elle tenta de cacher le chagrin que cela lui faisait d'y penser, mais elle sentit son cœur s'emballer de nouveau quand il répondit en souriant :

— Je veux bien, merci.

Elle savait que la joie devait se lire sur son visage, mais elle ne pouvait rien y faire, aussi se précipita-t-elle sans plus y penser dans sa chambre pour y prendre le broc encore plein qui se trouvait sur sa psyché, ou ce qui lui en tenait lieu, remplit d'eau jusqu'au bord une petite cuvette et posa à côté de celle-ci un linge, un morceau de savon et une serviette.

— Je vous en prie, dit-elle. Voici de quoi vous laver. Il y a un miroir au-dessus de l'évier.

Le marquis contempla ses mains noires.

— Bonne idée, dit-il en ôtant sa veste, ce qu'aucun gentleman bien élevé n'aurait fait devant une dame.

Mais elle ne pouvait lui en vouloir. Pas après qu'il les avait sauvées d'un désastre certain.

Il releva les manches de sa chemise, découvrant des bras forts et musclés, une peau hâlée. Eleanor sentit aussitôt un frisson brûlant lui passer sur la nuque.

Elle n'aurait pas dû regarder ! Vite, elle détourna les yeux, mais rien n'y faisait. Le mouvement souple de ses épaules sous l'étoffe fine de sa chemise l'attirait irrésistiblement et la troublait à la fois. Que diable lui arrivait-il ? Cet homme était son ennemi, après tout. Il fallait penser à autre chose. Vite. Le thé ! Elle venait de lui en offrir. *Mets la table, ma fille, pour commencer.*

Elle se rua sur le vaisselier. Où donc était passée Sissy ?

— Mademoiselle Brown ?

— Oui, milord ?

Il s'essuyait le menton, les yeux rivés sur elle, l'examinant des pieds à la tête, lentement. De nouveau, elle se sentait les joues en feu.

— Vous vous êtes salie, vous aussi.

Il s'approcha pour lui tamponner le nez avec le linge mouillé. Stupéfaite, elle voulut le lui arracher, mais il esquiva son geste et, lui prenant les mains dans l'une des siennes, les essuya d'autorité.

Seigneur ! Quelle force il avait !

Quand il en eut terminé, il prit un peu de recul.

— Un peu de suie macule votre menton. Vous permettez ?

Son cœur bondit dans sa poitrine, et un nouveau frisson la secoua impitoyablement quand les doigts de Beauworth se posèrent sur son menton, incroyablement légers, pour attirer son visage dans la lumière.

Elle s'exhorta à demeurer immobile, terrorisée à l'idée de faire un geste ridicule — comme de s'appuyer sur ses épaules pour se soutenir. Lentement, doucement, il lui essuya le menton, les joues, le nez. Le contact du tissu froid sur sa peau brûlante était merveilleusement rafraîchissant.

Ses longs cils noirs cachaient ses yeux, et il sentait le bois de santal et la fumée. Concentré sur sa tâche, il semblait plus doux, plus calme qu'à l'ordinaire. En baissant les yeux, il s'aperçut qu'elle le dévisageait.

Un éclat d'ambre luisait au fond de son regard sombre. Ses lèvres ouvertes s'approchaient inexorablement. Une chaleur incroyable irradiait de son corps. Le cœur d'Eleanor s'affola de plus belle...

Elle cherchait l'air, comme si une main gigantesque lui enserrait la poitrine, le souffle désormais si court qu'elle craignait qu'il ne l'entende suffoquer.

Il était si près qu'elle ne voyait plus que sa pommette, nettement dessinée au-dessus de sa joue hâlée, et les boucles noires qui couvraient sa tempe. Et ce cœur qui battait de plus en plus vite ! Elle ne pouvait plus bouger.

Mais en avait-elle seulement envie ?

Il effleura sa bouche de ses lèvres brûlantes et douces. Presque rien, en fait, comparé au baiser de l'autre nuit...

Pourtant, elle eut l'impression d'être frappée par la foudre. Instinctivement, elle se raidit.

— J'attends de faire cela depuis que je vous ai vue passer devant La Gerbe, murmura-t-il, exhalant un souffle chaud et suave sur la joue d'Eleanor.

Elle frissonna, incapable de penser à quoi que ce soit, attendant la suite.

Les lèvres de Beauworth se plissèrent sur un sourire nonchalant et sensuel. Hypnotisée, incapable de le quitter des yeux, elle sentit qu'il lui prenait la nuque doucement.

— Vous êtes vraiment très jolie, Ellie.

Cette voix... ! Rauque, séduisante, elle l'attirait comme la

Terre attire la Lune dans son orbite. Quand elle se pencha sur lui, il laissa tomber le linge et la prit dans ses bras, appuyant une main ferme contre ses reins.

Que faisait-il ? C'était si bon, et pourtant si mal…

La porte claqua tout à coup.

Eleanor sursauta, le marquis se retourna brusquement. Deux yeux noisette les fixaient, goguenards.

— Ah, vous voici ! lança Sissy en renversant sur ses chaussures un peu de l'eau du seau qu'elle portait à deux mains.

Après un regard circulaire autour de la pièce, elle ajouta :

— Eh bien ! Après tout le temps que j'ai passé à faire le ménage ici !

En hâte, Eleanor se mit à nettoyer la table et à essuyer la suie un peu partout, en priant le ciel que sa sœur ne remarque pas qu'elle avait le rouge aux joues et le souffle un peu court.

— Mets de l'eau dans la bouilloire et verse le reste dans l'évier, ordonna-t-elle d'une voix qu'elle jugea horriblement rauque.

— Permettez, intervint le marquis en prenant le seau des mains de la cadette. C'est une charge bien lourde pour une personne de votre âge.

Là-dessus, il remplit la bouilloire comme venait de le demander Eleanor et la suspendit au-dessus du feu qui craquait joyeusement dans la cheminée.

En attendant que l'eau bouille, Eleanor, sans dire un mot, étendit une nappe défraîchie sur la table, ramassa et épousseta le pain et le pot de confiture qu'elle avait fait tomber sur le plancher en essayant d'éteindre l'incendie, puis alla chercher des biscuits dans la réserve. Pendant ce temps, le marquis aida Sissy à tirer deux chaises et deux tabourets. Décidément, songea Eleanor, il ne correspondait pas du tout à l'idée qu'elle se faisait d'un débauché. En fait, elle ne le trouvait pas très différent de ses frères. Peut-être pas aussi parfait qu'eux, bien sûr, mais en tout cas agréable, sympathique, et pas du tout ennuyeux.

— Des biscuits ! Chic ! s'exclama la fillette. Nous n'y avons jamais droit, sauf quand Martin est là, et encore, pas toujours.

— Martin ? répéta Beauworth d'un air curieux.

— M. Martin Brown, c'est le…

— Un parent à nous, coupa Eleanor précipitamment.

Sissy connaissait parfaitement l'histoire qu'elles avaient inventée toutes les deux, mais elle était si tête en l'air…

— Il travaille tout près d'ici, précisa-t-elle. Chez son cousin. Asseyez-vous, milord, je vous en prie, ajouta-t-elle en gratifiant leur invité d'une petite révérence et en désignant l'une des deux chaises.

Quand il eut pris place, elle s'assit sur un tabouret, aussitôt imitée par Sissy, qui tendit à Beauworth le plateau de biscuits tandis qu'elle servait le thé.

— Ce sont des biscuits très spéciaux, dit la cadette.

— Délicieux ! commenta-t-il après avoir pris une bouchée du premier, qu'il engloutit en un rien de temps, avant d'en prendre un deuxième.

Eleanor sourit. C'était agréable de recevoir les compliments d'un marquis.

— Depuis combien de temps vivez-vous ici, mademoiselle Brown ? s'enquit celui-ci d'un ton assez formel.

— Environ un mois.

— Je vois, dit-il en examinant l'âtre d'un œil critique. Cette cheminée a besoin d'être ramonée, et ces murs m'ont l'air humides.

— Le toit fuit un peu, en effet, admit Eleanor.

— Et le ruisseau déborde souvent, renchérit Sissy en reposant sa tasse sur sa soucoupe d'un petit geste sec. Nous avons eu de l'eau dans la cuisine. Et même des grenouilles !

— N'allez pas croire que je me plains, milord, se hâta

de dire Eleanor. Nous avons eu de la chance de trouver un endroit abordable où loger, et si près du village.

Beauworth les regarda d'un air curieux.

— Vous n'êtes pas d'ici, mademoiselle Brown, n'est-ce pas ? Vous n'avez pas du tout l'accent du Sussex, ni votre sœur non plus. En fait, à vous entendre, on vous croirait…

Quoi donc ? Noble ? Eduquée ? Elle n'avait pas cherché à changer son accent, ni celui de sa sœur, depuis leur arrivée ici. A quoi bon ?

N'empêche, la perspicacité de cet homme la surprenait une fois encore. D'une voix dont elle espérait gommer autant que possible la honte que cela lui inspirait, elle lui servit avec une désinvolture calculée le mensonge concocté avec Martin.

— Nous avons été élevées sur un domaine immense, assez comparable au vôtre, milord. Notre maîtresse aimait beaucoup notre mère et nous a autorisées, Sissy et moi-même, à recevoir la même éducation que ses propres enfants. J'ai l'intention de devenir préceptrice, mais il me reste à trouver un poste qui me convienne.

— Je me plais bien ici, intervint la cadette. J'ai trouvé miss Boots dans le jardin.

— Miss Boots ? Qui est-ce ? demanda Beauworth en fronçant le sourcil.

— Mon chat, répondit Sissy en plongeant sous la table pour y chercher son petit chaton.

Elle réapparut quelques instants plus tard et, élevant les petites pattes de l'animal, expliqua :

— Voyez, on dirait qu'il porte de petites bottes blanches.

— C'est ma foi vrai, dit Beauworth.

Il marqua une pause puis, tirant de son gousset une simple montre d'argent, bien moins belle que celle qu'Eleanor lui avait volée l'autre nuit, ajouta :

— Vous me pardonnerez, j'espère, mais j'ai un autre engagement cet après-midi.

Et, pendant ce temps-là, il écoutait les babillages d'une fillette ! Eleanor essaya de cacher son dépit.

— Je vous en prie, milord, nous ne voulons surtout pas abuser de votre temps. Je vous remercie de nous avoir permis de vous témoigner notre reconnaissance en vous offrant cette modeste collation.

— Tout le plaisir est pour moi, mademoiselle, je vous l'assure.

Elle le croyait. Malgré l'apparent écart qui existait entre eux socialement, il ne faisait preuve d'aucune condescendance envers elle. Pourquoi ne l'avait-elle pas rencontré dans sa vie d'avant, Seigneur, pourquoi ?

A quoi diable pensait-elle ? C'était à lui qu'elle devait sa ruine présente, et à personne d'autre, bon sang !

Et pourtant, elle ne le haïssait plus. Il venait tout de même de la sauver d'un sort affreux, il ne fallait pas l'oublier. C'était pour cela, et seulement pour cela, qu'elle avait changé d'avis à son sujet. Ses frissons, ses émois n'avaient strictement rien à voir là-dedans. Et ses baisers encore moins.

Il passa sa veste puis prit son chapeau et sa canne, qu'il avait jetés n'importe où en venant à son secours.

— Je vais informer Mme Briddle du fait que Boxted abrite l'une des meilleures pâtissières du Sussex. M'est avis qu'elle ne tardera pas à vous contacter. Bien le bonjour, mademoiselle Brown, et à vous aussi, mademoiselle Sissy.

Sur ces mots, il toucha le bord de son chapeau avec le pommeau de sa canne et prit congé.

Flanquée de sa sœur, Eleanor le regarda s'éloigner. Sur la planche pourrie qui enjambait le ruisseau, il marqua le pas quelques secondes pour contempler l'eau boueuse qui coulait en dessous, puis il se remit à marcher vers son cheval.

— Voilà la solution, Ellie. Tu vas cuire des gâteaux à Beauworth Court, et nous serons de nouveau riches !

L'espoir qui vibrait dans la voix de Sissy ramena Eleanor

à la dure réalité. Si elle ne trouvait pas rapidement une solution, les choses allaient encore grandement empirer.

— C'est un homme dangereux, dit-elle.

— Moi je l'aime bien. Il a de beaux yeux marron.

— Tu ne les aimes que parce que tu as les mêmes, voilà tout.

— En tout cas, il t'aime bien, toi, ajouta la cadette en riant. On aurait dit que c'était toi qu'il voulait manger, au lieu des gâteaux !

Eleanor porta la main à sa bouche, assaillie par le souvenir des lèvres de Beauworth sur les siennes et de sa réaction à ce baiser. Cet homme savait s'y prendre pour séduire une femme. Combien de malheureuses avait-il déjà menées à la ruine ?

Sans compter que son exigence concernant l'hypothèque l'avait plongée dans une situation désespérée…

Peut-être, après tout, l'idée de Martin de rançonner sa famille n'était-elle pas si mauvaise.

Chapitre 3

En arrivant aux écuries, Garrick trouva Johnson occupé à réparer une bride de cuir.

— Où est Dan ? lui demanda-t-il. J'ai une petite course à faire et je voudrais qu'il m'accompagne.

— Je l'ai envoyé aux cuisines manger quelque chose, répondit le vieux cocher. Il est bien maigre, ce garçon. Faut qu'il se remplume.

— Selle-lui ce que nous avons de plus doux ici. Je vais chercher Bess.

Les deux hommes s'affairèrent en silence pendant quelques minutes.

— Il est intelligent, dit Johnson en faisant tinter un mors.

Garrick savait de qui il parlait, aussi acquiesça-t-il d'un grognement en posant sa selle sur le dos de sa jument.

— Il sait y faire avec les chevaux, poursuivit Johnson. Pas la peine de lui répéter les choses trois fois. Il comprend tout, tout de suite. Il a dû en voir de dures, à mon avis.

A quoi bon garder le secret plus longtemps ?

— Il était apprenti chez un méchant homme que j'ai convaincu de le laisser partir, lui apprit Garrick.

— A coups de poing, d'après ce que j'ai entendu, milord. Bien fait pour lui !

En surprenant ce misérable en train de cingler le dos de l'enfant de sa canne, Beauworth avait vu rouge. Sans l'intervention d'Harry, le tortionnaire aurait bien pu y passer.

Après coup, il avait payé une jolie somme, à la fois pour libérer Dan et pour compenser les dégâts occasionnés par son intervention, mais son ventre se tordait encore chaque fois qu'il se rappelait le goût du sang qui lui était venu à cette occasion. Après des années sans incident, il avait de nouveau perdu le contrôle de lui-même, lâché la bride à la bête qui sommeillait en lui. Il avait été fou de croire pouvoir échapper à la malédiction des Le Clere. Il n'était pas fait pour vivre en société, tout simplement.

Sans la perte de sa bague, il aurait déjà été en route pour Lisbonne à cette heure.

— Dan aurait mieux fait de se taire, grommela-t-il.

— C'est moi qui lui ai tiré les vers du nez, milord. Je n'arrivais pas à comprendre pourquoi il sursautait chaque fois que je levais le bras. Ce ne sera pas une bonne chose s'il fait ça devant votre oncle.

Garrick tapota l'encolure de Bess.

— Donne-lui du travail, et tout ira bien. Je m'étonne que tu n'aies personne pour t'aider.

— M. Le Clere n'aime pas dépenser un shilling quand un six pence suffit, milord.

Dan entra sur ces entrefaites, en sifflotant. Garrick se pencha hors de la stalle dans laquelle il s'occupait de Bess et lui lança :

— Donne un coup de main à Johnson, mon garçon. Tu pars avec moi.

— Oui, milord ! répondit Dan, visiblement ravi.

Garrick tendit l'oreille pour écouter les instructions que donnait le vieux cocher à son protégé. Il ne regrettait pas de l'avoir amené ici avec lui, ça non ! En plus d'apprendre un bon métier, il grandirait loin des miasmes de Londres. Il lui expliquerait les projets d'avenir qu'il faisait pour lui pas plus tard qu'aujourd'hui.

Il finit de harnacher Bess, puis la guida au-dehors. Dan les suivit quelques instants plus tard, tirant derrière lui une vieille rosse qui mâchonnait son mors tranquillement.

— Es-tu prêt, mon garçon ?

— Oui, milord.

Ils montèrent en selle et partirent en direction du lieu de l'embuscade de la nuit précédente. S'ils avaient de la chance, ils trouveraient des traces de cette gueuse. Et de son complice. Il ne fallait pas l'oublier celui-là. Son mari, peut-être ? Ou son amant ? Il n'aimait pas cette seconde solution. De simplement imaginer les mains de cet homme sur le corps voluptueux de la bougresse lui échauffait la bile.

Que diable lui arrivait-il ? Qu'il soit attiré de la sorte par deux femmes à la fois semblait un peu trop, même pour un débauché comme lui. Et deux femmes si différentes, de surcroît ; l'une, innocente et à peine consciente de l'intérêt qu'elle pouvait susciter chez un homme ; l'autre, vulgaire et effrontée, capable d'éveiller les plus bas instincts et que l'homme avisé fuyait comme la peste.

Il fallait qu'il soit un rustre de la pire espèce pour attendre avec impatience de revoir cette diablesse.

Ils quittèrent le chemin pour pénétrer dans les bois. Sous les frondaisons des chênes et des ormes, l'air frais sentait les feuilles en décomposition. Une brise légère agitait les branches, projetant des ombres dorées sur le sentier qui serpentait entre les arbres. Çà et là, le sol détrempé portait les traces du passage rapide de deux chevaux, l'un très grand, l'autre moins.

Quand ils atteignirent les champs, Garrick perdit la piste subitement et dut mettre pied à terre pour la chercher.

Dan descendit de son cheval un peu plus loin.

— Milord ! Il y a des empreintes de sabots dans la boue séchée, là-bas.

Garrick inspecta les traces. Elles étaient identiques à celles qu'ils venaient de suivre dans la forêt.

— Bien joué, Dan. Voyons où elles nous mènent.

Ils poursuivirent leur route à pied au milieu des champs bordés de haies vives ondoyant sous le soleil. De temps en temps, sur une plaque de boue séchée ou d'herbe un peu rase, de nouvelles traces de sabots attestaient qu'ils suivaient la bonne piste.

Ils découvrirent finalement, nichée dans un vallon protégé par un épais bouquet d'arbres, une vieille grange qui se dressait à côté d'une mare.

— Voilà qui est intéressant, dit Garrick.

— Croyez-vous qu'ils sont là ? s'enquit Dan en se tortillant nerveusement sur sa selle.

— J'en doute, mais je préfère que tu restes à couvert avec les chevaux, au cas où. Si les choses tournent mal, retourne à Beauworth.

Dan mit pied à terre et se saisit des brides des animaux d'un air décidé. Il était plus costaud qu'il n'en avait l'air ; sans cela, de toute façon, il n'aurait pas survécu.

Garrick traversa prudemment la clairière, accompagné par le pépiement des oiseaux qui jouaient dans les arbres. Quand il eut atteint la grange, il sourit d'un air satisfait en entendant les hennissements des bêtes enfermées. Il examina l'intérieur à travers une fente de la porte, qu'il trouva barrée et fermée à clé. L'éclat blafard d'une robe blanche lui confirma ce qu'il avait espéré : c'était bien le repaire des brigands. Et, s'ils gardaient leurs chevaux dans cette grange, ce devait être qu'ils envisageaient de frapper de nouveau.

Il rejoignit Dan. Un plan se formait déjà dans sa tête. Si cela marchait, il partirait dans un jour ou deux…

Le regard inquiet de Dan lui fit se souvenir de la raison pour laquelle il l'avait emmené avec lui.

— J'ai de mauvaises nouvelles pour toi, mon garçon.

Le lendemain de l'incendie, Martin, avachi dans un fauteuil de la cuisine d'Eleanor, discutait avec cette dernière.

— Beauworth mène sa petite enquête, dit-il en regardant par la fenêtre Sissy occupée à lire un livre à miss Boots.

— Vraiment ? fit la jeune femme en espérant cacher son émoi.

— D'après mon cousin, il craint que les brigands, comme il dit, ne cherchent à s'emparer de l'or qui doit arriver de Londres ce soir.

Eleanor se raidit.

— C'est un piège, milady. Forcément.

Parfois, tel était pris qui croyait prendre…

— Je le crois aussi, repartit-elle en enfouissant ses mains dans les plis de sa robe. De toute façon, jamais je ne tenterais quelque chose en ton absence.

Martin eut l'air sceptique mais ne répondit rien. Il jeta sur ses genoux une petite bourse de cuir, qui fit un bruit métallique.

— Voilà tout l'argent que j'ai obtenu de notre première attaque. Ce n'est pas grand-chose, si l'on pense aux risques que nous avons pris.

Eleanor hocha la tête puis, désignant du menton la valise qui gisait sur le sol, déclara :

— Il faut que nous nous assurions de la sécurité de lady Sissy avant d'entreprendre une nouvelle sortie.

— Vous parliez de moi ? lança la cadette en entrant dans la pièce, miss Boots perchée sur son épaule.

— Martin va t'emmener chez tante Marjorie, annonça Ellie.

— Oh non ! protesta la fillette en se jetant aux pieds de sa sœur. Tu avais dit que je pourrais rester avec toi !

Eleanor regarda Martin en faisant la grimace, mais celui-ci fit non de la tête. Il n'aimait pas plus qu'elle ce qu'ils étaient en train de faire, mais Sissy devait absolument être envoyée ailleurs.

— Tu aimes bien ta tante Marjorie, dit Eleanor en chahutant les boucles brunes de Sissy. Elle a des chats elle aussi. Miss Boots aura de la compagnie.

La fillette s'agrippait à la jupe de sa sœur, et ses yeux s'emplissaient de larmes.

— Je t'en supplie, ne m'envoie pas chez elle, Len. Tous les autres sont partis. Je te promets d'aller chercher le bois tous les jours.

Rien n'avait jamais fait autant de peine à Eleanor que les larmes de sa sœur à cet instant, si ce n'étaient la mort de leurs parents, emportés par la grippe, et l'horrible accident de Michael. Jusqu'à ce que William rentre reprendre son titre, elle était tout ce qu'il lui restait de sa famille autrefois si unie.

— Allons, ma chérie, ce n'est que pour quelque temps. Tu passes toujours un moment chez ta tante Marjorie en été.

On entendit un hoquet, puis la fillette s'exclama :

— Tu ne vas pas me laisser là-bas pour toujours ? Jure-le ! Croix de bois, croix de fer…

— Si je mens, je vais en enfer, acheva Eleanor en faisant un signe de croix quand sa sœur leva les yeux vers elle.

— Bon, d'accord, bougonna Sissy, ce qui soulagea grandement son aînée.

— William sera bientôt de retour, affirma la jeune femme en caressant doucement les cheveux soyeux de sa cadette pour leur redonner un peu d'ordre. Allons, il est temps de partir, ajouta-t-elle à l'intention de son compagnon.

Martin souleva Sissy comme un fétu entre ses bras puissants, Eleanor tendit miss Boots à sa sœur puis les suivit tous les deux jusqu'à la voiture. Martin installa la fillette, son chat et son bagage sur la banquette et grimpa à leurs côtés. Une fois les rênes en main, il toucha le bord de son chapeau d'un doigt à l'adresse de sa jeune maîtresse puis lança :

— Je serai de retour demain.

— Salue tante Marjorie de ma part, cria Eleanor en guise de salut comme la voiture s'ébranlait.

— Entendu, répondit Sissy en la couvant d'un œil triste à pleurer.

Elles ne se quittèrent pas des yeux jusqu'à ce que le coche disparaisse au bout de l'allée. Le cœur battant, Eleanor ferma la porte de la maison. Si les choses tournaient mal, elle ne reverrait peut-être jamais sa famille. Mais il fallait qu'elle tente le tout pour le tout afin de rétablir la situation.

De petites rigoles glacées coulaient sur ses joues. Elle qui ne pleurait jamais !

Elle essuya ses larmes et releva le menton. C'était sa dernière chance de se racheter ; elle n'avait plus droit à l'erreur.

Une fois le loquet mis, elle ferma les rideaux du salon et de la chambre, tira le coffre de sous le lit qu'elle partageait avec Sissy et plaça la petite bourse pleine d'argent entre les pièces de leur butin qu'elle avait mises de côté, par crainte qu'elles soient trop reconnaissables et donc difficiles à vendre. L'une d'elles brillait dans sa main, que le marquis avait voulu récupérer en essayant de la séduire. Il fallait vraiment qu'elle ait perdu la tête pour se laisser prendre au charme d'un homme à qui d'innombrables malheureux devaient leur ruine.

Et c'était une chose qu'elle ferait bien de ne pas oublier, se dit-elle, assise sur ses talons, en contemplant le fruit de ses rapines.

Son dîner terminé, Garrick quitta discrètement la maison, l'épée de son père sous le bras. Après une matinée entière passée à compulser les livres de comptes du domaine en l'absence de son oncle, il commençait à se faire une idée des raisons pour lesquelles Beauworth semblait avoir perdu sa prospérité d'antan. Depuis une dizaine d'années, les bénéfices des fermages ne faisaient que baisser. Pourquoi exactement, il l'ignorait. Le Clere le saurait, lui, mais aurait-il une solution pour améliorer les choses ?

Moderniser serait sûrement la clé du redressement. Depuis

quelque temps, il entendait des amis parler de nouvelles méthodes de culture. Il faudrait qu'il en touche deux mots à Duncan, à l'occasion. Pour l'heure, il fallait qu'il s'occupe de ces voleurs.

Dans l'écurie, il trouva Bess prête à partir. On pouvait compter sur Johnson.

— Alors, milord, vous partez tenir chaud à une demoiselle, ce soir ? s'enquit le cocher avec un sourire égrillard. J'espère qu'il ne s'agit pas de cette jolie Mlle Brown qui réside au village. J'ai entendu dire que vous lui manifestiez de l'intérêt.

Garrick fronça le sourcil. Damnées commères ! Dans un village de la taille de Boxted, il ne fallait pas longtemps pour qu'une rumeur se répande.

— Non, en fait, il s'agit de quelque chose de bien différent, répondit-il en montrant son épée au vieux serviteur. Je vais voir Appleby. Je lui avais promis une revanche.

Johnson hocha la tête.

— Il va le regretter, pour sûr.

Garrick sourit. Mieux valait que le cocher ignore la vraie raison de sa sortie. Remontant le col de son manteau, il enfonça son chapeau sur ses oreilles.

— Tu connais ce drôle, aussi ne t'étonne pas si je suis absent un jour ou deux.

Il lui faudrait du temps pour retrouver cette bague. Si les brigands l'avaient vendue, il pourrait bien devoir aller jusqu'à Londres. Pourvu qu'ils ne l'aient pas fondue !

Dan devait avoir entendu sa voix, car il déboula du fenil, glissant sur l'échelle sans se soucier des barreaux.

— Puis-je venir avec vous, milord ?

— Pas cette fois-ci, Dan, non.

— Mais..., protesta le garçon d'un air triste. Vous allez partir bientôt, et...

— Ne discute pas avec Sa Seigneurie, le rabroua Johnson.

Dan se raidit, comme si les peurs anciennes n'attendaient qu'un mot dur pour resurgir.

La réaction du gamin ulcéra Garrick, qui serra les poings. Dan recula instinctivement. Ainsi, il avait peur de lui aussi ? Il n'avait pas tort, cela dit, mais Beauworth détestait se montrer dur avec lui.

— Mène cette jument dehors, mon garçon, lui dit-il doucement.

Le gamin s'exécuta sans se faire prier. Garrick le suivit dans la cour, qu'une simple lanterne accrochée au-dessus de la porte éclairait. Dans la lumière blafarde, Garrick prit les rênes des mains du gamin visiblement inquiet de ce départ.

— Peux-tu garder un secret ? chuchota-t-il.

Dan répondit en opinant du chef.

— J'ai tendu un piège aux brigands qui nous ont attaqués.

— A la grange ?

Il avait décidé de ne pas les attendre là-bas, de peur de se retrouver acculé s'ils le surprenaient. Non, il voulait les forcer à se séparer. Diviser pour mieux régner, en quelque sorte. Il n'avait pas le temps d'expliquer tout ça à son protégé, aussi acquiesça-t-il sans rien préciser.

— Pas un mot à quiconque, promis ?

— Promis.

Le visage de Dan s'illumina.

— Ah, vous avez pris votre épée ! J'aimerais bien voir un combat.

Il fit mine de se fendre, le bras tendu.

— Faites-lui tâter de votre fer, milord !

Quelle petite brute sanguinaire, songea Garrick.

— Nous verrons, répondit-il seulement en se mordant la lèvre pour ne pas rire. En attendant, sois sage et obéis à M. Johnson. Au revoir, mon garçon.

A ces mots, Dan s'inclina devant lui avec une dignité inattendue chez un être aussi peu éduqué. Tudieu ! Il allait lui manquer quand il partirait rejoindre l'armée du roi.

Assez de pensées démoralisantes, se reprocha Garrick. Il avait à faire.

Il lança Bess au petit galop. Une fois Boxted derrière lui, il trouva une petite éminence, pas très loin de l'endroit de l'embuscade de l'avant-veille, depuis laquelle il pourrait voir les brigands préparer l'attaque de la voiture chargée d'or qui ne viendrait jamais. Ils allaient avoir une surprise…

Les nuages s'ouvrirent soudain devant la lune, si bien que Mist devait se voir à dix lieues à la ronde, comme une plaque de neige sur le flanc noir d'une montagne ; Eleanor s'avança donc dans l'ombre. Comme d'habitude, elle avait le ventre noué et la bouche sèche ; mais, ce soir, elle se sentait plus nerveuse encore qu'à l'ordinaire. La présence rassurante de Martin lui manquait. Elle serrait les rênes de sa monture à se faire mal.

Quand le cheval dressa les oreilles vers le champ qui s'étendait de l'autre côté de la haie, elle retint son souffle pour essayer de percevoir le moindre bruit. Il y eut un froissement de feuilles, à peine perceptible, puis un petit craquement de brindilles. Ce devait être lui.

— En avant, Mist ! Vite ! chuchota Eleanor en dirigeant sa monture vers les bois.

Après quelques minutes passées à éviter les arbres et les buissons, elle arrêta Mist. Derrière elle, son poursuivant filait à bride abattue. Un sourire se dessina sur ses lèvres. Il avait mordu à l'hameçon, l'imbécile ! Elle en avait les oreilles qui bourdonnaient d'excitation. En plus, il était venu seul, elle n'aurait que lui à semer !

Elle s'en fut hors du sentier, directement dans le sous-bois épais. Les branches basses la forçaient à se pencher sur l'encolure de Mist, mais l'animal suivait presque seul le chemin qu'ils avaient reconnu dans la journée.

La clairière fut bientôt là. Elle s'y arrêta et jeta un regard derrière elle. Rien. Ni bruit ni mouvement. Zut ! A force d'être plus rusée que tout le monde, elle l'avait perdu !

Comme elle se retournait, le cri jaillit, droit devant elle, et non derrière.

— Halte-là !

Le pistolet à la main, il l'attendait, monté sur sa jument hors d'haleine. Il devait l'avoir contournée. Le cœur battant, elle tâcha de comprendre ce qui pouvait avoir déraillé dans son plan. Si elle commettait encore une erreur, les choses pourraient tourner très mal !

— Vous aurez remarqué, lança le marquis d'une voix glaciale, que mon pistolet est pointé sur vous. Aussi vous dirai-je à mon tour : la bourse ou la vie.

Eleanor fit avancer Mist jusqu'au milieu de la clairière.

— Jetez vos armes à terre ! dit-il encore.

Il n'était pas fou. Elle s'exécuta à contrecœur.

— Pied à terre !

Un frisson lui passa sur l'échine. Il avait l'air dangereusement en colère… Elle se prépara à descendre de sa selle en laissant Mist entre eux.

— Jouez à ce petit jeu, et je tue votre bête.

Zut ! A l'évidence, il connaissait ce vieux tour. Elle n'avait d'autre choix que d'obéir. Très lentement, elle glissa à terre en tenant la bride de Mist.

Toujours en selle, il fit avancer sa monture droit sur elle. L'énorme jument se dressait au-dessus d'elle de toute sa taille. Les yeux rivés sur le marquis, Eleanor décida que, s'il tirait, elle se jetterait à terre. On ne grandissait pas au milieu de trois frères et sous la tutelle d'un père militaire sans apprendre deux ou trois choses fort utiles…

Juché sur son cheval, il évoquait quelque Dieu vengeur. Il était beau, mais d'une beauté glacée, comme une statue de marbre.

— Alors, brigande, comme on se retrouve ! s'exclama-t-il en la considérant des pieds à la tête. Ce costume est intéressant, mais vous ne croyez tout de même pas que je vais vous prendre pour un garçon, si ?

Pour ce genre de sortie nocturne, elle préférait porter des culottes. On se sentait plus libre. Elle lança au marquis le regard effronté qu'elle avait remarqué chez Lizzie, l'une des femmes de chambre de Castlefield. Une bougresse qui savait y faire avec les hommes.

— Eh ben ! Monsieur le marquis de Beauworth en personne, voyez-vous ça ! Vous êtes venu pour un nouveau baiser ?

Calmement, le marquis rassembla les rênes dans sa main et se prépara à mettre pied à terre à son tour. L'imbécile ! Il la sous-estimait du simple fait qu'elle était une femme.

Quand il posa le pied sur le sol, son corps pivota légèrement, de sorte que son pistolet ne pointait plus sur sa cible. Vive comme l'éclair, elle arracha son épée du fourreau attaché à sa selle. Il n'eut pas le temps de se reprendre que déjà elle se fendait, envoyant valser le pistolet d'un geste d'une précision extrême. La lame passa d'une main dans l'autre. Elle le tenait à sa merci.

— Reculez ! ordonna-t-elle.

Un sifflement d'acier fit vibrer l'air : il tirait son épée de son fourreau. Etrange… Seuls les militaires en portent, habituellement, et les gens animés de mauvaises intentions. Il devait avoir avisé la sienne, l'autre nuit. Damnation ! Et maintenant ?

— Bien essayé, ma jolie, dit-il en s'esclaffant. Mais je suis un bretteur confirmé. Vous feriez bien d'abandonner tout de suite.

Son ton caressant la fit frissonner. Quel arrogant personnage ! Elle allait lui montrer un ou deux tours de sa façon avant de lui présenter sa petite surprise.

— Prenez garde, marquis ! répliqua-t-elle en fendant l'air de sa lame, pour éprouver son talent à l'épée.

Il trébucha en arrière, mais para le coup tout de même,

avec un petit rire de gorge. Appréciait-il cette joute ? Il avait l'allonge, sans doute, mais n'était en fait qu'un débauché oisif, tandis qu'elle avait pratiqué l'escrime en compagnie de William pendant des heures et des heures chaque jour avant qu'il ne parte rejoindre son régiment. Elle lui envoya une volée de coups.

Au début, Beauworth subit son attaque, répondant nonchalamment à chacun de ses coups ; s'il baissait la pointe de son épée de temps en temps, il parvenait toujours à se reprendre avant qu'elle ne se fende.

— Où est votre complice ? s'enquit-il en regardant derrière elle, parant comme en se jouant une attaque particulièrement vicieuse.

— A Londres, ne vous déplaise. Il s'occupe de nos affaires.

— Et donc vous avez décidé de… voler de vos propres ailes, si j'ose dire.

— Avec vous, ce n'est pas bien compliqué. Autant détrousser un enfant.

En dépit de ses airs bravaches, elle ahanait un peu. Elle avait épuisé toutes ses bottes secrètes. La sueur lui coulait dans les yeux. Profitant d'une accalmie, elle l'essuya d'un revers de manche.

— Alors, ma jolie, vous en avez assez ?

Assez ? Elle venait de le frôler deux fois de suite et avait le combat bien en main, malgré son bras qui commençait à fatiguer.

— Pas tant que je ne vous aurai pas embroché !

Beauworth eut un petit rire, qui résonna dans l'air frais de la nuit. Il n'avait pas l'air fatigué du tout, le bougre, alors qu'elle faiblissait de minute en minute.

Sans prévenir, il changea de position, portant une attaque aussi soudaine que décidée. La pointe de son épée jetait des éclairs, et l'acier chantait contre l'acier. Ployant sous la force de ses assauts, elle fut contrainte de battre en retraite vers le grand chêne qui gardait la clairière depuis des siècles. Avait-elle péché par excès de confiance ?

Il la repoussait à chaque attaque désormais, la pointe de sa lame passant dangereusement près de la gorge d'Eleanor. En reculant, elle trébucha sur une souche et tomba en arrière, les bras ouverts.

Le coup jaillit et vint couper sa manche du coude à l'épaule. C'aurait pu tout aussi bien être sa chair tendre, ils le savaient tous deux. Elle le voyait à la façon dont il la regardait, la tête légèrement penchée sur le côté.

Sa gorge était sèche, et son poignet se faisait de plus en plus douloureux. « Pointe en l'air ! Pointe en l'air ! » La voix rieuse de son père retentissait à ses oreilles, mais son poignet refusait tout service.

Le sourire du marquis suintait l'arrogance. Elle était à sa merci. Finalement, il avait bien plus de talent à l'épée qu'elle ne le croyait. Elle aurait dû redoubler de méfiance et mieux se concentrer.

Le tronc du grand chêne était juste dans son dos. Une dernière fois, elle porta une attaque ; hélas, d'un mouvement du poignet, il la désarma, saisissant la lame sans effort dans sa main gauche avant qu'elle retombe à terre, après quoi il plaqua les deux épées contre la gorge de la jeune femme.

Son cœur battait une folle chamade, son ventre se convulsait, l'air qu'elle respirait semblait chargé de poussière. Cela n'aurait pas dû arriver.

— Il faut que nous discutions, vous et moi, ma Dame du Clair de Lune, dit-il dans un grand éclat de ses dents blanches, d'un ton parfaitement dégagé alors que pour sa part elle haletait péniblement.

Il jeta l'épée d'Eleanor sur le côté avant d'ajouter :

— Mais d'abord, voyons un peu ce visage…

Elle tremblait de tous ses membres. Elle parvint toutefois à éviter la main qui s'avançait vers son masque.

— Baissez votre arme. J'admets ma défaite.

Beauworth recula d'un pas, mais la pointe de son épée ne fléchit pas, elle, toujours pressée sur la base du cou de la jeune femme.

— Ainsi vous pensiez m'embrocher ? Je me demande quelle tête vous ferez quand vous monterez au gibet. Donnez-moi ce masque.

Elle leva les bras lentement, en un geste d'impuissance pathétique, mais sentit le poids rassurant de sa dague glisser dans sa main. D'un geste, elle la libéra de sa manche, et un éclair maléfique jaillit dans l'obscurité.

Beauworth n'en crut pas ses yeux, sur le coup. Puis il éclata de rire.

— Vous croyez vraiment pouvoir vaincre une épée avec cette épingle à chapeau ?

Elle l'espérait bien ! D'un geste précis, elle lança le couteau vers la branche qui passait juste derrière la tête de son ennemi. Celui-ci évita l'arme en se baissant ; un filet tomba alors sur lui, l'enveloppant, lui et sa rapière, dans ses mailles serrées. Il jura, essaya de tailler dans la fibre, mais en vain.

Eleanor se rua vers le rouleau de corde caché derrière l'arbre et passa le bout de celle-ci dans la poulie préparée à cet effet. L'ouverture du filet se referma brusquement, emprisonnant l'homme et son épée.

— On fait moins le faraud, marquis ! triompha-t-elle, imitant toujours l'accent vulgaire des filles du pays tout en enroulant la corde autour du torse de son prisonnier, qui la fusillait du regard à travers les mailles. Vous auriez dû profiter de votre avantage tant qu'il était encore temps.

Un filet ! La petite garce ! Il en brûlait de honte et de rage. Elle l'avait attrapé comme un vulgaire hareng ! Il avait beau se tortiller dans tous les sens, cela ne servait à rien, et même son épée ne lui était d'aucun secours.

— Jetez votre arme, lui ordonna-t-elle en pointant son pistolet sur sa tête.

Comme il avait les jambes libres, il pouvait essayer de lui sauter dessus, mais l'un des deux prendrait une balle, inévitablement. Or, avec ses bras collés le long du corps, il y avait de grandes chances que ce soit lui plutôt qu'elle. Quand il lâcha la poignée de son arme, elle la tira hors du filet, en prenant gentiment soin de ne pas le blesser au passage.

Incidemment, il tenta de se déployer pour se donner plus d'espace, mais elle l'arrêta d'un conseil.

— Economisez vos forces, vous allez en avoir besoin, dit-elle en attachant la corde au pommeau de sa selle. La route sera longue.

— Pas question, allez au diable !

— A vous de choisir. Soit vous marchez, soit mon cheval vous traînera de gré ou de force.

Ce disant, elle monta en selle et prit les rênes en main.

Tudieu ! Il la ferait pendre pour ça, il le jurait.

Le chemin du retour jusqu'à la grange cachée dans le vallon fut long mais pas trop pénible, car elle prit soin de retenir sa jument. S'il n'avait pas été enfermé dans son filet comme un ballot de linge, il n'aurait pas trouvé l'expérience désagréable.

Une fois dans la grange, elle l'invita à s'asseoir.

— Et maintenant ? demanda-t-il comme elle lui entravait les chevilles et attachait la corde qu'il avait autour de la taille à un anneau scellé dans le mur.

— J'ai dans l'idée qu'un marquis doit bien valoir une ou deux guinées.

Cette réponse le prit totalement par surprise, au point qu'il éclata de rire.

— Ainsi, vous cherchez à obtenir une rançon ? s'exclama-t-il, incrédule, en essayant de réduire un peu la pression de la corde sur sa chair, sans succès. Mon oncle ne vous donnera pas un liard. Il est bien connu qu'une fois l'argent payé les gens comme vous tuent leurs victimes. En revanche, il vous pourchassera comme des chiens, vous et votre complice, sans répit.

— Donc, dans tous les cas vous êtes un homme mort, dit-elle en sortant.

Elle le laissa seul avec sa colère et l'odeur du crottin et de la paille humide. Il essaya encore de se dégager, en pure perte. Et il ne voyait rien autour de lui qui puisse lui servir de lame.

Plus le temps passait, plus la rage emplissait son cœur. Il en avait mal à la tête. Il voyait en imagination sa ravisseuse monter au gibet, ou enchaînée dans quelque noir donjon ; mais chaque fois qu'il était sur le point de la tuer il se retrouvait en train de l'embrasser, ce qui ne faisait que renforcer sa frustration.

Que ferait Duncan quand il recevrait sa demande de rançon ? Affolé, il la paierait peut-être, et même probablement. Les finances du domaine n'y résisteraient pas.

A un moment ou à un autre, il faudrait bien qu'elle le libère, et là il trouverait un moyen de lui échapper. En attendant, il valait mieux qu'il cesse de penser à elle s'il ne voulait pas devenir fou.

Le visage d'Ellie Brown lui vint tout naturellement à l'esprit. Voilà une fille qui valait la peine qu'on pense à elle ! Elle évoquait en lui les matins clairs de printemps, les plages aux sables d'or immaculés, bref tout ce qui était beau sur terre, tandis que la Dame du Clair de Lune, elle, suggérait les nuits sombres, les draps de satin noir et la moiteur du désir.

Autrement dit, la beauté du diable.

S'il avait le choix, laquelle choisirait-il ?

Les deux. Ensemble dans le même lit, avec lui. Un grognement rauque lui échappa comme son corps approuvait ce choix. Des images plus lascives les unes que les autres envahissaient son esprit. Mieux valait être fou de désir inassouvi que de colère, au bout du compte…

Ce fut un vacarme de voix qui lui fit ouvrir les yeux. Celles d'un homme et d'une femme, au-dehors. Des voleurs ?

Il battit des paupières pour y voir mieux. Il devait s'être assoupi… Son cou et son dos lui faisaient mal, et il ne sentait plus ses pieds. La porte s'ouvrit à la volée, brusquement, inondant sa prison de la lumière aveuglante du soleil. En plissant les yeux, il essaya de distinguer la silhouette massive qui s'encadrait dans la porte. Le complice de la jeune femme était de retour, apparemment. Et furieux, par-dessus le marché.

Un pistolet dans une main, un coutelas dans l'autre, l'homme masqué entreprit de couper le filet et les cordes à grands coups de lame. Quand ce fut fait, il força Garrick à se relever en le saisissant au col. Surpris par l'horrible picotement du sang qui affluait subitement à ses extrémités, celui-ci ravala un cri de douleur.

— Dehors ! lui intima l'autre.

Garrick lutta quelques instants pour reprendre ses esprits, assommé par le supplice auquel le mettaient ses articulations, les pieds piqués par un million d'épingles, puis sortit à l'air libre, tant bien que mal. Sa ravisseuse, toujours masquée, s'activait au-dessus d'une gamelle posée sur le feu. Des couvertures pliées à côté d'elle suggéraient qu'elle avait dormi là.

Comme d'habitude, elle portait une perruque censée cacher ses cheveux. Quand Garrick alla s'asseoir contre le mur de la grange, elle leva les yeux sur lui.

— Vous marchez comme un vieillard, observa-t-elle.

— Vous en feriez autant si vous aviez passé la nuit attaché comme un vulgaire ballot.

Elle alla prendre un peu de bois sur une pile soigneusement rangée auprès de lui et en garnit le feu. En passant devant lui, elle renifla.

— Mais vous puez, saperlotte ! Ben, mène-le à l'étang, qu'il se lave !

Ainsi donc, le complice s'appelait Ben.

— Pourquoi prendre cette peine, objecta Garrick. Puisque vous avez l'intention de m'assassiner de toute façon.

Ben prit son fusil, agrippa le prisonnier par le bras et le poussa sans ménagement vers la mare qui s'étendait tout près. Là, il lui délia les poignets.

— Déshabillez-vous.

— Non, répondit Garrick en jetant un regard vers la jeune femme.

— En ce cas, je m'en chargerai moi-même, tudieu, pendant qu'elle vous tiendra en joue. Vous pouvez garder vos fichues culottes, si ça vous chante.

Garrick soupira. A quoi bon discuter ?

Il ôta sa veste et la jeta à ses pieds. Sa chemise suivit, ainsi que ses bottes et ses bas. Quand il n'eut presque plus rien à enlever, il entra dans l'eau à reculons, en gardant un œil suspicieux sur Ben.

— Tentez quelque chose et vous verrez ma balle arriver droit sur vous, le menaça celui-ci.

Garrick ne se fiait pas plus à l'un qu'à l'autre et ne s'en cachait pas. Lorsqu'il jugea l'eau assez profonde, il commença à s'asperger les bras et le visage. La jeune femme se leva et vint sur le bord de l'étang lui jeter un morceau de savon, après quoi elle prit ses vêtements.

— Rendez-les-moi, bougresse ! protesta Garrick.

L'ignorant superbement, elle entreprit de les laver, avant de les mettre à sécher sur la barrière.

Malgré la vase qui glissait ignoblement entre ses doigts de pieds, il trouva l'eau fraîche et relativement claire. Après le cauchemar de sa nuit, c'était bienvenu. Ben le surveillait avec l'air d'un homme qui savait se servir d'un fusil, au point que Garrick était persuadé qu'il devait avoir été militaire à un moment de sa vie. Avec celui-là, s'échapper ne serait pas une mince affaire.

Il se savonna la tête et plongea sous l'eau pour se rincer. En remontant à la surface, il remarqua que Ben avait armé son fusil et le considérait avec méfiance. Lentement, il se redressa, conscient que la gueuse le regardait depuis la berge, les lèvres légèrement ouvertes, comme si elle n'avait jamais vu un homme torse nu.

Une chaleur torride monta instantanément dans ses reins. Elle l'avait fait exprès, la bougresse. Ulcéré, il s'aspergea une nouvelle fois. Il fallait qu'il se contrôle avant de se risquer hors de l'eau. Heureusement, elle venait de reprendre sa cuisine, aussi sortit-il de l'étang rapidement pour se précipiter vers ses vêtements.

— Pas la peine de faire le timide, lui dit-elle en se détournant de sa marmite. Vous les mettrez quand ils seront secs.

Si Ben eut l'air scandalisé par ces paroles et marmonna deux ou trois phrases bien senties dans sa barbe, il fit signe à Garrick de faire comme il voulait.

L'odeur du lard grillé lui fit venir l'eau à la bouche, mais au prix d'un terrible effort il resta impassible et retourna s'asseoir contre la paroi de bois de la grange.

— Asseyez-vous près du feu, ordonna-t-elle. Nous n'avons pas envie que vous attrapiez froid.

— Pas tant que vous n'aurez pas encaissé mon argent, s'entend, railla-t-il.

— Faites ce qu'elle vous dit, insista Ben en pointant son fusil sur lui.

Garrick jura entre ses dents, mais s'exécuta néanmoins.

La jeune femme posa des œufs et du lard sur un morceau de pain et le lui tendit, puis fit de même pour son complice.

Garrick mangea. Il allait lui falloir des forces s'il voulait échapper à ces deux-là.

— Je vais chercher de l'eau fraîche, annonça la jeune femme en se levant et en commençant à s'éloigner.

Quelques instants plus tard, Garrick l'entendit étouffer un cri derrière lui.

— Qu'y a-t-il ? fit Ben en levant le nez de son en-cas.

Garrick connaissait la réponse. C'était précisément pour cela qu'il n'ôtait jamais sa chemise devant personne. Il lança un regard noir à la jeune femme, mais ne dit rien quand elle plaça un gobelet d'eau à côté de lui, les yeux toujours rivés sur son dos.

— Regarde-moi ça, dit-elle à Ben.

Celui-ci déploya son corps trapu en grommelant et vint jeter un œil au dos du prisonnier. Il siffla entre ses dents.

— Qui vous a fait ça ? demanda-t-elle.

Le ton de sa voix fit grimacer Garrick. Il n'avait que faire de sa fichue pitié.

— J'ai eu un accident, il y a des années…

L'oncle Duncan s'était mis en colère contre lui. Oh bien sûr, il était venu se confondre en excuses et en regrets, plus tard, dans la chambre où Garrick se faisait panser. C'avait été la première et la dernière fois, mais le souvenir de cet épisode venait toujours opportunément lui rappeler ce qui couvait sous la surface, au cas où il viendrait à l'oublier.

— Un accident ? répéta la jeune femme en dévisageant Ben d'un air incrédule. As-tu jamais vu…

— Oui, à l'armée. Une canne d'officier peut causer ce genre de blessure.

Elle tendit la main et effleura l'une des plaies boursouflées. Garrick frémit et poussa un juron.

— Pardonnez-moi, dit-elle en retirant sa main en hâte.

— N'en parlons plus, dit Garrick d'une voix grinçante. Passez-moi ma chemise, si cette vue vous dérange.

Une fois encore, elle toucha la peau meurtrie, doucement cette fois, suivant du bout des doigts les trois balafres diagonales qui couraient sur son dos. Sa peau tressaillit sous ce qui aurait pu être une caresse tant elle y mettait de légèreté. Il sentait sa poitrine se serrer. Les femmes qu'il avait connues à Londres ne s'intéressaient qu'à une seule chose, et la tendresse ne faisait pas partie de leur panoplie. Il n'avait pas souvenir qu'une femme l'ait jamais touché avec tant de douceur... pas depuis que sa mère...

Il ferma les yeux, pour chasser les souvenirs qui assaillaient sa mémoire, et se tortilla pour se mettre hors d'atteinte de la main caressante.

— Ce sont de vieilles blessures, déclara Ben en secouant la tête, mais ce n'était pas un accident.

— S'il doit passer une autre nuit ici, il faudra trouver un autre moyen de le faire tenir tranquille.

Garrick lança un regard sombre à la jeune femme qui s'éloignait. Combien de temps encore comptaient-ils le retenir ici ?

— Le Clere ne vous donnera pas un liard ! Pas un, vous m'entendez ? Il n'est pas fou.

Il fallait l'espérer...

— Nous verrons cela, répondit Ben d'une voix un peu moins dure, soudain. Allons, debout, mon gars. Allez vous asseoir près de la barrière.

Garrick obtempéra. En silence, l'air sombre, Ben l'attacha, en prenant soin toutefois de lui laisser un peu de liberté de mouvement.

Entravé comme une bête sauvage ! Comme dans ses pires cauchemars. Il fermait et ouvrait les poings pour retenir la colère qui le submergeait.

Respire, lentement, très lentement. Maîtrise-toi. Tôt ou tard, ils commettront une erreur...

Ben les quitta quelques minutes plus tard, à pied, ce qui signifiait que l'endroit où il se rendait ne pouvait être très éloigné. Etaient-ils de mèche avec l'un des fermiers des environs ? Ou l'un de ses métayers ? L'idée, pour intéressante qu'elle fût, le perturbait un peu.

Réduit à l'inaction, il passa le temps en regardant la jeune femme s'occuper des chevaux. Ses culottes serrées moulaient ses hanches délicieusement, et ses cuisses fuselées sortant de ses grandes bottes de cuir lui faisaient venir à l'esprit des images licencieuses. Sa chemise et son gilet ouvert ne cachaient rien de sa taille fine, mais ne révélaient rien pour autant de la taille de ses seins. Il se souvenait d'eux, cependant, pour les avoir sentis sous l'étoffe de sa veste en l'embrassant ; ils étaient petits et fermes.

Il changea de position, à la fois furieux et gêné que son corps réagisse comme il le faisait. Elle savait à quel point elle était excitante dans ses habits de garçon, à n'en pas douter, mais il ne voulait pas lui faire le plaisir de lui montrer qu'il l'avait remarqué. Il ferma les yeux pour imaginer le visage qu'elle dissimulait sous son masque. Elle avait les yeux clairs. Mais de quelle couleur pouvaient bien être ses cheveux sous sa perruque ridiculement démodée ?

Il faisait diablement chaud au soleil. Un bourdon passa tout près dans l'air chargé du parfum de l'herbe et des fleurs de trèfle.

Quand elle eut fini de panser les chevaux, Eleanor décida de donner à manger à son prisonnier avant le retour de Martin. Un peu de pain, de fromage et quelques légumes conservés dans le vinaigre formaient un bien fruste repas pour un homme habitué sans doute à des agapes plus raffinées.

Au passage, elle ramassa ses vêtements désormais secs. D'ailleurs, il fallait qu'il s'habille. Le voir ainsi allongé sur l'herbe comme un adonis à moitié nu lui donnait des vapeurs, d'autant que, comme il s'était assoupi, elle pouvait le contempler tout son soûl. Elle savait très bien qu'il l'avait regardée s'occuper des chevaux derrière ses paupières à demi fermées. Elle s'en sentait encore toute chose. De ce point de vue, elle n'était pas mécontente qu'il se soit endormi.

Il avait l'air si paisible, appuyé à la barrière, la tête

abandonnée sur son épaule nue, qu'on aurait dit un ange. Un ange déchu, bien sûr, avec ses lèvres sensuelles et son corps de dieu grec, d'une virilité confondante…

Elle en avait le souffle court. Qu'auraient-ils pensé l'un de l'autre s'ils s'étaient rencontrés dans d'autres circonstances ? A Londres, peut-être ? Mais se seraient-ils seulement rencontrés ? Jamais on n'aurait présenté un débauché de son acabit à une jeune fille convenable.

Tandis qu'un bandit de grand chemin pouvait très bien profiter de ceux qui se trouvaient à sa merci…

Un frisson lui passa sur les reins à cette idée. Tonnerre ! Comment pouvait-elle être aussi délurée ? Vraiment, elle regrettait d'avoir commencé à nourrir de telles pensées.

Elle posa l'assiette et les vêtements près de Beauworth. Il dut sentir sa présence, car il ouvrit un œil aussitôt, puis l'autre, et se mit à s'étirer douloureusement.

— Vous m'excuserez de ne pas me lever pour vous accueillir, ironisa-t-il.

— Vous êtes pardonné. Mangez, c'est tout ce que vous aurez pour aujourd'hui.

Il y eut un silence, puis elle se laissa tomber contre la barrière.

— Alors comme ça, vous pensiez nous duper en parlant d'or à l'auberge ? s'enquit-elle tout en mâchant son morceau de pain.

Beauworth accusa le coup. Elle observa, fascinée, le mouvement de sa pomme d'Adam.

— Je voulais récupérer l'anneau qui porte mon sceau.

— Pas votre montre ?

Un vague sourire passa sur les lèvres du marquis.

— Elle m'a été offerte par une dame aux goûts un peu extravagants. Gardez-la. L'anneau, lui, me vient de mon père.

Il avait l'air sérieux, tout à coup, et la détresse qu'elle décelait dans sa voix lui tira une grimace. Elle imaginait la peine qu'elle aurait éprouvée en perdant la bague de sa mère… Mais il n'avait à s'en prendre qu'à lui-même. S'il ne s'était pas montré aussi intraitable à propos de cette fichue hypothèque, rien de tout cela n'aurait eu lieu.

Quelque chose bougea dans son champ de vision, près de son genou. Une araignée. Une grosse araignée, noire et velue. Qui montait sur sa jambe.

Elle se figea. Un long frisson lui passa sur l'échine, qui la glaça.

— On dirait que vous vous êtes fait une amie, remarqua Beauworth avec un sourire narquois.

— Chassez-la ! dit-elle dans un souffle, tétanisée.

— Allons, ce n'est qu'une araignée ! répondit-il en s'esclaffant.

— Faites-la partir ! insista-t-elle en parlant aussi bas que la terreur le lui permettait, pour ne pas effrayer l'animal. Je vous en supplie.

En grommelant, il fit détaler d'un coup de ses mains entravées l'horrible bête, qui s'enfuit dans les herbes.

— Voilà, elle est partie.

Elle en avait la chair de poule, comme si l'affreuse chose était encore sur sa peau.

— Je déteste les araignées, se justifia-t-elle en claquant des dents.

— Elle est partie, vous dis-je. Je vous le promets.

D'un geste rapide, il lui passa les bras autour du cou et, dépassant les épaules, l'attira contre lui.

— Tout va bien.

Sans un mot de plus, il pressa ses lèvres juste en dessous de la limite du masque et la laissa se blottir contre lui pour se calmer.

Les frissons se dissipèrent lentement. Elle se sentait en sécurité, à l'abri, pour la première fois depuis des mois et des mois. Et d'être entre ses bras semblait la chose la plus naturelle du monde. Toutefois, moins elle tremblait, plus la chaleur lui montait au visage.

— Je suis vraiment sotte, murmura-t-elle en s'enivrant de l'odeur virile qui émanait du corps de son prisonnier.

S'y mêlaient celle du savon, celle de la fumée, et une autre encore, qu'elle n'aurait su nommer.

— Nous avons tous nos angoisses, petites ou grandes, repartit-il gentiment, comme s'il la comprenait vraiment.

Il la libéra de son étreinte, puis lui releva le menton de ses mains entravées. En voyant la corde, elle eut un pincement au cœur. Et, quand leurs regards se croisèrent, il s'inquiéta un peu.

— Comment vous sentez-vous ? demanda-t-il en fronçant le sourcil. Mais... vous pleurez.

Il lui caressa le bras doucement puis y posa ses lèvres, comme on console une enfant.

Une sensation étrange serra la poitrine de la jeune femme. La culpabilité, sans doute. Il y avait autre chose aussi, mais elle n'aurait su dire quoi.

Elle voulut lui donner un baiser sur la joue, par gratitude, mais le geste était un peu gauche et manqua la cible. Le marquis n'eut qu'à détourner légèrement la tête pour prendre sa bouche, dardant sa langue instantanément en un baiser affolant.

Eleanor sentit des picotements exquis lui monter dans les seins, et son ventre se nouer de plaisir.

Dieu du ciel ! Martin allait revenir d'une seconde à l'autre. Et pourtant elle ne voulait pas que cela s'arrête. Pas encore, pas tout de suite. Bientôt...

Elle ouvrit la bouche pour s'offrir à la caresse de sa langue. Instantanément, une vague l'emporta, que rien au monde ne pouvait arrêter. La tête lui tournait, l'air lui manquait. Des sensations inouïes la traversaient, qui faisaient trembler tout son corps et la faisaient fondre en même temps.

Les mains agrippées à ses épaules, elle sentait les muscles jouer souplement sous le satin de sa peau hâlée par le soleil, exsudant la force brute, furieusement virile. Et, pendant tout ce temps, l'incendie se propageait dans son ventre…

Quand elle posa la main à plat sur l'ombre bleue de son menton, il s'arracha à leur baiser un instant, pour aller presser ses lèvres sur la paume qui le caressait et en lécher le pouce à petits coups de langue experts. Eleanor frémit, surprise par la troublante sensation de chaleur humide suivie de froid que lui causait cette gâterie inattendue. Un tressaillement de plaisir dansait entre ses seins.

Elle en gémissait, éblouie par cette vague sensuelle.

Tu ne devrais pas, lui murmurait une petite voix. *Jamais plus tu ne seras la même… Relève-toi !*

Beauworth changea de position, la renversant sur le sol en prenant soin de la retenir malgré ses poignets entravés. Quand elle le sentit forcer sa cuisse entre ses jambes, elle se laissa faire, rendue impuissante par la fulgurance du désir qui flambait au tréfonds d'elle.

— Détachez-moi, ma chérie, vite, murmura Beauworth en mêlant le français et l'anglais.

Elle le dévisagea d'un air absent.

— Coupez la corde, insista-t-il d'une voix rauque. Délivrez-moi. Je ne vous ferai aucun mal.

Sa voix douce, avec cette pointe d'accent français si particulière, n'était plus qu'un murmure à son oreille. Il aurait été si facile d'y céder. De la cuisse, il s'insinuait entre ses jambes sans violence, en un geste confondant de sensualité.

— Voilà une promesse que vous n'aurez aucun mal à tenir, milord.

Martin !

Le visage en feu, elle se dégagea de l'emprise des bras du marquis et se leva d'un seul mouvement, cherchant l'air. Quelle mouche pouvait bien l'avoir piquée ?

Quand Martin arma son fusil avec un claquement sec et menaçant, Beauworth se tortilla frénétiquement pour se rasseoir.

Eleanor avait l'esprit comme englué. Il l'avait séduite, et elle s'était laissé faire comme une adolescente, fondant entre ses bras comme neige au soleil. Muette de honte, elle regarda son acolyte, chargé de chaînes et d'un collier de fer. Il pointait son fusil sur Beauworth.

Celui-ci se raidit comme s'il se préparait à essuyer un coup de feu. Seigneur Dieu, Martin allait vraiment tirer !

— Pose ce fusil ! ordonna-t-elle. Il est toujours attaché et n'a aucune arme. Il n'y a pas eu de mal.

Martin soutint son regard un long moment puis, avec une grimace, laissa retomber l'arme et l'appuya à la barrière.

— Allons, retournez dans cette grange, marquis, grommela-t-il en empoignant le prisonnier par le bras.

— Ne me touchez pas ! protesta celui-ci en se relevant seul, le visage aussi empourpré que celui d'Eleanor.

Avait-il honte de leur baiser ? Bah ! Quelle importance cela avait-il ? Une fois cette affaire terminée, jamais plus ils ne se reverraient. Dieu du ciel, pourquoi l'avoir embrassé de la sorte comme une fille des rues, quand elle savait parfaitement que Martin serait de retour sous peu ? Elle devait avoir perdu la raison.

Il s'était montré si bon, en chassant cette araignée sans se moquer d'elle comme le faisaient toujours ses frères, qu'elle en avait oublié ce qui les séparait. Et, à présent, Martin avait l'air de vouloir le tuer… Mais elle ne le permettrait pas.

Elle prit les vêtements du prisonnier, ainsi que ce qui restait de son repas, et suivit les deux hommes dans la grange.

Martin attacha la chaîne à l'anneau scellé dans le mur et ajusta les fers autour des chevilles du marquis avant de couper ses liens.

— Voilà qui devrait vous faire tenir tranquille.

Beauworth leva les yeux.

— Le confort de cet endroit laisse à désirer, dit-il avec un rictus ironique qui contrastait avec le dégoût qu'elle lisait dans ses yeux. Pourquoi ne me tuez-vous pas, qu'on en finisse ? Je veux bien être pendu si vous touchez jamais un liard.

Il crânait, forcément. Et pourtant…

— Nous verrons, répondit Martin en reculant d'un pas.

— Si vous me laissez la vie sauve, je vous traquerai comme des chiens, lâcha le marquis d'un ton détaché.

Il ne plaisantait pas. Essayait-il de provoquer Martin pour que celui-ci perde ses nerfs et tire ? Se pouvait-il qu'il déteste ses chaînes à ce point ? Eleanor ne supportait plus de voir sa haine grandir d'heure en heure. Combien de temps encore allaient-ils le retenir ainsi captif en lui laissant croire qu'ils allaient l'exécuter dans la minute qui suivait ?

Comme elle baissait les yeux vers lui, il lui fit un clin d'œil plein de morgue. Encore de la forfanterie, songea-t-elle, tandis que Martin, de son côté, grommelait un juron.

Elle savait que le marquis essaierait encore de la convaincre de le libérer et elle n'était pas sûre de pouvoir lui résister très longtemps si elle ne se tenait pas soigneusement à l'écart. Mieux valait le laisser entre les mains de Martin. Pour elle, sinon pour lui, vu l'humeur de ce dernier.

Quelle couarde elle faisait !

Et si son oncle refusait effectivement de payer la rançon ? Non seulement ils ne toucheraient pas l'argent dont ils avaient besoin, mais ils se seraient fait un ennemi mortel.

Ah, si elle avait eu en sa possession quelque chose à lui proposer en échange de cette maudite hypothèque !

Il y en avait bien une. Elle-même. Et il n'en était pas question. Quoique… Etait-ce vraiment trop cher payer pour ce qu'elle avait fait ?

— Allons mettre nos bêtes à l'abri, lança-t-elle à Martin après avoir pris une longue inspiration. Il faut que nous discutions.

Ils parlèrent très peu sur le chemin du retour vers la maison d'Eleanor, une fois qu'ils eurent laissé les chevaux chez le cousin de Martin. Ce dernier semblait emmuré dans sa colère, et, bien qu'elle s'en voulût de l'avoir ainsi ulcéré, elle accueillait son mutisme avec satisfaction car il lui laissait le temps de réfléchir.

Le marquis la trouvait à son goût, c'était patent, puisqu'il l'avait embrassée sous ses deux identités. D'ailleurs, il aurait très bien pu profiter de sa force pour la contraindre avant le retour de Martin. Qu'il ne l'ait pas fait plaidait en sa faveur. Et, pour le remercier d'avoir fait fi de sa vie pour obtenir ses baisers, voilà qu'elle l'avait fait enchaîner ! Cela lui faisait honte.

Mais, si elle le suivait dans cette folie, alors ce serait bel et bien sa ruine. Las, n'avait-elle pas déjà, et depuis longtemps, dépassé les bornes de l'acceptable ? Elle détroussait les gens sur le bord des routes et, à en juger par son comportement de cet après-midi, elle se conduisait comme une fille de joie.

Un spasme violent lui coupa le souffle, de ceux qu'on éprouve lorsque l'inévitable s'impose à vous. Tant pis. Puisqu'elle était responsable de ce désastre, elle n'avait plus qu'à en payer le prix — elle et non le marquis, ni William, ni Martin. Sans parler de Sissy.

Et puis elle n'irait pas en prison.

Mais d'abord il fallait éloigner Martin. Une fois dans la maison, celui-ci se retourna vers elle, les poings sur les hanches, le regard noir. Eleanor se prépara à un sermon. Du reste elle s'étonnait qu'il ait attendu si longtemps pour lui dire sa façon de penser.

— As-tu quelque chose à me dire, Martin ?

— J'aimerais bien savoir ce que vous étiez en train de faire avec ce nobliau. Quelle mouche vous a piquée ? Ne comprenez-vous pas qu'il aurait pu… Vous ne savez pas de quoi sont capables ces gens du monde.

Eleanor s'empourpra. Il la prenait pour une oie blanche, or ce qui venait d'avoir lieu n'était pas entièrement la faute de Beauworth. Quand il s'agissait de lui, elle ne se contrôlait plus, apparemment.

— Ce n'était pas ce que tu penses, murmura-t-elle. Il y avait une araignée.

Il connaissait son horreur de ces bêtes velues.

— Sans doute mais, si vous ne vous étiez pas roulée dans l'herbe, elle ne vous aurait pas importunée. Je ne suis pas aveugle. Il avait les mains sur vous.

Et elle n'avait pas résisté. Pas même une seconde, pour la forme. Le dégoût qu'elle lisait dans les yeux de Martin la remplissait de honte, quand bien même il s'efforçait de ne pas le montrer.

— Cessez cette folie, milady, supplia-t-il. Avant qu'on ne vous envoie au gibet.

— Tu as raison, admit-elle en baissant les yeux pour ne pas affronter le regard de son serviteur. Nous n'obtiendrons rien comme cela.

— Dieu soit loué ! soupira Martin. Je vais aller le détacher.

— Non. Je m'en chargerai dès demain matin à la première heure. J'ai besoin de faire parvenir un message à William. Tu vas partir le lui porter sur l'heure. Ensuite, tu rejoindras Sissy.

— Serez-vous auprès d'elle quand je rentrerai ?

— Non.

Martin eut l'air surpris, puis l'inquiétude se peignit sur ses traits. Il ouvrit la bouche pour faire une objection, mais elle fut plus prompte que lui.

— Je pars pour l'Ecosse. Je dois rendre visite à Molly McDonald. Tu sais qu'il y a des semaines qu'elle insiste pour que j'aille la voir. Je ne peux pas prendre le risque que le marquis découvre où je suis.

— Vous avez sûrement raison, commenta Martin d'un air qui démentait ses paroles.

— J'en suis certaine.

Elle tira d'une de ses fontes une plume et du papier et

s'assit à la table de la cuisine pendant que son serviteur faisait les cent pas comme si quelque chose le tarabustait toujours. Elle écrivit d'abord une lettre à M. Jarvis, pour lui dire que l'argent arrivait. Puis elle adressa un pli à Molly, lui demandant de faire suivre ses lettres à William dès réception et lui assurant de tout lui expliquer quand elle arriverait chez elle dans quelques semaines.

— Tu posteras tout ça demain matin.

Martin s'immobilisa et opina du chef.

La lettre suivante était destinée à William. Elle y expliquait sans détour le désastre qu'elle avait causé et le suppliait de demeurer auprès de Sissy et de ne rien faire tant qu'il n'aurait pas d'autres nouvelles d'elle. Une fois rédigée, la lettre fut dûment sablée et cachetée.

— Prends ça et va à Portsmouth. Tu la donneras au capitaine du port en précisant qu'il doit la remettre à William dès son arrivée, en mains propres.

— Soyez sans crainte, milady, j'y veillerai. Etes-vous sûre que tout se passera bien ? Je veux dire… si vous le délivrez…

— Oui, Martin. Je sais exactement ce que je dois faire. Donne-moi la clé.

Martin s'exécuta.

— Quand tu le verras, reprit Eleanor, dis à William de ne pas s'inquiéter. Et promets-moi, quoi qu'il arrive, de ne pas le conduire ici. Le marquis n'est pas responsable de tout ça.

— Quelque chose me dit, répondit le serviteur en plissant les yeux, que vous ne me dites pas tout, milady. Vous devriez aller retrouver votre frère vous-même et lui raconter toute l'histoire de vive voix.

Décidément, Martin Brown était loin d'être un sot.

— Fais ce que je t'ai demandé, plaida la jeune femme, et je ne solliciterai plus ton aide pour quoi que ce soit, tu as ma parole. Allons, presse-toi. Il ne faudrait pas que tu manques l'arrivée de William.

— Fort bien, milady, mais je ne manquerai pas de vous rappeler votre promesse un jour, croyez-le.

Chapitre 4

Encore une nuit à passer dans le noir avec sa jument pour toute compagnie ! Au lieu de l'embrasser, il aurait dû forcer cette gueuse à le détacher et la prendre en otage. Hélas ! Le désir prenait toujours le pas sur la raison chez lui.

Ses larmes aussi, pourquoi le nier, l'avaient amolli. Il détestait voir une femme pleurer. Cela lui avait coûté assez cher en cadeaux d'adieu, au fil des ans…

Où diable était Le Clere ? Dès réception de la demande de rançon, il devait s'être lancé à sa recherche avec une compagnie d'hommes armés. Et, comme Dan connaissait cet endroit et qu'il en avait forcément parlé à Johnson, ils auraient dû être là depuis un moment.

Une chouette hulula, tout près. Garrick tendit l'oreille ; ne percevant rien de particulier, il reprit son exploration aveugle des planches du mur contre lequel il s'appuyait. Il ne lui fallait qu'un clou, un petit clou, pas plus.

Une écharde de bois se glissa sous son ongle, furieusement douloureuse, et lui arracha un juron étouffé.

— Est-ce vous, milord ? chuchota une voix depuis le seuil de la grange.

Perplexe, Garrick tenta de percer l'obscurité.

— Qui est là ?

— C'est moi, Dan.

Dieu soit loué !

— Fais enfoncer la porte, mon garçon, vite !

— Je suis seul, milord, vous m'aviez dit que c'était un secret.

Ce n'était pas ce qu'il avait envie d'entendre, évidemment.

— Cours chercher de l'aide, presse-toi.

Un bruit de bois brisé répondit à cette injonction. Ce gamin n'écoutait jamais rien de ce qu'on lui disait !

— Où êtes-vous, milord ? Je n'y vois goutte tellement il fait sombre ici.

— Par ici, chuchota Garrick, répétant sa phrase jusqu'à ce que le garçon trébuche enfin sur lui.

Il l'agrippa par le bras.

— S'est-on seulement inquiété de moi à Beauworth ? A-t-on lancé des recherches ?

— Non, milord. Tout le monde pense que vous êtes allé rendre visite à des amis.

Comment cela ? Pas de demande de rançon ? Voilà qui était bigrement étrange…

— Très bien. Tu vas prendre mon cheval et rentrer à Beauworth. Des fers m'entravent. Nous allons avoir besoin d'un marteau, peut-être d'une scie…

— Non, milord, pas besoin de tout ça, repartit le gamin avec fierté en s'activant sur le fermoir compliqué et la chaîne qui maintenaient le tout en place. Donnez-moi une minute.

Il y eut un bruit de métal frottant contre le métal, un crissement, un claquement, et les fers tombèrent aux pieds du prisonnier dans un cliquetis de ferraille.

— Seigneur, je n'avais aucune idée de tes talents, mon garçon !

— Exact, milord.

Garrick se remit sur ses pieds.

— Allons, montre-moi par où tu es entré.

Garrick suivit Dan à tâtons jusqu'à la planche brisée. Il fallut bien élargir un peu le trou, mais il finit par s'y glisser.

— Qu'est-ce qui t'a fait venir jusqu'ici ? s'enquit-il en cherchant des yeux des traces de ses ravisseurs.

La lune dessinait un sillon argenté au milieu de l'étang, et les étoiles scintillaient doucement sur la voûte du ciel.

Dan se tortilla un peu avant de répondre.

— J'avais peur que vous soyez de mèche avec le vieux, avoua-t-il en s'essuyant le nez avec sa manche. J'ai cru que vous m'aviez planté là avec lui et, comme je n'avais pas envie de rester tout seul, je vous ai cherché. Comme vous m'aviez dit que vous seriez ici…

— Eh bien, répondit Garrick en lui ébouriffant les cheveux, j'en suis fichtrement content !

— J'ai apporté ceci…

Le gamin tendit à Garrick un pistolet.

— Je l'ai… emprunté à M. Johnson. Si vous rejoignez l'armée, je veux y aller aussi.

L'arme datait du siècle passé, mais elle avait l'air en bon état.

— Tu lui as demandé la permission, au moins ?

— Il aurait dit non, fit Dan en haussant les épaules.

Il était incorrigible, décidément.

— J'imagine que tu n'as pas eu l'idée d'apporter aussi des balles et de la poudre.

— Si, repartit le gamin avec un grand sourire.

— Tudieu, mon garçon, tu es une vraie merveille !

— J'ai aussi une lame, ajouta l'orphelin en tirant un couteau de sa poche.

C'était un simple morceau d'acier plat muni d'un manche sommaire mais, dans des mains expertes, cela pouvait devenir une arme redoutable. Et, pour ouvrir des serrures, on ne faisait pas mieux.

— D'où tiens-tu ça, mon garçon ?

— Il est à moi. Un ami m'en a fait cadeau. Si vous n'étiez pas intervenu, l'autre jour, je lui en aurais donné un coup, à ce…

— En ce cas, je t'ai sauvé de la potence. Prête-le-moi quelques minutes, veux-tu ?

Plus il y songeait, plus Garrick avait envie de donner à ses ravisseurs une leçon dont ils se souviendraient longtemps. Ils allaient avoir une drôle de surprise…

Dan lui tendit le couteau ; il le prit et le rangea dans sa botte.

— Qu'allez-vous faire ?

— Leur tendre une embuscade dans la grange. Attends-moi près de ces arbres, là-bas. Contente-toi de regarder attentivement ce qui se passe. Si les choses tournent mal, file chercher de l'aide. Tu peux faire ça ?

— Je préférerais me cacher dans la grange avec vous.

— J'ai besoin que tu montes la garde. C'est une tâche essentielle.

Si Dan n'avait pas l'air convaincu, il finit par acquiescer. Aussitôt, Garrick retourna dans sa prison. En replaçant la planche brisée derrière lui, Dan chuchota :

— Soyez prudent, milord.

— C'est promis. Tâche de ne pas t'endormir.

Saluant d'un petit rire moqueur cette mise en garde, le gamin détala. Revenu à son coin de grange, Garrick s'étendit sur la paille, les fers sur les chevilles. Il se réjouissait d'avance à l'idée de faire goûter à ses geôliers un peu de leur propre médecine. Ils méritaient d'avoir peur à leur tour avant de lui rendre son bien.

Le ciel pâlissait à l'est, mais il faisait encore nuit dans la vallée quand Eleanor ouvrit la porte de la grange d'une main tremblante. Si elle avait eu le moindre bon sens, elle aurait envoyé un pli à Le Clere pour lui dire où se trouvait son neveu et elle aurait pris ses jambes à son cou…

Et elles se retrouveraient à la rue, sans un sou et couvertes de dettes. Pas question. Il ne lui restait qu'une cartouche — l'attirance que le marquis semblait éprouver pour elle — mais elle comptait bien l'utiliser. D'ailleurs, qu'elle ressente la même chose de son côté n'était pas un inconvénient, bien au contraire. Cela lui rendrait les choses plus faciles, voire agréables, même si toute cette affaire était proprement honteuse. Elle en avait des frissons.

Elle porta la main à son masque. Si seulement elle avait pu le garder ! Mais il fallait qu'il sache qu'Ellie Brown et la Dame du Clair de Lune ne faisaient qu'une seule et même personne. Elle devrait lui dire au moins une partie de la vérité, tout en préservant sa véritable identité. Quand ce serait fini, elle disparaîtrait une fois pour toutes.

Elle prit une longue inspiration et posa son chapeau sur sa perruque de garçon. Cela formait un mélange incongru, sans doute, avec sa robe bleue de basin piqué, mais elle voulait lui apprendre les choses avec ménagement.

De minuscules particules de poussière dansaient dans les rais de lumière qui perçaient à travers les planches disjointes. Le marquis gisait sur le dos, allongé dans la paille ; sa poitrine se soulevait régulièrement, indiquant qu'il dormait d'un sommeil paisible. Ses cils semblaient deux éventails noirs veillant sur ses pommettes olivâtres.

Sa jument encensa.

— Milord ! murmura Eleanor en le prenant par le bras.

Il s'ébroua, ouvrit lentement les yeux.

— Que se passe-t-il ? Il fait encore nuit, grommela-t-il.

— Milord, écoutez-moi, je...

Sans prévenir, il se mit sur ses pieds d'un bond et la saisit par le bras. Elle sentit quelque chose de froid et de dur peser contre son cou.

Un pistolet.

— Un mot, un cri, et vous êtes morte, susurra-t-il.

La terreur s'empara d'elle. Il semblait assez en colère pour la tuer sur place. Elle n'avait certes pas prévu un tel renversement de situation ! Elle ouvrit la bouche pour parler, mais ne put articuler le moindre mot. Ses genoux ne la soutenaient plus.

— Où est Ben ? demanda Beauworth.

Son souffle chaud lui frôlait l'oreille, et son bras autour

d'elle semblait fait d'acier pur. Il leva le canon de l'arme juste contre son visage.

— Répondez !

Elle déglutit avec peine.

— Il est parti.

Il resserra son étreinte, à l'écraser.

— Quand doit-il revenir ?

— Il est parti, vous dis-je, pour de bon.

Il l'entraîna vers la porte.

— Espérons pour vous que votre vie lui tient à cœur, commenta Beauworth sans baisser son pistolet.

En se cachant partiellement derrière la jeune femme, il sortit de la grange. Elle sentait son cœur battre follement dans sa poitrine alors qu'il avait l'air parfaitement calme. Un faux mouvement, et elle se retrouverait avec une balle dans la tête. Ce qui réglerait d'un coup tous ses problèmes, mais pas exactement de la meilleure des manières.

Après un long moment d'immobilité, il la repoussa loin de lui avec une telle force qu'elle en tomba à genoux dans l'herbe humide de rosée. Sans bouger, elle le regarda inspecter les abords de la grange.

Apparemment satisfait, il revint vers elle. Tout près de l'endroit où ils s'étaient embrassés la veille.

— Il n'ira pas loin. Quand je l'attraperai, vous vous retrouverez devant le juge dans l'heure, tous les deux.

Il allait la mener en prison ! Elle passa la main dans l'échancrure de sa chemise.

— Prenez garde, ma belle, grommela-t-il.

Eleanor se figea.

— Je vous ai apporté quelque chose.

— Comme c'est gentil à vous, ma chère. Sans doute un petit cadeau pour me remercier de vous avoir aidée hier…

Elle ouvrit les doigts, se saisissant elle-même au poignet pour calmer sa main tremblante. Outre la clé des fers, l'anneau d'or orné du blason des Beauworth gisait au creux de sa paume.

— Je venais vous délivrer. Je l'ai caché à Ben quand vous m'avez dit que vous vouliez le récupérer.

— Admettons, répliqua le marquis en retroussant la lèvre sur un sourire railleur. Et vous espériez que je passerais l'éponge en remerciement, je suppose ?

Rien n'allait comme prévu. Comme il ne lui devait pas sa libération, il mettait cette restitution sur le compte des motifs les plus vils. Cela dit, même si la chose la blessait, il avait toutes les raisons du monde pour la juger sévèrement.

Fallait-il qu'elle ait été sotte pour tout miser sur son attirance supposée envers elle, alors qu'un homme comme lui pouvait avoir toutes les femmes qu'il voulait !

Encore un échec. Elle en avait les larmes aux yeux.

En reniflant, elle songea que, quelle que soit la décision qu'il prendrait, ce serait son châtiment pour avoir abandonné William et Sissy.

— Vous pleurez ? dit-il en se saisissant de la bague. Vous n'espérez pas me convaincre de la véracité de ces larmes, j'espère ? D'abord, voyons un peu qui vous êtes, ensuite, nous déciderons de la suite des événements.

Là-dessus, il saisit le bord du masque et le lui ôta d'un mouvement sec, si bien que le chapeau et la perruque churent à terre et que les cheveux de la jeune femme lui retombèrent sur le visage et les épaules. Le rouge aux joues, elle baissa la tête.

— Ça alors…, murmura-t-il en lui relevant le menton. Est-ce Dieu possible ? Ellie Brown ? Que je sois pendu…

Il n'aurait pas eu l'air plus abasourdi en voyant Satan lui-même apparaître devant lui.

— Il doit y avoir erreur. Ou bien je suis la victime de quelque tour infernal.

La déception qu'elle lisait sur son visage la surprit. En fait, elle la trouvait presque plus affreuse à voir que son dégoût de tout à l'heure. Elle chercha au fond d'elle-même la force de mener à bien son plan sans faiblir.

— Oui, c'est moi, milord. Pardonnez-moi.

Il tendit la main pour lui toucher le visage, comme s'il n'en croyait toujours pas ses yeux.

— Cornes du diable ! Vous m'avez joliment abusé. Quel jeu jouez-vous ?

Pendant un instant de folie passagère, elle eut envie de lui raconter toute sa sordide histoire et de se jeter à ses pieds pour implorer son pardon. Mais elle l'avait déjà fait, par écrit, à propos de l'hypothèque, sans résultat... Non, mieux valait s'en tenir à son plan et marchander plutôt que supplier. Elle refoula ses larmes en respirant profondément.

— Ce qui s'est passé hier a ulcéré Ben. Il a pris tout l'argent. Que va-t-il arriver à maître William ?

— Maître William ? répéta Beauworth, perplexe. Qui est-ce ?

— Lord Castlefield. Il a contracté des dettes. Les huissiers sont venus et nous ont jetés dehors, tous, à cause d'une hypothèque que nous avons sur le domaine et que nous ne pouvions payer. J'ai essayé de trouver assez d'argent pour l'aider, mais les choses m'ont un peu échappé...

— C'est peu de le dire. Pourquoi cet homme-là n'est-il pas capable de trouver cet argent lui-même ?

— Il est en Espagne. Il fait la guerre.

Beauworth jura.

— Qui détient l'hypothèque ?

Eleanor le fixa un instant sans répondre. Comment pouvait-il l'ignorer ?

— Vous-même.

— Moi ? s'exclama-t-il, bouche bée.

Un rire rauque sortit de sa gorge.

— Laissez-moi deviner : vous comptiez utiliser cet argent pour me payer, c'est cela ? Vous alors ! On peut dire que vous avez du toupet.

Elle aurait presque pu prendre la lueur qu'elle voyait dans ses yeux pour de l'admiration. Mais sa mâchoire serrée et ses lèvres pincées attestaient du contraire.

— Pourquoi êtes-vous venue ici aujourd'hui ? Vous auriez dû vous contenter de ce que vous aviez et prendre vos jambes à votre cou.

Il fronça les sourcils, puis ajouta :

— Pourquoi n'êtes-vous tout simplement pas venue me prier de vous aider au lieu de vous lancer dans cette folie ?

— Le notaire de maître William vous a écrit, mais vous avez insisté pour que la dette soit payée séance tenante, sans quoi la maison serait confisquée. Quand vous avez dit que votre oncle ne paierait jamais de rançon, j'ai eu une autre idée.

Elle se tassa sur elle-même en le voyant approcher son visage du sien tout en jouant avec la ficelle de son masque.

— Eh bien ? Je vous écoute.

— Je… je comptais vous proposer de…

Le rouge lui montait aux joues, et l'air commençait à lui manquer. C'était si simple d'y songer, mais le dire… Cela semblait horrible. Elle avait l'impression d'avoir des plumes dans la bouche. Après avoir dégluti avec peine, elle finit par lancer d'un seul trait :

— … de faire avec moi tout ce qu'il vous plairait en échange de cette hypothèque.

Beauworth ne reprit la parole qu'au terme d'un lourd silence.

— Ce lord Castlefield doit vous être diablement cher…

— Oui. C'est…

— Assez, coupa le marquis en fermant brièvement les yeux. Epargnez-moi les détails sordides. Décidément, j'ai été un vrai sot en ce qui vous concerne. J'avais beaucoup de respect pour vous, Ellie. Je croyais même que vous étiez différente des autres femmes. Vous avez dû bien rire à mes dépens, vous et Ben.

— J'étais dans une situation inextricable…

— Assez en tout cas pour que vous vous offriez à moi en échange des dettes de lord Castlefield.

Dit ainsi, cela écorchait les oreilles. Le cœur d'Eleanor se fit tout petit dans sa poitrine, comme s'il se vidait de toute sa joie de vivre et de ses espoirs devant l'affreux portrait que Beauworth traçait de celle qu'elle était devenue.

— Oui.

— Combien doit-il, exactement ?

— Mille livres, répondit-elle d'une voix oppressée.

— Tudieu, cela fait cher les galipettes ! commenta-t-il avec un sourire cynique. Et pendant combien de temps dois-je profiter de vos… services ?

Eleanor frémit de honte, si fort qu'elle dut fermer les yeux un instant pour se contenir. Sans réfléchir, elle dit le premier chiffre qui lui passait par la tête.

— Trois mois. Plus, si vous le désirez.

Etait-ce trop ? Trop peu ? Elle n'aurait su le dire. Il restait impassible.

Sans rien ajouter, il alla vers le feu qui s'éteignait. Du bout du pied, il remua les cendres, visiblement perdu dans ses pensées, la mine sombre. L'odeur âcre de la fumée frappa les narines de la jeune femme.

— Je vous ferai connaître ma décision demain, annonça-t-il enfin sans lui jeter un regard.

A l'évidence, son offre ne l'excitait pas particulièrement. Il devait avoir l'embarras du choix en matière de femmes et n'éprouvait sans doute pas autant d'attirance pour elle qu'elle l'avait cru. Cela faisait mal de l'admettre. Elle s'en sentait blessée, ce qui était ridicule, en fait, car il ne lui avait pas ri au nez. Pas encore du moins.

— Très bien, milord.

— Comment êtes-vous venue jusqu'ici ? s'enquit-il en jetant le masque au milieu des braises mourantes.

— A pied.

— En ce cas, je vous raccompagne, répondit-il en sifflant dans ses doigts, ce qui fit sursauter violemment Eleanor.

Qui appelait-il ? Etait-il en train de jouer un jeu cruel, de s'amuser avec elle comme un chat avec une souris ?

Un policier allait surgir et l'emmener dans son fourgon jusqu'à la prison.

Elle se retourna en entendant un bruit de sabots, juste à temps pour voir émerger du bois un garçon aux cheveux blonds et à l'air empoté, qu'elle se souvenait avoir vu assis à côté du cocher lors de sa première attaque contre Beauworth.

C'était donc grâce à lui que ce dernier s'était retrouvé libre.

— Etes-vous armée ? lui demanda le marquis à l'oreille.

— Non, répondit-elle en frémissant.

— Cela ne vous dérange pas que je m'en assure ?

Cela la dérangeait bigrement, surtout quand elle sentit ses doigts glisser sur elle. Et plus encore quand il suivit de sa main puissante le galbe de ses hanches. Son corps répondait profondément à ces demi-caresses tandis que lui restait totalement impassible et distant… Quand il s'agenouilla devant elle et entreprit de fouiller entre ses jambes avec minutie — mais sans rudesse —, elle manqua de défaillir ; il palpait chaque pouce de sa chair à travers l'étoffe de sa robe. Ses joues la brûlaient affreusement et sa tête tournait. Le souffle court, elle tentait de comprendre les sensations folles qui faisaient palpiter sa peau.

Ses muscles jouaient souplement sous sa chemise à chaque geste, rappelant à Eleanor la force qu'elle avait sentie en eux la veille. Elle les revoyait, merveilleusement sculptés comme ceux d'un bronze antique, larges et forts…

Elle revoyait aussi les lacérations atroces de son dos, qu'elle aurait préféré ne jamais découvrir, parce qu'elles suscitaient en elle une pitié gênante. Pour affronter ce qui allait se passer désormais, il fallait absolument qu'elle évite les sentiments.

Il leva les yeux sur elle, un demi-sourire énigmatique aux lèvres.

— Je suis content que vous m'ayez dit la vérité, pour une fois, ma jolie.

Elle aurait bien aimé la lui dire complètement.

Le garçon mena sa monture tout près de son maître. Il regardait Eleanor d'un air ahuri.

— Tout va bien, mon garçon, lui lança Beauworth. Rentre au château et dis à Johnson que je serai bientôt de retour.

Consciente qu'elle devait avoir le visage cramoisi, Eleanor évita soigneusement le regard du gamin en gardant les yeux sur l'horizon. Ce fut seulement quand il eut fait demi-tour qu'elle osa dévisager le marquis.

Quand il disait qu'il la ramènerait chez elle, était-ce une plaisanterie ?

— Venez.

Saisissant fermement son poignet, il la fit se relever, puis il la hissa comme un fétu sur la croupe de l'animal, montant derrière elle dans le même mouvement. Une fois en selle, il la souleva derechef et la fit asseoir en travers de ses genoux. Il la tenait entre ses bras, en fait, serrée contre sa poitrine. Au bord des larmes, et raide comme un piquet, elle se demandait toujours comment les choses pouvaient avoir si mal tourné.

Il fallait qu'elle commence à minauder, à battre des cils pour l'amener à faire ce qu'elle voulait, mais il avait l'air si indifférent qu'elle ne parvenait pas à se convaincre de s'y essayer. Elle sentait ses bras autour d'elle, la chaleur de son corps contre son flanc, et pourtant elle tremblait de froid. Il était blessé dans sa fierté d'avoir été berné, et par une femme de surcroît. Ce n'était jamais une bonne chose chez un homme. Ayant grandi au milieu de ses frères, elle savait à quel point les mâles pouvaient être susceptibles.

Incapable de supporter plus longtemps le silence, elle leva les yeux vers lui.

— Je suis réellement navrée de ce que j'ai fait, dit-elle. C'était avec les meilleures intentions du monde, car je n'avais pas d'autre choix pour sauver mon… mon seigneur.

— Où se trouve votre sœur ? s'enquit-il abruptement.

— Je l'ai envoyée chez une parente.

— Que n'y êtes-vous allée avec elle ?

Elle regrettait aussi de n'avoir pas envisagé de le faire.

— J'avais besoin de cet argent, répondit-elle en haussant les épaules.

Beauworth se pencha en avant, de sorte que son souffle passait sur l'oreille de la jeune femme en une caresse aussi affolante qu'involontaire qui lui donnait des frissons à certains endroits de son corps qu'elle préférait ignorer.

— Mademoiselle Brown, vous êtes une jeune femme bien téméraire et vous avez besoin d'une bonne leçon.

— Et vous vous proposez de me la donner ? repartit-elle, consciente qu'elle risquait gros en le provoquant de la sorte.

Le marquis resta coi et, jugeant que le silence était la marque du courage, elle résolut de l'imiter pendant le reste du trajet.

Quand ils arrivèrent, le soleil tirait de grandes ombres sur l'allée qui s'étendait devant la maison. Le village allait bientôt s'éveiller et commencer sa journée. Le marquis l'aida à mettre pied à terre et l'accompagna jusqu'à sa porte.

Que dire en d'aussi étranges circonstances ?

— Puis-je vous offrir du thé, milord ?

Il hésita, scrutant son visage de ses yeux bruns. Soudain, il leva la main pour la toucher légèrement au menton. Elle sentit comme une brûlure au point de contact et, incapable de détourner les yeux de sa bouche, comme si son corps se languissait de la magie de ses lèvres pleines, elle retint son souffle un long moment. Une sorte d'impatience délicieuse montait en elle en même temps que son pouls s'accélérait follement. Etait-ce le feu des regrets, du désir ou de la colère qui fusait ainsi dans ses veines ? Elle n'eut pas le temps de le savoir, car cela disparut bientôt.

Trop tôt, à dire vrai.

Il la prit par les épaules et la fit pivoter face à lui avant de l'attirer contre sa poitrine. Doucement, il se pencha sur elle pour effleurer ses lèvres. Sous le coup d'une impulsion irrépressible, elle jeta alors les bras autour de son cou et laissa ses doigts se perdre dans sa chevelure sombre.

Quand il fondit sur sa bouche, une langueur soudaine la saisit, qui la laissa pantoise, abandonnée.

Il la repoussa sans rudesse, mais de la main ferme d'un homme résolu à ne pas se laisser emporter par quelque élan incontrôlé, de sorte qu'elle se retrouva les bras ballants et les jambes un peu vacillantes.

— Je viendrai vous voir demain après-midi, déclara-t-il, avant de repartir sans se retourner.

Eleanor entra dans la maison et barra la porte derrière elle. Anéantie, elle s'appuya au battant, en se mordant le poing pour ne pas hurler. Qu'avait-elle fait ? Elle tremblait de tout son corps. Il ne la regardait plus avec gentillesse, ni tendresse, comme avant. Seul se lisait dans ses yeux un désir brut — auquel son corps réagissait avec une violence égale.

Après s'être lavé et changé, Garrick descendit à la salle à manger pour y prendre sa collation du matin et trouva son oncle déjà attablé devant ses traditionnelles rôties, deux exactement.

Le Clere se leva à demi, le soulagement le disputant à la colère sur son visage.

— Tiens-tu vraiment à me causer une apoplexie, Garrick ? Si tu n'étais pas rentré ce matin, j'aurais envoyé un groupe de cavaliers à ta recherche.

L'intéressé retint un sourire.

— Comme je vous en avais informé, j'étais chez Appleby, répondit-il avec aplomb.

— Tu ne m'avais pas dit que tu y resterais si longtemps, répondit l'oncle en se raclant la gorge.

L'impression d'étouffer saisit de nouveau Garrick, aussi forte que dans son enfance.

— En tout cas, me voici, lança-t-il d'un ton joyeux.

— Tu as manqué notre rendez-vous, hier. Je croyais que nous avions conclu un marché.

— Je vous présente mes excuses. J'ai jeté un coup d'œil aux livres de comptes avant de partir. A ce propos, je voulais vous demander si je pourrais compulser les registres des loyers et des hypothèques lors de notre prochaine rencontre ?

— Les registres… ? répéta Le Clere en le considérant d'un œil curieux.

— Oui. Les revenus du domaine ayant subi une baisse importante, je voulais voir si ces livres pouvaient nous donner une explication, et déterminer lesquels parmi nos locataires et nos métayers éprouvent des difficultés en ce moment.

— Hum. C'est Matthews qui collecte les loyers. Je lui demanderai d'apporter ces registres quand il aura fini sa tournée. Comment vont les Appleby ? Bien, j'espère ?

Garrick s'étonna de ce brusque changement de sujet, et ce d'autant plus que son oncle lui-même insistait pour qu'il s'intéresse au domaine.

— Parfaitement bien, affirma-t-il. Ils vous adressent leur salut.

Ses amis habitaient suffisamment loin pour qu'il y ait peu de chances que Le Clere les rencontre par hasard…

Le majordome entra, portant une assiette chargée de pain grillé, versa du café dans la tasse de Garrick et s'en fut.

— J'ai une requête un peu inhabituelle à vous présenter, mon oncle…

— Que puis-je faire pour toi ? repartit le vieil homme avec un sourire engageant.

— Il semble que vous, enfin, que nous ayons exigé le

paiement d'une hypothèque sur une propriété du Hampshire… Castlefield Place, je crois.

Le Clere se raidit et le dévisagea en plissant les yeux, d'un air franchement inquisiteur cette fois.

— Que sais-tu de cet endroit ?

Pourquoi était-il sur la défensive, soudain ? se demanda Garrick, intrigué.

— Pas grand-chose, répondit-il d'une voix tranquille. Le nom, toutefois, me semble familier, bizarrement. Vous en savez sûrement plus que moi.

Le Clere approuva d'un grognement sec.

— Ellie m'a dit que le fils ne pouvait pas payer.

— Ellie Brown ?

Zut ! Lui qui ne voulait pas mentionner le nom de la jeune femme… Cela dit, son oncle se faisant un point d'honneur de connaître par leur nom tous ses locataires et ses métayers, il ne lui aurait pas fallu longtemps pour découvrir de qui il s'agissait.

— Oui. Elle a été sa servante.

— Sa servante ? Ah bon… en tout cas, il y aura saisie, c'est une histoire assez simple. Cela arrive tous les jours.

Garrick serra les dents devant le regard sévère de Duncan.

— Je voudrais que vous apuriez la dette de cet homme-là. Cela lui permettrait de retomber sur ses pieds, comme on dit.

— Tu plaisantes, j'espère ? s'écria Le Clere, incrédule. As-tu idée du montant de ce qu'il nous doit ? Il nous faut des rentrées d'argent pour assumer ton train de vie.

Garrick se pencha vers lui et soutint son regard.

— Etes-vous en train de me dire que nous courons à la ruine ? Est-ce pour cela que le nombre des domestiques a diminué et que Boxted a l'air d'un village à l'abandon ? Vous ne m'avez jamais parlé de cela.

— Bon sang, Garrick ! s'exclama Le Clere en se calant dans son fauteuil. Sont-ce là les seuls remerciements que je recevrai jamais pour m'être préoccupé si longtemps de ton avenir ? Cette guerre que tu aimes tant nous mène à la ruine mais, si tu penses pouvoir faire mieux, je t'encourage vivement à essayer.

Bourrelé de remords devant la détresse de son oncle, Garrick baissa d'un ton.

— Loin de moi l'idée de vous critiquer. Vous avez travaillé plus dur que n'importe qui pour le bien de ce domaine, assurément. Cependant je sais que mon père n'aurait jamais exigé le paiement d'une hypothèque si cela avait eu pour conséquence de jeter à la rue un ami et sa famille.

Le Clere resta silencieux un moment, une expression peinée sur son visage d'ordinaire impassible. Un sourire lui vint aux lèvres, subitement, et il eut l'air de se détendre d'un coup, ce qui, bizarrement, hérissa un peu Garrick.

— Enfin ! dit-il d'un air enjoué. J'imagine que je dois remercier Mlle Brown pour l'intérêt subit que tu manifestes envers Beauworth. Ce n'est pas exactement la façon dont j'imaginais les choses, note bien, mais c'est de l'intérêt tout de même.

Duncan marqua une pause puis, pinçant les lèvres, ajouta :

— J'ai une proposition à te faire : je vais agir exactement comme tu me le demandes, quoique je pense que c'est une erreur. En tant que curateur du domaine, je pourrais refuser, tu sais. En contrepartie, tu resteras à Beauworth et te consacreras à cet endroit. Tu peux t'amuser avec cette fille en attendant si ça te chante, mais marie-toi et fais-nous un héritier.

Garrick sentit la pièce tourner autour de lui.

— Je n'avais pas l'intention de convoler avant des années, mon oncle. Ni même de me marier tout court, à vrai dire…

— Voyons, Garrick, sois raisonnable. Il faut absolument que je te voie marié avant de t'abandonner la gestion de ce domaine. J'aurai l'esprit en paix si je peux me dire que j'ai fait mon devoir et laissé les choses parfaitement en ordre. C'est ce que ton père aurait voulu me voir faire.

Garrick refusait d'entrer dans ce jeu, aussi répliqua-t-il :

— Mais ce n'est pas ce que, moi, je veux. Mon cousin Harry n'a qu'à se charger de le produire, ce fameux héritier.

— Tu es un Beauworth, mon garçon, insista le vieil homme, des larmes dans les yeux. Si tu ne le fais pas pour moi, fais-le au moins pour le nom que tu portes.

Comment combattre une telle dévotion ?

— Et l'argent ?

Le Clere soupira.

— Comprends ma réticence, mon garçon. Cette dette est due. Mais Beauworth a encore plus besoin d'un marquis que d'argent. Fais ton devoir et, si tu veux encore devenir capitaine quand tu te seras assuré du titre, soit.

Jusqu'à sa majorité, Garrick ne pouvait pas avoir accès à sa fortune sans l'accord de son oncle. Après tout, ce que celui-ci lui demandait n'était pas déraisonnable.

— Je vous accorde trois mois, déclara-t-il. Cela devrait être suffisant pour m'apprendre ce qu'il faut savoir sur le domaine. Mais promettez-moi de ne plus me parler de fiançailles !

Le Clere plissa les yeux.

— Qu'a bien pu t'offrir Mlle Brown en échange de cette dette ? Ses faveurs ? Allons donc. Tes amours ne durent pas trois semaines, d'ordinaire.

Garrick eut un frisson. Comment savait-il tout cela ?

— Ce sont mes affaires. Au fait, j'ai besoin d'un millier de livres pour payer certaines dettes pressantes.

L'oncle accusa le coup, visiblement abasourdi par ce chiffre, mais répondit d'une voix égale :

— Fort bien. Reviens dans deux heures. Tu les auras.

Garrick jugea qu'il s'en sortait bien. Après tout, trois mois seraient largement suffisants pour épuiser l'attrait d'Ellie Brown.

— Je vous remercie de votre compréhension.

— Tu oublies que moi aussi j'ai été jeune, mon garçon.

L'air triomphant avec lequel il disait cela dérangea un peu Garrick, qui préféra toutefois ignorer cette impression désagréable. Quelle raison aurait-il eu de chicaner ? Aucune. Il venait d'obtenir de son oncle tout ce qu'il lui demandait.

Quoique pas tout à fait sans conditions…

Restait une question : que voulait Ellie ?

Nerveuse et agitée, Eleanor passa sa matinée à nettoyer la maison et à cuire des gâteaux, après quoi elle se lava les cheveux, puis les rassembla en chignon sur sa nuque et passa sa plus belle robe, une splendeur de mousseline piquée — l'une des rares qu'elle ait rapportée de Castlefield. Quoi qu'il arrive lors de cette rencontre, elle était déterminée à se comporter avec dignité.

On frappa, et son cœur fit un bond dans sa poitrine. C'était lui. Elle lissa ses cheveux, prit une longue inspiration pour se calmer et ouvrit la porte.

Dieu qu'il était beau ! Ses cheveux coupés court comme ceux des dandys, il portait une veste bleue qui mettait en valeur ses larges épaules. Mais il avait aussi l'air sévère, la mâchoire serrée, l'œil aux aguets, comme s'il s'attendait à quelque coup fourré.

— Bonjour, milord, le salua-t-elle en plongeant dans une révérence, tout en l'invitant du geste à entrer.

— Bonjour, mademoiselle Brown.

Il semblait si sérieux que son cœur s'affola quelque peu, comme prévenu de l'imminence d'un désastre.

— Asseyez-vous, milord, je vous en prie. Puis-je vous offrir une tasse de thé ?

— C'est bien aimable à vous, dit-il en s'asseyant sur l'unique fauteuil.

Elle s'activa à préparer le thé dans sa petite cuisine, sous le regard de son visiteur, puis vint placer les tasses, les soucoupes et la théière sur la table protégée d'un petit napperon. Il avait l'air nerveux lui aussi, et mal à l'aise. Les nouvelles devaient être mauvaises. Elle lui tendit son thé et prit place sur un tabouret.

Beauworth s'éclaircit la voix.

— Mademoiselle Brown, vous m'avez fait une proposition hier, relativement aux difficultés financières de votre employeur.

— Oui, milord, répondit-elle d'une voix tendue, persuadée qu'elle devait avoir le visage écarlate, à en juger par la chaleur qui lui montait aux joues.

Elle parvint néanmoins à sourire avant d'ajouter :

— Je pense que nous nous sommes découvert l'un envers l'autre des sentiments un peu plus profonds que ceux qui lient de simples connaissances. Bien que vous ne m'ayez pas laissée parler lors de notre dernière rencontre, je dois vous dire que je vous suis infiniment reconnaissante de la gentillesse dont vous avez fait preuve à mon égard et à celui de ma sœur ces jours derniers.

Elle parlait d'une voix ferme qui la surprit elle-même.

Beauworth tendit le bras vers elle et lui prit la main. Une chaleur merveilleuse se diffusa en elle aussitôt et, quand son sourire charmant apparut sur ses lèvres, elle sut que tout allait bien se passer.

— Ellie, sachez que je vous ai trouvée délicieuse dès le premier jour où je vous ai rencontrée. Et que j'éprouve pour vous depuis lors une grande admiration.

Reprenant son air sérieux, tout à coup, il posa sur la table un document ceint d'un ruban rouge et un petit paquet.

— Votre déception m'a bouleversé. Je me suis montré grossier, pardonnez-moi. Votre fidélité à votre employeur vous honore à mes yeux, aussi ai-je décidé de vous rendre l'hypothèque, sans contrepartie, avec un peu d'argent pour couvrir ces dettes. A présent, vous pouvez choisir de rester, ou bien de partir, sans récrimination de ma part.

Eleanor en resta bouche bée. Elle n'en croyait pas ses oreilles. Il la laissait partir ?

Le marquis se leva pour se camper devant la fenêtre et regarder au-dehors. Dans le contre-jour, son profil semblait taillé dans le marbre.

Elle sentit les poils se dresser sur sa nuque. C'était un piège, un leurre. Il voulait simplement voir si elle tiendrait parole. Si elle ne le faisait pas, il reprendrait le document et dénoncerait leur marché. A moins que… se pouvait-il — et cette pensée était insupportable — qu'elle ait réussi à le dégoûter, lui, un débauché comme on en voyait peu ?

— Vous n'avez pas envie de moi…

Il se retourna vivement, une expression douloureuse sur le visage.

— C'est faux, je… je ne veux pas d'un arrangement qui vous serait odieux.

Odieux ? Il y avait de grandes chances pour que cela le soit, vu tout ce que leur marché impliquait. Elle aurait dû se saisir des documents et prendre ses jambes à son cou, et pourtant quelque chose la retenait, comme une faim subite surgie des profondeurs de son être. Sous contrôle, certes, mais néanmoins présente. Il ne s'agissait pas de désir, non, quoique cela aussi fût présent ; plutôt d'une sorte de solitude grise et profonde qui l'étreignait en le voyant se préparer à partir.

Son cœur, sotte qu'elle était, souffrait de le voir ainsi peiné. Elle aurait donné n'importe quoi pour lui ôter cet air douloureux. Le marché était conclu. Personne n'en saurait jamais rien. Et cela ne durerait que trois mois. Peut-être, avec le temps…

— Partez, chuchota-t-il.

Au ton de sa voix, elle sentait que si elle acceptait sa générosité elle ne le reverrait plus jamais. Déchirée, elle fixa les documents.

Beauworth détourna la tête. A l'évidence, il s'attendait à ce qu'elle parte.

Va-t'en, lui criait la voix de la raison. Mais elle n'avait pas envie de partir.

Impulsive, comme toujours, elle traversa la pièce et posa la main sur le bras de son visiteur.

— Milord, je ne l'aurais pas suggéré si je ne le souhaitais pas.

Il baissa les yeux sur elle, cherchant son regard, et dans leurs sombres profondeurs elle vit un apaisement qui la remplit de joie. Quand il la prit par la taille pour l'attirer contre lui et effleurer ses lèvres, elle perçut cependant une sorte d'hésitation, de questionnement dans son baiser, comme s'il doutait de la sincérité de ses paroles. Ce fut tendre. Son corps vibrait sous la caresse de sa bouche, et son cœur s'affolait de plus belle, le traître.

Elle se laissa aller contre lui et agaça ses lèvres du bout de la langue, comme elle s'était imaginé le faire dans ses rêves.

Le marquis eut un gémissement rauque.

Un rai de chaleur intense la traversa de la tête aux pieds. Elle n'avait senti pour la première fois le corps d'un homme, ferme et fort contre le sien, que deux jours plus tôt, et elle aimait cela. Jusque-là, elle n'avait aucune idée de la véritable déflagration des sens que pouvait provoquer un baiser mais, à présent qu'elle savait, plus rien d'autre ne pouvait la satisfaire, et elle en voulait son content.

Beauworth semblait s'enflammer autant qu'elle. On aurait dit qu'un orage allait éclater tant l'air semblait électrique entre eux.

Il posa une main sous les genoux d'Eleanor et une autre sous sa nuque, puis la souleva apparemment sans le moindre effort et la porta jusqu'à la chambre à coucher, où il la déposa doucement sur le bord du lit. Elle sentait ses cuisses fermes contre ses genoux, et ce simple contact lui parut si intime qu'elle en eut immédiatement le rouge aux joues.

Il l'embrassa, la frôlant d'abord du bout des lèvres tandis que ses mains s'activaient sur les boutons de la robe, puis lui donnant de petits baisers, légers comme une averse de printemps, sur le visage, la bouche, le cou. Elle en frissonnait de plaisir. Sa peau se contractait voluptueusement partout où les lèvres de son amant la touchaient.

Avec agilité, il ôta une à une les épingles qui retenaient son chignon, jusqu'à ce que ses cheveux d'or cascadent sur ses épaules et sa nuque. Il y perdit ses doigts, puis les porta à son nez comme pour s'enivrer de leur odeur.

— Merveilleux…, murmura-t-il.

Combien facilement elle se laissait glisser sur la pente du déshonneur, songea-t-elle quand elle posa les doigts sur le premier bouton du gilet de Beauworth. Etait-elle à ce point dépravée, ou bien devait-elle accuser celui qui s'apprêtait à devenir son amant de l'avoir soumise à la tentation du péché ?

Quand il se mit à respirer plus rapidement, elle considéra la chose comme la récompense de son audace, de même que la frénésie qu'il mit à ôter sa veste et à faire passer son gilet par-dessus sa tête sans attendre qu'elle ait attaqué le deuxième bouton. Il tomba à genoux et fit glisser la robe sur la taille de la jeune femme, découvrant son jupon et son corsage, puis pressa son visage contre sa poitrine, y déposant des baisers si doux, si légers, qu'elle en frissonna de surprise et de bonheur en poussant de petits gémissements extasiés.

— Vous êtes belle…

Ces mots murmurés contre sa peau la firent vibrer jusqu'au tréfonds. Un monde inconnu s'ouvrait à elle, qu'elle voulait explorer avec passion. Elle batailla un peu avec sa cravate blanche, ce qui lui attira une remarque amusée qu'il assortit d'un baiser sur le front.

— Quel empressement !

Grand seigneur, il défit le nœud compliqué lui-même, mais la laissa tirer sur le tissu nacré. Les boutons de sa chemise vinrent ensuite, comme en une apothéose. Prise d'une impulsion qui la fit se sentir très audacieuse et très dévergondée, elle posa la main à plat sur la poitrine dénudée de son amant. Il avait la peau douce, voilée d'une ombre de poils souples. Elle savoura la fermeté des muscles sous le satin hâlé, puis se pencha pour embrasser son torse. Le soupir qu'il eut lui confirma qu'il aimait cela.

Elle se releva un peu pour contempler son visage. Il avait les yeux sombres, presque noirs, la bouche plissée sur un sourire sensuel, le souffle court, enfin, tout comme elle. Si le pouvoir de séduction qu'elle se découvrait la rendait heureuse, en même temps elle tremblait de se voir marcher si près du précipice.

Beauworth la souleva pour la remettre sur ses pieds et lui fit faire volte-face, sans rudesse, d'un geste rapide et sûr, très masculin ; puis, repoussant la robe, défit prestement les rubans qui retenaient ses sous-vêtements, qui glissèrent à terre.

Seigneur ! Elle était nue, totalement. Comme une fille de joie. Son corps brûlait. De honte ou de désir ? Abandonnée à la palpitation de son ventre pressé contre le bas de ses reins, elle n'en savait plus rien. D'une main, il la serrait contre lui, de l'autre, il caressait sa poitrine offerte. Des picotements exquis chatouillaient sa peau et, quand elle le sentit lui effleurer la pointe des seins, elle crut défaillir. Ils se recroquevillaient comme des fleurs de nuit. C'était à la fois douloureusement bon et terriblement troublant. Elle se sentait fondre et se serait affaissée sans le soutien de ses bras puissants. Ses mains sur elle se livraient à un ballet affolant, pétrissant, caressant, agaçant la chair avec une dextérité et une passion affolantes. Qui ne faisait qu'augmenter encore le désir qu'elle avait de lui rendre ses caresses.

Ce devait être ainsi, lorsqu'on était marié. On avait le droit de se toucher comme on voulait, tout simplement. C'était bien la première fois qu'elle envisageait les choses sous ce jour-là, mais elle trouvait cette idée excitante, et pour tout dire merveilleuse.

Elle s'appuya contre le buste du marquis et lui caressa la nuque tendrement, attirant son visage contre le sien. Sa barbe naissante et drue piquait un peu sa joue, et l'odeur musquée de son parfum emplissait ses narines, enivrante.

Après cela, elle ne serait plus la même. Toutes les valeurs qu'on lui avait enseignées au cours de sa vie n'auraient plus cours. Ce serait la dernière de ses aventures.

Elle n'avait pas souvenir de s'être jamais sentie aussi vivante, ni d'avoir eu aussi peur.

Chapitre 5

Ce baiser, si chaste sur sa joue, si tendre, brisa net l'élan charnel de Garrick, parce qu'il y voyait d'abord une marque d'affection. Elle le désirait, bien sûr, et sans doute autant que lui, il le sentait à la façon dont son corps réagissait à ses caresses, mais il y avait de la générosité, de l'ingénuité même dans cette douceur qu'elle lui témoignait. Les femmes qu'il avait connues exigeaient simplement la satiété des sens, tout comme lui. Le plaisir, cela se prenait, et voilà.

Or Ellie semblait vouloir d'abord *donner*. Et cela menaçait ses défenses, sa capacité à contrôler les choses. Hormis du plaisir, il n'avait, lui, rien à donner.

— Ellie, murmura-t-il, retournez-vous, mon cœur.

Elle s'exécuta, sans pour autant rompre le contact entre ses lèvres et la joue de Garrick. Ses seins se pressèrent, durs et dressés, contre les bras, la poitrine de celui-ci, entamant la résolution qu'il voulait maintenir à toute force. Il se pencha sur elle et une nouvelle fois prit sa bouche, plongeant sa langue brûlante en elle avec fougue. Elle avait un goût suave, presque vanillé, fleurait bon le propre, le frais, et elle s'agrippait à lui, les doigts perdus dans les boucles de son cou.

Il la souleva pour la poser sur le lit, furieusement excité de la voir le regarder ôter sa chemise, les yeux mi-clos. Ce regard timide lui semblait plus érotique que tout ce qu'il avait connu jusque-là. Il la désirait si fort qu'il en tremblait au plus profond de lui-même, comme si chaque muscle de son corps avait eu besoin d'elle pour survivre.

Il cessa un instant de la déshabiller pour l'embrasser encore et, lorsque ses mains le caressèrent doucement, un désir violent lui vint de lui faire oublier son autre amant. Frénétiquement, il se débarrassa de ses bottes et de son pantalon. Elle ouvrit de grands yeux sidérés en le découvrant nu et les détourna pudiquement, le rouge aux joues. Ainsi, elle jouait quand même les oies blanches ? Tant mieux. Cela l'excitait encore plus.

Ses cheveux blonds cascadaient sur ses épaules et ses seins, entre lesquels scintillait une petite croix attachée à un ruban de soie bleue. Il vint déposer sur sa joue un baiser timide, tel un adolescent devant sa première conquête, ce qui la fit sourire.

Elle voulut le prendre dans ses bras, mais il se dégagea, décidé à suivre sa propre quête. Sa main s'aventura des flancs aux hanches, comme pour prendre sa mesure. Elle était si fine, si menue. Du bout du doigt, il suivit la ligne des seins jusqu'au nombril, apprécia le galbe du ventre d'une paume caressante, jusqu'à arriver à l'endroit le plus secret. Quand il effleura le buisson blond, Ellie sursauta instinctivement. Garrick, lui, sentit le sang battre follement au plus intime de son corps.

Il fit glisser sa main entre les cuisses élégantes de la jeune femme et les écarta d'un geste doux et ferme qui suscita un murmure de protestation. Cette façon qu'elle avait de jouer les saintes-nitouches l'excitait à un point dont elle n'avait sûrement pas idée. C'était un piège, bien sûr, destiné à l'attirer dans ses rets. Et, de ce point de vue, c'était un franc succès. Le désir le submergeait avec une urgence irrésistible.

Il caressa l'intérieur satiné des cuisses de l'enjôleuse et la trouva toute humide de désir. Cela lui sembla comme un présent des dieux, un trésor sans égal. Souriant de lui voir les yeux tout chavirés, il chercha sous ses doigts le petit bouton de chair palpitant, soucieux d'abord et avant tout de lui procurer du plaisir. Quand il l'eut trouvé, il se mit à décrire du bout du pouce de petits cercles délicats. Ellie sembla s'apaiser d'un coup, et ses yeux perdre un peu de leur limpidité, puis elle se raidit soudain comme un arc se tend et jeta un cri rauque et guttural.

C'en était fini des jeux innocents. Son corps vibrait sans retenue à présent, s'abandonnant à l'extase.

Elle caressait sa poitrine, son dos, ses bras et, partout où elle le touchait, sa chair s'enflammait. Le sang se ruait dans ses veines.

Dieu du ciel, il avait besoin d'être en elle.

Il se pencha et prit sa bouche, suçotant ses lèvres un instant avant de forcer la langue entre ses dents, tout en poussant du genou pour l'ouvrir à lui. Quand il aspira sa langue, elle gémit follement, ce qui l'excita davantage, comme chaque fois qu'elle manifestait son plaisir. N'y tenant plus, il la souleva et, glissant la main entre eux, se guida en elle.

Ellie se cabra sous cet assaut, les yeux rivés sur lui, tout grands ouverts, comme si la peur l'investissait, ce qui, encore une fois, fit monter le désir dans les reins de Garrick, le conduisant au bord de la folie. Il pénétra la chair tendre et brûlante avec une lenteur calculée, savourant l'étroitesse du passage. Cela résistait délicieusement, au point qu'il crut une fraction de seconde en mourir de plaisir. Tout doucement, il avança encore. Il savait prolonger l'extase autant que nécessaire, mais elle commençait à se mouvoir de son propre chef, et cela ne fut pas loin de lui faire perdre la tête.

Son baiser se fit plus profond encore, presque furieux, puis il la saisit par les poignets et les éleva au-dessus de sa tête, ce qui eut pour effet de faire se dresser merveilleusement ses seins veloutés et fermes. Avidement, il prit dans sa bouche, l'une après l'autre, les pointes turgescentes, puis d'une poussée violente entra en elle.

Elle cria.

— Tudieu ! jura-t-il en se figeant.

Ses yeux fouillèrent le visage de la jeune femme un instant, puis il demanda d'une voix inquiète :

— Ellie ?

Elle secoua la tête sans un mot, le visage déformé par la surprise.

Il frémissait de tout son corps tant il luttait pour ne pas bouger.

— Seigneur Dieu, dites-moi que ce n'est pas la première fois !

Son corps protestait tant qu'il pouvait. Son esprit, lui, refusait d'admettre la vérité.

Ellie hocha la tête. Garrick jura sourdement. Ce qui était fait était fait. Immobile, toujours en elle, il bataillait pour reprendre le contrôle de lui-même et retrouver son souffle. S'il la quittait maintenant, avec sa douleur et sa peur, elle ne s'en remettrait peut-être jamais. Il fallait absolument qu'il lui donne autre chose que de la souffrance, mais elle était figée sous lui, comme paralysée. Plus excitée du tout, à l'évidence, mais effrayée, si ce n'était terrorisée. Elle ne faisait plus semblant.

Et lui venait tout bonnement de déflorer une innocente !

Enfer et damnation ! Cette prise de conscience le déchirait abominablement. Il savait, depuis le début. Bon sang, au fond de lui, il avait toujours su ! Il aurait donné n'importe quoi pour effacer ce qu'il venait de faire.

— Je suis navré, murmura-t-il. Croyez-moi, mon cœur, je ne vous ferai plus de mal. Embrassez-moi.

Sa bouche adorable tremblait, et de petites larmes perlaient à ses paupières. Saint sacrement ! Ils étaient encore rivés l'un à l'autre. Il devait à tout prix regagner sa confiance.

Il lui lâcha les poignets et, en se redressant sur ses avant-bras, se dégagea un peu pour lui donner de petits baisers sur les lèvres, plus légers que le vol d'un papillon. Las, son souffle était saccadé, haché par de petits hoquets de terreur.

Et tout ça par sa faute.

Il suivit de ses lèvres une ligne qui menait de la bouche au menton, puis au cou ourlé de fines boucles blondes au parfum capiteux, passa la langue sur le lobe délicat de l'oreille avant de s'enhardir et d'en explorer la conque.

Elle tressaillit tout d'abord, puis se mit à se trémousser sous lui et, bientôt, à l'entourer de ses bras. Elle commençait à se détendre.

Un petit filet de sueur lui coulait dans le dos tandis qu'il luttait de toutes ses forces contre la tentation de donner des coups de reins. Lentement, très lentement, il se retira, puis de même il s'enfonça en elle.

Cette fois, elle souleva les hanches pour l'accueillir, avec un courage qui le subjugua.

— Pour l'amour du ciel, Ellie, calmez-vous !

Avec un petit rire rauque et profond, elle répondit en l'enserrant de ses jambes :

— Je vais bien, rassurez-vous.

Comme au signal, Garrick se mit à aller et venir en elle, de plus en plus vite, de plus en plus fort, jusqu'à donner de véritables coups de boutoir qu'elle accueillit avec bonheur en s'agrippant à lui.

Quand elle planta ses ongles dans son dos, il se rendit compte qu'il ne respirait plus depuis un moment.

La chaleur de son corps voluptueux l'enveloppait. Ses coups de reins se faisaient plus violents à chaque poussée, comme si son corps prenait le contrôle, abolissant sa volonté. La tempête gonflait et gonflait encore, dévastatrice. Arc-boutée sous lui, elle eut un long gémissement lorsque la jouissance la secoua. La lèvre de l'abîme s'ouvrait devant Garrick, toute proche, mais il se retira au dernier moment, répandant sa semence dans les plis du drap avant de s'effondrer à côté d'elle et de la suivre dans sa longue descente vers l'apaisement.

Haletants, ils savourèrent la plénitude immobile de leur bonheur, puis il l'attira contre lui ; elle se blottit au creux de son épaule. Longuement, en silence, il la caressa jusqu'à ce qu'elle s'endorme.

Une vierge, *nom de nom* ! se dit-il en secouant la tête, incrédule. S'il avait su, jamais il ne l'aurait menée sur ce lit.

Ainsi, Castlefield n'était pas du tout son amant... Peut-être ne voulait-il pas d'une servante pour maîtresse, malgré tout l'amour qu'elle lui vouait.

Il ne pouvait pas s'empêcher d'exulter, tel un général vainqueur, quand bien même il regrettait qu'elle lui ait abandonné sa virginité.

Elle venait de lui faire, à lui, Garrick, et à nul autre, un présent inestimable. Désormais, il voulait lui faire un rempart de son corps, la protéger du monde et de ses turpitudes. Une émotion encore inconnue l'étreignait, qui ravivait des souvenirs douloureux au plus profond de son cœur.

Et qu'il ne pouvait tout bonnement pas se permettre.

Il baissa les yeux sur le visage magnifique d'Ellie, si jeune, si fragile dans son abandon. Du bout des doigts, il écarta les boucles qui dissimulaient ses traits et posa sur la nacre de ses paupières deux baisers très doux, avant de la serrer entre ses bras et de s'endormir à son tour.

Des ombres emplissaient la chambre lorsque Garrick ouvrit les yeux. Il s'étira voluptueusement, libre pour une fois du sentiment de panique qui le saisissait ordinairement au réveil, souvent accompagné de l'idée qu'il avait oublié une chose urgente. Avait-il seulement souvenir de s'être jamais senti aussi serein et détendu ?

Quand Ellie remua à son tour, il roula vers elle, lui embrassa tendrement la joue, puis la bouche, savourant longuement son goût de miel avant de murmurer :

— Déjà réveillée, mon cœur ?

Il pouvait en dire autant de son désir, mais il repoussa cette tentation. Pas maintenant. Pas quand elle devait encore se ressentir de sa première fois. Et puis on l'attendait à La

Cour, un estaminet où il avait ses habitudes. Il glissa hors du lit, prit sa montre et la consulta en plissant les yeux. 7 heures du soir.

— Je dois me hâter si je ne veux pas être en retard pour le dîner, déclara-t-il.

Elle se raidit un peu, aussi lui dit-il en se redressant sur un coude :

— Qu'y a-t-il, ma chérie ?

— Rien, répondit-elle en détournant les yeux.

D'après son expérience, quand une femme vous faisait cette réponse sur ce ton-là, cela ne présageait rien de bon. Autrefois, il aurait simplement battu en retraite et quitté la belle séance tenante, de peur que la colère ne lui fasse commettre quelque sottise, mais avec Ellie les choses étaient différentes : il n'avait pas du tout envie de s'enfuir.

Il lui prit le menton et embrassa ses lèvres rosies. Las, il les trouva glacées, et plus du tout accueillantes.

— On m'attend, mon cœur. Vous comprenez…

— Oui, milord, dit-elle en battant des paupières.

— Appelez-moi Garrick, Ellie. Ecoutez… je ne peux pas rester ici. Que diraient les voisins ? En outre, j'ai des devoirs, des responsabilités à Beauworth.

Il avait fait une promesse à son oncle, qu'il comptait bien honorer.

— Je viendrai vous voir tous les jours, ajouta-t-il avec un sourire. Vous ne serez pas seule, je vous le promets.

Là-dessus, il prit ses lèvres avec fougue, comme pour sceller ce serment, et elle s'abandonna à lui. Une spirale torride les enveloppa tous deux, les soudant l'un à l'autre.

L'espace d'un instant, il manqua de s'y soumettre ; mais il avait coutume de ne jamais revenir sur la parole donnée. Il devait à son nom tout autant qu'à son oncle de rentrer à Beauworth.

*
* *

Une semaine avait passé, sans doute la plus heureuse qu'il ait jamais connue. Et il voulait qu'Ellie soit heureuse elle aussi. Il venait d'avoir une idée absolument parfaite et, assis à côté d'elle dans la voiture, il se sentait aussi nerveux qu'un écolier le jour de sa première rentrée en classe. C'était ridicule, mais il ne s'était pas senti aussi excité depuis des années. Doux présage, il faisait un temps magnifique.

Ils prirent le chemin qui serpentait jusqu'à la grange cachée dans les bois.

— Où allons-nous ? fit-elle d'une voix dont l'inquiétude donnait à penser qu'elle se doutait de la réponse.

— Vous verrez, répondit-il seulement d'un ton bourru.

Elle se raidit, comme si elle s'attendait à quelque coup fourré. Peut-être n'aurait-il pas dû s'amuser ainsi à ses dépens, mais il ne pouvait y résister. Elle allait adorer la surprise qu'il s'apprêtait à lui faire.

Quand ils furent en vue de la grange et qu'Eleanor découvrit, bouche bée, les deux chevaux attachés devant celle-ci, il s'efforça de retenir le sourire qui lui venait aux lèvres.

— Mist ! s'écria-t-elle en lui prenant le bras. Ça alors, vous vous êtes souvenu… ?

— De ce qu'il était à l'étable chez Brown ? Oui.

Dès qu'il arrêta la voiture, Ellie sauta à terre sans attendre qu'il l'aide à le faire. Les jupes relevées jusqu'aux chevilles, elle courut vers la jument, et, la prenant par le cou, se mit à lui murmurer des mots doux à l'oreille.

Garrick sentit son cœur se gonfler devant ce tableau attendrissant, mais aussi quelque chose de mesquin, au fond de lui, le perturber un peu. Etait-ce de la jalousie à l'égard de ce cheval ? Sacrebleu, il fallait vraiment qu'il soit devenu fou pour envier un animal !

Il mit pied à terre à son tour et rejoignit la jeune femme près de la barrière.

— Dan est passé le prendre ce matin.

— Jamais je n'aurais imaginé que vous feriez une telle

chose, répondit-elle avec un rire frais et pétillant comme des bulles de champagne.

Quand elle lui sauta au cou pour le couvrir de baisers, il lui pardonna cette remarque aussi ingénue que blessante et savoura sa félicité. Visiblement, il ne lui aurait pas fait plus plaisir en lui offrant des diamants.

— Quel dommage que je ne porte pas ma tenue de cavalière. Si j'avais su !

— Je peux peut-être vous aider, dit Garrick, énigmatique, en la prenant par la main pour la mener dans la grange.

Là, dans un coin, se trouvait un costume masculin très semblable à celui qu'elle portait lors de leur duel ; et, auprès de ce vêtement, attachée à un crochet fixé dans la cloison, son épée de brigande.

— Je n'arrive pas à le croire ! s'exclama-t-elle.

— Eh bien, mademoiselle Brown, en selle, voulez-vous ? Après une petite cavalcade, nous ferons quelques passes d'armes. Je vous apprendrai ma botte secrète, si le cœur vous en dit.

Le visage d'Ellie luisait de bonheur dans la pénombre de la grange.

— Il m'en dit, milord, il m'en dit. A présent, laissez-moi me changer, chuchota-t-elle.

Elle était à la fois autoritaire et délicieusement pudique, ce qui pour une personne passionnée et téméraire comme elle faisait un bien curieux mélange.

— Avez-vous besoin de mon assistance ?

— J'ai l'habitude de me débrouiller seule.

Bien sûr. Les femmes comme elle n'avaient pas de chambrières. Il eût pourtant aimé lui ôter ses vêtements… Son ventre commençait à s'enflammer. Il aurait pu insister, il en avait le droit ; mais aujourd'hui il voulait qu'elle soit parfaitement heureuse, aussi quitta-t-il la grange sans répliquer et fit-il les cent pas devant la porte, l'imaginant faisant glisser sa robe sur ses hanches avant de passer sa tenue, l'esprit tout vibrant de pensées lascives.

Quand elle sortit enfin, son allure naturelle lui rappela à quel point elle était une actrice consommée et la facilité avec laquelle elle changeait de personnalité en changeant d'accoutrement. Elle semblait plus garçon que fille à présent, sanglée dans un pantalon moulant, son épée passée dans sa ceinture et son petit chapeau bien installé sur ses cheveux tirés en arrière. Et, comme ses vêtements ne laissaient rien à l'imagination, Garrick sentait son sang se faire lourd dans ses veines.

S'il n'avait su avec quelle impatience elle attendait de partir chevaucher avec lui dans la campagne, il l'aurait étendue dans l'herbe qui les avait accueillis quelques jours plus tôt et l'aurait déshabillée séance tenante. Au lieu de cela, il s'attacha à respirer profondément pour se calmer, comme il avait appris à le faire durant son enfance, et se borna à hocher la tête quand elle lui jeta une œillade mutine.

En un éclair, elle monta en selle, comme un garçon, et lança la jument au galop. Pas question de la laisser s'éloigner trop avant, songea-t-il en sautant sur la croupe de Bess, qui ne se fit pas prier pour s'élancer à la poursuite de la belle. Lorsqu'il l'eut rejointe, ils chevauchèrent longuement à travers les champs, non pas comme deux promeneurs tranquilles arpentant les allées de Hyde Park mais, à vrai dire, comme deux fous furieux.

— Faisons la course ! lança-t-elle.

Garrick sourit en donnant du talon contre les flancs de sa monture. Bess pouvait facilement distancer le petit cheval.

Quand il se retourna pour savourer sa victoire, il se rendit compte, à son grand dam, qu'elle venait de virer à angle droit et s'approchait rapidement du mur de pierre qui délimitait le champ sur lequel ils se trouvaient. Si elle tombait à cette allure, elle se romprait sûrement le cou ! D'un geste, il fit faire volte-face à sa jument et fonça vers la cavalière intrépide en lui criant de prendre garde.

La jument se joua de l'obstacle en s'offrant le luxe d'une ruade espiègle, survolant les pierres empilées de plusieurs pouces.

Malgré l'admiration que lui arrachait cet exploit, il n'en aurait pas moins volontiers fait tâter de sa cravache au derrière de l'amazone, pour lui apprendre à lui causer une telle frayeur.

Mais il fallait d'abord la rattraper.

C'était bien la première fois qu'il voyait une femme monter aussi bien. Mieux, même, que nombre de cavaliers de sa connaissance... En tout cas, elle faisait un joli couple avec ce cheval. Elle montait sans craindre le danger, assurément, mais elle connaissait fort bien sa monture, si bien que lorsqu'ils retournèrent à la grange il lui avait déjà pardonné sa course folle et s'esclaffa sans retenue devant le regard étonné qu'elle eut en lui voyant l'air un peu sévère.

Ils mirent pied à terre et attachèrent les chevaux, qui avaient bien besoin de se reposer. Une grande paix l'envahissait, comme si on venait de lui ôter un grand poids de la poitrine. Avec elle, il goûtait au bonheur. Et cela n'avait pas de prix.

Un bonheur immérité, bien entendu, mais dont il était résolu à profiter tant qu'il durerait.

— Je meurs de faim, déclara-t-il.

— Moi aussi.

— Quelle chance que j'aie apporté de quoi manger, répondit-il en allant chercher le panier d'osier qu'il tenait au frais dans la grange.

Il étendit une nappe à carreaux sur l'herbe, juste en face de l'étang, et Ellie se chargea d'y disposer les victuailles. Il y avait là de petits pâtés en croûte, du fromage, du pain doré et une bouteille de vin rouge de bonne qualité. Ils mangèrent de bon cœur, sans dire grand-chose. Cela faisait plaisir de la voir faire honneur à son repas avec appétit, contrairement aux femmes qu'il connaissait à Londres, qui picoraient toujours en minaudant comme si elles craignaient de s'empoisonner.

Les criquets chantaient gaiement dans l'herbe grasse, et sur le toit de la grange roucoulait une colombe. Repu, Garrick s'étira puis s'étendit, s'appuyant sur un coude pour pouvoir regarder Ellie au fond des yeux. Allongée à son côté, le flanc contre sa cuisse, elle buvait son vin à petites gorgées.

— Merci infiniment pour cette agréable surprise, murmura-t-elle d'une voix si ravie qu'il en eut chaud au cœur.

— Je suis content que cela vous ait plu. Mais dites-moi : où avez-vous appris à manier l'épée comme un homme ?

Elle hésita un peu.

Allait-elle lui mentir ? Ce soupçon le refroidit un peu, mais, après tout, n'avait-il pas lui aussi ses noirs secrets ?

— Je vous ai dit que j'avais été élevée avec les enfants Castlefield. Nous avons passé une année ou deux aux Indes et, dans ces parties de l'Empire, il valait mieux pour moi être habillée en garçon qu'en fille. J'ai appris à me battre et à monter avec William… enfin, je veux dire… lord Castlefield. J'aimais beaucoup cela. Parfois, même, je regrettais de ne pas être un garçon.

William. Cette familiarité lui échauffa le sang. Il avait remarqué ses hésitations et le soin qu'elle mettait à choisir ses mots. Elle mentait. Assurément.

Il répondit d'une voix calme, presque indifférente :

— Je vous envie. Personnellement, je n'ai jamais mis le pied hors d'Angleterre. La guerre contre la France a rendu les voyages impossibles.

Sans parler des interventions sempiternelles de son oncle, qui le protégeait comme un fils.

Elle reposa son verre à moitié plein et contempla le paysage verdoyant.

— Le fils aîné, l'héritier des Castlefield, espérait partir pour le Continent une fois la guerre finie, mais il a trouvé la mort dans un accident de voiture, il n'y a pas très longtemps, si bien qu'à présent William doit rentrer chez lui pour assumer les responsabilités de sa charge. En un sens, j'en suis heureuse.

Sa voix se brisa soudain.

— Je détestais le savoir en danger.

Si Garrick ne voyait plus son visage, il percevait son inquiétude et son émotion. Il semblait clair que, quoi qu'il fasse, elle lui préférerait toujours cet homme-là. La jalousie le tenaillait, impitoyable. De simplement penser à ce rival inconnu le blessait d'une façon à laquelle il ne s'attendait pas. Il se força à faire bonne figure.

— Souhaitez-vous retourner auprès de lui quand il reviendra ? demanda-t-il d'un ton qui prouvait à l'évidence qu'il n'y réussissait pas très bien.

— Oh non ! répondit-elle, comme consternée par cette question.

Jouait-elle encore la comédie ? Et pourquoi diable cela le préoccupait-il, bon sang ? Elle ne faisait pas partie de ses projets d'avenir. Ni aucune autre femme, d'ailleurs. Il s'écarta d'elle, se leva et se mit à rassembler les reliefs de leur pique-nique.

— L'un de vos serviteurs est venu à Castlefield, il y a longtemps, reprit-elle en lui tendant son verre. Il avait servi dans le même régiment que votre grand-père et votre père, je crois. Un certain Piggot.

Garrick tressaillit. Il n'avait pas entendu ce nom depuis des années.

— Piggot ?

— Je me souviens que le comte avait été bouleversé par sa visite, mais il ne nous a jamais dit pourquoi, ajouta Eleanor en se levant à son tour.

Elle épousseta ses culottes en donnant de petites tapes

sur ses fesses rebondies. Garrick la regarda faire, troublé par ce geste à la fois ingénu et provocant, tout en s'évertuant à ne rien en laisser paraître. Se pouvait-il que Piggot ait révélé à Castlefield les événements ayant mené à la mort de sa mère ? Et, en ce cas, les informations qui pouvaient le détruire instantanément se trouvaient-elles entre les mains de ce dernier ? Il n'osait songer au mépris qu'Ellie aurait pour lui si elle venait à apprendre la vérité.

Et pourtant, au fond de son âme, il éprouvait une sorte de soulagement à l'idée de poser enfin ce fardeau si lourd à porter.

Il fixait sans la voir la couverture qu'il tenait dans ses mains.

— En garde !

La pointe d'une épée siffla dans l'air tout près de son visage.

— Que diable ? s'écria-t-il, surpris.

Eleanor le regardait, les yeux brillant d'excitation.

— Vous m'avez promis une leçon !

Garrick accueillit avec gratitude cette initiative, qui le détournait de ses sombres pensées.

— C'est ma foi vrai, acquiesça-t-il avec un sourire en se saisissant de sa flamberge rangée sur le plancher de la voiture et en jetant son manteau.

— En garde.

Ellie prit position, souple et alerte. Dès que leurs lames s'entrechoquèrent, il se souvint de son habileté diabolique. Elle avait été à bonne école et faisait un adversaire digne de respect, quand bien même elle ne possédait pas la force et l'allonge susceptibles de le mettre en difficulté. Il lui fit bientôt voir comme on pouvait arracher le fer des mains de l'autre partie mais, si elle apprenait vite, elle avait un peu de mal à mettre la théorie en pratique.

— Avec un adversaire moins fort que moi, cela devrait fonctionner.

Visiblement épuisée, elle posa la pointe de son épée sur l'herbe et essuya son front emperlé de sueur d'un revers de manche.

— Assez, milord, je n'en peux plus, dit-elle, le visage cramoisi, la chemise ouverte d'une manière presque indécente.

Adorable. Délicieusement excitante. Garrick sentait la fièvre le gagner, tout à coup.

— Entendu. Il est temps de vous changer, avant que mon serviteur n'arrive pour emporter les restes du pique-nique, sans quoi il va sûrement reconnaître en vous la brigande que j'ai embrassée.

Il l'accompagna vers la grange. Soudain, elle se retourna et lui demanda :

— Pourquoi l'avez-vous fait ? Cette fameuse légende n'existe pas, si ?

— Parce que, comme un imbécile, j'avais oublié mon pistolet dans la voiture.

Une bonne chose, finalement, car elle aurait pu aussi bien être morte à cette heure.

— Je ne l'étais pas moins moi-même. Jamais je n'aurais dû vous laisser approcher de si près. Je ne commettrai plus la même erreur.

Cette réponse inquiéta Garrick.

— Il n'y aura pas de prochaine fois, Ellie, n'est-ce pas ?

Il la sentit se raidir contre lui, et ses yeux gris lui semblèrent plus froids, brusquement.

— Non. Il n'y a plus de raison, maintenant.

Il l'embrassa goulûment, espérant briser les défenses qu'elle venait de dresser de nouveau entre eux. Ce fut un succès : lentement, elle se laissa aller contre lui. Il la sentait fondre un peu plus à chaque seconde, et son désir croissait à mesure.

— Comment faites-vous cela ? murmura-t-il d'une voix rauque.

— J'allais vous poser la même question, répondit-elle en riant.

Il la souleva dans ses bras et alla la poser sur la couverture. Quelle créature merveilleuse, aussi douillette sur la paille d'une écurie que sur un lit de plumes. Décidément, il n'avait jamais connu une femme comme elle ; et l'énigme qu'elle constituait pour lui n'était pas le moindre de ses atouts.

Qu'avait-elle donc pour l'attirer ainsi et le rendre fou de désir ? Peut-être était-ce parce qu'il n'arrivait pas à discerner le vrai du faux en elle, à faire la part de l'actrice et de l'ingénue ? Elle était vierge en venant dans son lit, assurément, mais la Dame du Clair de Lune n'avait, elle, rien d'innocent. Découvrirait-il un jour la femme qui se cachait derrière le masque ?

Et, en ce cas, serait-il déçu ? Valait-il mieux ne rien savoir, finalement ?

Elle tendit le bras vers lui et lui prit le menton pour l'attirer vers son sourire mutin. Aujourd'hui, elle était la Dame du Clair de Lune et, par saint Georges, il voulait bien prendre tout ce qu'elle voudrait lui donner.

Il batailla un peu avec les boutons de sa chemise, la bouche collée à la sienne, ne s'arrachant à leur baiser que pour faire glisser le vêtement par-dessus sa tête. Quand elle fit de même pour lui, il prit cela comme un honneur et s'allongea à son côté pour l'embrasser encore sur les lèvres, la gorge, le cou, la naissance des seins, dont les pointes reprirent rapidement vie sous la caresse de sa langue.

Quand il enfouit la tête entre les deux globes rebondis et veloutés, elle eut un petit rire ravi. Immédiatement, il fit glisser ses culottes de toile grège sur ses hanches puis, la prenant à pleines mains, pesa sur le bas de ses reins, la pressant contre lui.

Elle le repoussa alors et, en riant de sa surprise et de son désappointement, lui mordit tendrement l'épaule.

— Aïe !

Elle bascula alors sur lui, caressant son torse, puis son ventre, jusqu'à ce qu'elle atteigne sa ceinture. Il pouvait voir la peau blanche de son dos s'évaser magnifiquement en deux fesses rondes et fermes. Il ôta l'épingle qui retenait ses cheveux, de sorte qu'ils tombèrent sur ses épaules au moment même où elle achevait de le déboutonner, libérant sa virilité. Il gémit. Timidement, elle y posa ses lèvres pour un baiser furtif et soyeux.

Seigneur, que c'est bon! cria-t-il intérieurement en exhalant un soupir vibrant. Mais il voulait plus que cela. Il avait follement envie de sentir ses courbes voluptueuses contre lui, aussi la souleva-t-il pour prendre sa bouche et l'encercler de ses bras.

— Je n'en peux plus de ces vêtements, susurra-t-il.

Galvanisé par son petit sourire d'encouragement il se débarrassa rapidement de ses bottes et de son pantalon avant de s'allonger à côté d'elle. La passion qui flambait dans son regard lui fit bouillir le sang.

Il l'attira contre lui, oubliant tout ce qui n'était pas elle, sa chaleur, son odeur, ce parfum de vanille qui émanait de son corps. Ses gémissements le rendaient fou de désir. Une fois encore, il la caressa au creux du ventre et la trouva humide et brûlante. C'était bien là qu'il avait envie d'être. D'une façon ou d'une autre, il lui ferait oublier le passé.

Il força le genou entre ses cuisses, qu'elle lui ouvrit généreusement, et, quand il entra en elle d'une seule poussée, ils ne firent plus qu'un. Les petits cris qu'elle émettait à chaque coup de reins, le souffle ardent qui s'exhalait de sa bouche, les ongles qu'elle plantait dans la chair de son dos le poussèrent au bord de l'explosion en quelques instants à peine.

Son corps hurlait son impatience, le soumettant à une torture à la fois délectable et insoutenable. Les dents serrées, il luttait pour emporter Ellie avec lui et pour garder le peu de contrôle qu'il lui restait.

Changeant de position une fois encore, il lui caressa l'intérieur des cuisses de son corps arc-bouté, frémissant de plaisir de la sentir le retenir en elle. Sa main glissa entre eux, jusqu'à ce qu'il trouve le bouton de rose gonflé de désir, qu'il se mit à caresser d'un mouvement circulaire et rapide, de plus en plus fort.

— Oh Seigneur ! Ellie, oui, maintenant !

Le ventre de la jeune femme l'emprisonnait à présent, tel un manchon brûlant serré autour de lui. Il allait mourir de plaisir. Pas sans elle ! Pas tout seul !

Elle jouit, une succession ininterrompue de vagues plus violentes les unes que les autres la submergeant. Pris de panique, il se retira, répandant sa semence sur le ventre d'Eleanor, emporté lui aussi par les spasmes de l'extase. L'odeur de la paille fraîche et celle de leurs corps se mêlaient et, à mesure que leurs cœurs et leurs souffles s'apaisaient à l'unisson, il se sentait glisser dans une félicité, une plénitude qu'il n'avait jamais connues. Ce devait être ça, le paradis. Comblé, rassasié, rafraîchi par la sueur qui séchait sur sa peau, il regarda les poutres anciennes qui soutenaient le toit. S'il demeurait en Angleterre avec cette femme à ses côtés, peut-être parviendrait-il à vaincre ses démons intérieurs.

Avec un sourire, elle se blottit au creux de son épaule, ses seins de nacre voilés par ses cheveux de soie blonde. Pensif, il lui caressa le bras. Quelle femme extraordinaire, et si belle !

Garrick ferma les yeux et, quand il revint à lui, il la trouva allongée sur le dos, endormie. Sa première pensée fut de l'embrasser pour la réveiller et lui faire de nouveau l'amour, mais il remarqua vite de grosses larmes qui perlaient à ses cils et coulaient sur ses joues.

Il essuya l'une d'elles du bout du pouce puis, portant celui-ci à ses lèvres, en savoura le goût salé. Qu'est-ce qui pouvait bien la faire pleurer dans son sommeil ? Son esprit se refusait à l'admettre, mais son cœur devinait la vérité : elle n'était pas heureuse.

La simple idée de la perdre, inévitablement, était comme un couteau fouaillant une plaie vive dans sa poitrine.

Pourtant, peut-être valait-il mieux qu'il en fût ainsi car, si le monstre qui vivait en lui venait à la blesser un jour, il ne se le pardonnerait jamais.

Se pouvait-il qu'il fasse du mal à une femme qu'il voulait protéger du monde entier ?

On évoquait dans les légendes des accès de rage aveugle. Pour sa part, il était persuadé d'en avoir déjà connu trois, de ces moments durant lesquels la raison s'abolissait d'un coup. Son estomac se nouait à cette seule pensée.

Lorsqu'elle ouvrit les yeux, elle le regarda en plissant légèrement le front, comme si elle essayait de se rappeler l'endroit où elle se trouvait. Bientôt, un sourire apparut sur ses lèvres, et son regard se fit plus clair.

— Pourquoi pleurez-vous ? lui demanda-t-il d'une voix tendue.

— Je pleurais ? s'étonna-t-elle en se frottant les yeux du dos de la main. Un mauvais rêve, sans doute. Je ne m'en souviens plus.

Une vague de culpabilité balaya Garrick. Il aurait dû lui donner l'argent dont elle avait besoin et la chasser ensuite, au lieu de tuer en elle toutes les illusions qu'elle devait encore entretenir sur son noble protecteur.

Il ne voulait lui donner que du bonheur ; las, par pur égoïsme, il avait essayé de gagner son cœur, de la faire demeurer auprès de lui. Or il devait se rendre à l'évidence : si, après une journée parfaite comme celle-ci elle pleurait encore l'absence de Castlefield, jamais elle ne serait sienne.

Une tristesse profonde et noire montait en lui, irrépressible.

Il avait passé des années à apprendre à maîtriser ses émotions, à construire des défenses autour de son cœur pour empêcher ses démons de le hanter, par instinct de survie, et voilà qu'elle venait en quelques jours de briser ces remparts qu'il croyait capables de résister à tout et qu'il allait falloir désormais reconstruire.

Il allait lui dire qu'il était lassé d'elle et la chasser de sa vue…

Mais pas aujourd'hui. Pas tout de suite.

— Venez, Dan va bientôt revenir. Laissez-moi vous aider à vous rhabiller.

En rentrant au village, dans la voiture, Ellie resta longtemps appuyée contre lui, sa jolie tête dodelinant contre son épaule suivant le rythme régulier du cheval. Inconsciemment, il la serra contre lui avec douceur, et elle se blottit un peu au creux de son bras, en pressant tendrement son visage contre son cou.

Il en eut le cœur déchiré, mais accueillit cette souffrance comme une juste punition que lui infligeait le ciel.

Ils s'arrêtèrent devant chez elle.

— Bonne nuit, Ellie, lui murmura-t-il à l'oreille, la bouche perdue dans ses cheveux blonds.

D'un geste furtif, il lui prit le menton et frôla ses lèvres, le corps tremblant de désir.

— Bonne nuit, Garrick. Merci pour cette magnifique journée, chuchota-t-elle en retour.

Demain, il rassemblerait les forces qu'il lui faudrait pour la libérer. Après tout, elle ne lui appartenait pas ; et, de toute façon, un homme qui portait à l'âme une telle flétrissure ne méritait pas de trouver le bonheur.

Chapitre 6

Eleanor ferma la porte dès que la voiture s'éloigna, puis s'activa à préparer le souper en tâchant de ne pas trop penser au chemin qu'elle avait choisi de suivre et à ce que cela signifiait pour son avenir.

Beauworth lui avait offert une journée idyllique et, bien évidemment, elle n'avait pas trouvé difficile de s'imaginer vivre le restant de ses jours avec lui. Il était charmant, drôle, prévenant et, surtout, quand il lui faisait l'amour, elle oubliait la réputation sulfureuse qu'on lui faisait, tout comme elle oubliait ses devoirs envers sa famille et sa propre ruine.

Or il pouvait se montrer aussi gentil avec elle qu'il voulait, jamais il ne l'épouserait.

Ni lui ni personne.

En attendant, jusqu'à ce que leur arrangement arrive à son terme, elle ne pouvait lui permettre de lui briser le cœur…

Elle planta sa fourchette dans une grosse tranche de pain. Quelle sotte ! Chaque fois qu'elle envisageait de lui dire adieu, elle se mettait à pleurer. Si elle n'y prenait garde, elle finirait par devenir l'une de ces femmes pleurnichardes, se plaignant sans cesse de leur sort, qu'elle détestait si fort depuis toujours.

Il fallait boire la coupe jusqu'à la lie. Elle se préoccuperait de l'avenir quand le temps serait venu.

S'il lui restait un avenir…

Seigneur ! Voilà qu'elle recommençait.

Elle considéra les rôties et la confiture qu'elle venait de poser sur son assiette, mais son estomac se refusait absolument à ingérer toute nourriture. Il lui fallait une tasse de thé, rien de plus. Ensuite, au lit, avec un bon livre. Elle mit la bouilloire sur le feu, puis passa sa chemise de nuit et sa robe de chambre.

La porte de la maison grinça soudain. Garrick revenait, à coup sûr ! Elle courut vers la porte.

Il ne s'agissait pas de Beauworth, mais d'un inconnu aux épaules larges et à l'air menaçant. Le teint brun, le sourcil noir, le nez bulbeux, il franchit le seuil sans y être invité. Dieu du ciel ! Elle devait avoir oublié de mettre le loquet.

Elle recula, la gorge sèche. Sans être grand, l'homme était râblé et aurait pu la terrasser en un instant. Ses yeux noirs glissaient sur elle, lui donnant la nausée. Son abominable sourire découvrait, entre des lèvres épaisses et humides et une moustache noire et graisseuse, une rangée d'inégales dents jaunes.

— Sortez ! cria-t-elle d'une voix tremblante. Je ne vous ai pas donné l'autorisation d'entrer.

— Allons, allons, milady, ne vous énervez pas comme ça. Je vous apporte un message de la part de Sa Seigneurie.

— Le marquis de Beauworth ?

— Lui-même.

Cet homme venait de l'appeler milady. Ainsi, Garrick savait ? Le cœur battant, elle répéta :

— Sortez !

Sans résultat.

Regrettant d'avoir abandonné son épée dans la grange, elle chercha des yeux une arme. L'inconnu ferma la porte du talon et la suivit dans sa retraite, pas à pas. Elle n'osait pas le quitter du regard, de peur qu'il l'attaque sans prévenir.

Il lui fallait quelque chose de lourd. Lentement, elle recula jusqu'à la table de nuit, où se trouvait un gros chandelier de cuivre, contournant le lit tout en s'efforçant de respirer avec calme. Elle tâtonna derrière elle ; ses doigts trouvèrent le métal froid presque aussitôt.

— N'approchez pas ! s'exclama-t-elle.

L'homme porta la main à sa poche, pour y prendre un couteau, sans doute, ou un pistolet. Il fallait qu'elle agisse. Et vite.

Elle s'empara du chandelier et le brandit devant elle.

— Reculez, ou je vous arrangerai de si belle façon que votre mère elle-même ne pourra pas vous reconnaître.

L'inconnu tira de sa poche un petit flacon rempli d'un liquide brun en riant à gorge déployée.

— Voilà des paroles bien agressives, milady, éructa-t-il en même temps que la porte de devant grinçait sur ses gonds.

— Où diable es-tu ? cria une voix d'homme.

Des renforts. Eleanor blêmit.

— Ici, sergent.

Elle aurait pu venir à bout d'un assaillant, mais de deux ? Seigneur, que lui voulaient-ils ? Elle ne pouvait presque plus respirer.

— Il y a de l'argent dans le coffre, sous le lit, chuchota-t-elle.

— Je m'en souviendrai, dit l'homme au nez bulbeux. Plus tard.

Un long frisson glacé lui passa sur l'échine. De toutes ses forces, elle lança le chandelier à la tête de l'inconnu. Il le para du bras.

— Aïe ! Sale petite garce !

Il fondit sur elle et la saisit par les cheveux. Aveuglée par la douleur, elle se débattit pour lui échapper, donnant du pied pour le frapper entre les jambes, mais ne parvenant à toucher que sa cuisse. Comme elle trébuchait, il tira violemment sur la mèche qu'il serrait dans son poing. Les yeux pleins de larmes, elle se jeta sur lui, les ongles en avant.

Deux bras puissants l'encerclèrent par-derrière, la prenant au cou et à la taille, et elle sentit une boucle de ceinture peser contre ses reins. Le complice, songea-t-elle, glacée de terreur.

— Je t'avais dit d'attendre, Caleb ! grommela l'homme contre son oreille, d'une voix pleine de colère. Où est cette bouteille ?

— Ici, sergent.

Un sourire mauvais sur les lèvres, le dénommé Caleb porta le petit flacon à la bouche d'Eleanor. Aussitôt, elle reconnut l'odeur du laudanum et serra les dents de toutes ses forces ; mais la brute lui pinça le nez fortement, pressant toujours le goulot contre ses lèvres. L'autre l'étranglait, la tenant bien serrée contre lui. Ses poumons allaient exploser. De l'air ! Il lui fallait de l'air !

Elle parvint à détourner la tête une fraction de seconde, mais en même temps que l'air entrait dans sa bouche un flot de liquide amer en fit autant, qu'elle avala lui aussi, bien obligée.

— Encore, ordonna le sergent.

Elle tenta de recracher cette autre lampée, en vain. Elle se débattait de plus en plus faiblement. La tête lui tournait, l'ankylose gagnait ses membres. Le rire triomphant de Caleb fut la dernière chose qu'elle entendit avant de sombrer dans le néant.

La maison paraissait déserte. Il y flottait une atmosphère de désolation qui frappa Garrick dès son arrivée.

— Ellie ?

Rien. Le silence.

Il posa l'épée et le fourreau de la jeune femme sur la table en pin ; elle aurait sans doute aimé les récupérer. Pour en avoir le cœur net, il entra dans la chambre. Il y trouva le lit nu, l'armoire vide. Elle avait tout pris avec elle en partant.

Il en eut le ventre tout retourné. Conscient des sentiments affreux qu'elle devait éprouver, il avait résolu de la renvoyer chez elle — il avait longuement préparé un petit discours à ce sujet — tout en espérant quand même qu'elle aurait envie de rester.

Peut-être valait-il mieux qu'elle soit partie de son propre chef, finalement. Ce serait moins douloureux.

Mais alors pourquoi son cœur se serrait-il ainsi ?

Remarquant un coin d'étoffe blanche qui dépassait de sous le lit, il se pencha. Il ramassa un carré de baptiste entouré de fine dentelle, imprégné, s'avisa-t-il en le portant à son nez, de l'odeur de vanille suave et fraîche qui évoquait désormais en lui le souvenir de la jeune femme. C'était tout ce qu'il lui restait d'elle. Pas même un petit mot, une lettre, rien. Rien qui puisse rappeler son passage en ces lieux. Il fourra le mouchoir dans sa poche et retourna dans la cuisine.

Il prit une bouteille de brandy et un verre dans l'armoire et les posa sur la table, ruminant sa déception. Pourquoi s'être enfuie ainsi sans même un au revoir ? L'avait-elle trouvé à ce point stupide ?

Il tira la chaise noire rangée sous la table et s'y assit à cheval, en reposant ses bras sur le dossier. Le menton appuyé sur ceux-ci, il regarda d'un œil vague le plateau de pin clair comme s'il pouvait y trouver une réponse à ses questions. Se pouvait-il qu'elle ait discerné le mal en lui ? Elle ne manquait pas de courage, certes, mais il y avait de quoi faire fuir les âmes les mieux aguerries.

Bon Dieu ! Pourquoi n'arrivait-il pas à accepter une bonne fois pour toutes le fait qu'elle aimait Castlefield, au lieu de chercher à faire porter la responsabilité à quelqu'un d'autre ? Il avait besoin de boire pour calmer la douleur qui le rongeait, et pas seulement un verre, pour sûr. Quand il saisit la bouteille, il s'étonna du tremblement qui agitait sa main. Comme il remplissait le verre, l'alcool gicla, tachant le bois de la table. L'odeur forte lui monta aux narines et lui piqua la gorge au point que des larmes lui vinrent aux yeux. Continue, se morigéna-t-il. Continue de te mentir là-dessus comme tu sais si bien le faire.

Dès le lendemain, la réalité le frapperait au visage, comme tous les jours, se dit-il avec un sourire désabusé et plein d'amertume. Mieux valait se réjouir du départ d'Ellie. Cela lui éviterait de lire le mépris et l'horreur dans ses yeux.

Il enfouit sa tête dans le creux de son bras. Il se sentait plein de rage et de désespoir, comme une outre prête à crever. En grommelant, il se leva et jeta dans l'âtre son verre, qui éclata. Le silence de la maisonnée, ensuite, n'en fut que plus impressionnant. Des relents d'alcool flottaient dans l'air comme dans une taverne un samedi soir.

A quoi bon ce geste imbécile ? Il n'avait fait que gâcher de l'excellent brandy…

La porte de devant claqua soudain.

Ellie ?

Garrick fit volte-face, le cœur battant, plein d'espoir. Un soldat blond vêtu d'un uniforme rouge traversa la pièce d'un bond et le saisit à la gorge.

Il étouffait et lutta pour se dégager de l'étreinte mortelle.

— Où est-elle, maudit fils de chienne ? hurla l'intrus.

Malgré le voile noir qui obscurcissait sa vision, Garrick reconnut instantanément son ennemi juré.

— Hadley ? râla-t-il.

Une rage épouvantable le prit, le galvanisant. Levant les bras, il parvint à se dégager et repoussa l'agresseur puis, les deux poings levés, lui fit face, bien décidé à le réduire en bouillie.

— Pas si vite, milord ! jeta une voix, en même temps que le canon glacé d'un pistolet se pressait contre sa tempe.

Si, le dos à la porte, il n'avait pas vu entrer le second assaillant, il en reconnut tout de suite — pour son ébahissement — la voix grave et éraillée.

— Ben ? Que je sois pendu… !

— Non, milord. Martin Brown, pour vous servir.

Martin Brown ? Ainsi, le parent dont elle avait parlé était aussi Ben le bandit ? Sacrebleu ! Combien d'autres mensonges lui avait-elle servis ?

— Où est-elle ? répéta Hadley.

Que diable voulait dire tout cela ? Quel rapport y avait-il entre Ellie et cet homme ? C'était fou !

— Que faites-vous ici, Hadley ? dit-il avec mépris. Etes-vous venu prendre une nouvelle correction ?

Dieu du ciel ! Il n'aurait jamais dû dire cela — puisqu'il niait depuis toujours être l'auteur de l'agression nocturne dans laquelle son ennemi avait été blessé à la jambe. Las, le mal était fait…

— Je suis Castlefield, à présent ! corrigea ce dernier, le visage pourpre.

Garrick en demeura bouche bée. Un coup de poing dans l'estomac ne l'aurait pas surpris davantage. Castlefield, lui ?

— Mais…

— N'en avez-vous pas fait assez, bougre de salaud ? Fallait-il vraiment que vous vous en preniez à ma sœur pour vous venger de moi ?

Pendant quelques instants, ces mots résonnèrent dans la tête de Garrick, ravivant le souvenir de leur ancienne dispute et des accusations portées contre lui, dans cette école qu'ils avaient fréquentée tous deux. Hadley boitait bas, depuis… Il se rappelait avoir perdu le contrôle de lui-même, mais le reste se perdait dans un brouillard épais.

Finalement, le mot « sœur » se fraya un passage dans son cerveau. Le sol lui parut se dérober sous lui.

— Ellie est votre… sœur ?

— Appelez-la lady Eleanor Hadley. Nous sommes jumeaux.

Sa sœur jumelle ?

Muet de stupeur, Garrick ne pouvait détacher les yeux du visage de son ennemi. Il lui fallut un moment pour retrouver un filet de voix.

— Elle est partie, balbutia-t-il. Elle a dû rentrer chez elle.

Martin Brown intervint :

— Les gendarmes y sont passés, mais ils n'ont trouvé aucune trace de milady.

— En ce cas, elle a dû se rendre chez sa sœur, suggéra Garrick, le ventre noué par l'angoisse.

— Tudieu, Beauworth ! S'il lui est arrivé quoi que ce soit, je vous en tiendrai personnellement pour responsable, s'exclama Castlefield en tirant son épée.

— Rangez votre arme, milord, conseilla Martin Brown d'un ton sévère, le visage sombre, en pointant cette fois son arme sur le comte. C'est votre sœur qui est responsable de tout cela. J'ai fait de mon mieux pour la dissuader mais, quand j'ai compris que cela ne servirait à rien, j'ai pris le parti de la protéger du mieux que je pourrais.

Martin marqua une pause puis, en désignant Garrick du menton, ajouta :

— Celui-ci est entré en scène quand nous avons attaqué sa voiture et qu'il nous a suivis. Milady m'a affirmé qu'elle allait le libérer avant de partir pour l'Ecosse.

Il s'arrêta de nouveau, puis reprit en rougissant un peu :

— Je me suis douté qu'il y avait anguille sous roche, c'est pourquoi je suis allé vous attendre sur le port, à Portsmouth. Si elle est effectivement partie quelque part, elle doit être chez sa tante, ou bien en Ecosse chez son amie. C'est là-bas que nous devrions la chercher.

Bon sang, Ellie ! Que cherchiez-vous à faire ? songea Garrick en fixant le visage empourpré de colère du frère de la jeune femme. Pas étonnant qu'elle ait attendu son retour avec tant d'impatience ! Ce butor l'avait laissée affronter seule tous les problèmes auxquels ils faisaient face. Il méritait qu'on lui dise ses quatre vérités.

— Vous avez eu raison de vous inquiéter, Martin, lança-t-il en regardant Hadley d'un œil torve, les bras croisés sur sa poitrine. Elle est devenue ma maîtresse pour récupérer l'hypothèque et payer les dettes de son frère.

Castlefield fit mine de lui sauter à la gorge. Garrick l'arrêta en disant :

— Pas une seule fois elle ne m'a avoué la vérité.

Atterré, l'autre se jeta sur le sofa en se prenant la tête entre les mains.

— Eleanor ! s'écria-t-il. Pourquoi ?

Garrick se sentit un peu responsable de cette détresse.

— Je suis navré que vous ayez dû apprendre les choses de façon si abrupte, mais vous ne pouvez vous en prendre qu'à vous-même.

— Venez, milord, chuchota Martin Brown en aidant son jeune maître à se remettre sur ses pieds. Il faut que nous la retrouvions et que nous la ramenions chez elle.

Castlefield lança un regard noir à Garrick.

— Misérable chien ! Comment avez-vous osé abuser ainsi d'une jeune femme ? Ma sœur en vaut largement deux comme vous.

Comment avait-il pu profiter odieusement de son désir fervent de sauver son frère, en effet ? Seigneur ! Une jeune fille de la noblesse, déshonorée ! N'y avait-il donc aucune limite aux horreurs qu'il était capable de commettre ?

Mais aussi, pourquoi lui avait-elle tu sa véritable identité ? S'il avait su, il l'aurait aidée…

Elle ne lui faisait aucune confiance, voilà pourquoi elle avait gardé le silence.

Il fallait qu'il répare. En lui offrant son nom. Il ne pouvait rien faire d'autre. Pas moins en tout cas. Il en avait envie, de toute manière. L'espoir renaissait un peu.

— Je vais l'épouser, évidemment, déclara-t-il d'une voix rauque.

Sur le seuil, Castlefield marqua le pas puis, se retournant brusquement, rétorqua :

— Croyez-vous vraiment que je la laisserais prendre pour époux un scélérat de votre espèce ?

Garrick serra les dents.

— Ce sera à Ellie elle-même d'en décider, répliqua-t-il.

— Vraiment ? répondit Castlefield d'une voix qui se changeait en murmure. Quand je lui dirai ce que vous m'avez fait, vous savez fort bien quelle sera sa réaction, Beauworth. En cette affaire, elle fera ce que je lui dirai de faire. Dites un mot, un seul, à qui que ce soit, de ce qui s'est passé entre vous, et je jure que je vous ferai passer de vie à trépas. Ne vous avisez pas non plus d'approcher d'un seul des membres de ma famille ou il vous en cuira.

L'amertume de ces paroles doucha définitivement la compassion que Garrick avait pu éprouver pour le frère d'Ellie.

— La prochaine fois que vous aurez des dettes, ne laissez pas votre sœur s'occuper de les apurer à votre place, lâcha-t-il d'un ton cassant.

— Allez au diable, Beauworth ! cria Castlefield en sortant sur les talons de Martin Brown et en claquant la porte violemment.

Cela semblait un bon conseil, songea Garrick en s'effondrant sur l'unique fauteuil de la modeste habitation. Quel désastre ! Comment pouvait-il ne pas avoir deviné qui elle était ? Il savait fort bien qu'elle lui cachait des choses, mais de là à aller imaginer qu'elle venait d'une famille noble ! Quelle menteuse ! Quand il y repensait, évidemment, il ne pouvait que se rappeler tous les indices qui auraient dû le mettre sur la voie : sa conversation, son allure, sa pudeur, son innocence. Mais non, il n'avait pas voulu les voir, tout simplement, par égoïsme. Il avait eu envie de la brigande, de la femme au visage masqué. De celle, en fait, à laquelle il ne pouvait faire aucun mal.

Il se gratta le menton du plat de la main. Elle n'avait plus d'autre choix que d'accepter son nom à présent. Castlefield ne pourrait pas éternellement tourner le dos à la raison ; il retrouverait le sens commun une fois sa colère apaisée.

L'idée lui plaisait. Tout bien pesé, cette désolante histoire avait du bon.

*
* *

— La voilà qui se réveille ! annonça une voix de femme un peu rustre.

Eleanor tourna la tête. Une douleur fulgurante lui vrilla la tempe, et elle eut l'impression d'avoir du sable dans la bouche. La pièce tournait autour d'elle, et elle sentait venir le haut-le-cœur !

Comme par enchantement, une bassine apparut devant elle. Elle y vomit longuement sans autre forme de procès.

Epuisée, elle se laissa retomber en arrière, les yeux clos. Que lui arrivait-il ? Jamais elle ne s'était sentie aussi mal de toute sa vie. Tout d'un coup, la mémoire lui revint : on lui avait administré du laudanum. Après quelques instants, elle ouvrit les yeux et découvrit des murs de pierre nue, une fenêtre crasseuse et un sol fait de grosses dalles de pierre. Où diable était-elle ?

Elle lutta pour se relever, mais une vieille femme hirsute et boulotte la repoussa sur son oreiller.

— Tiens, ma jolie, dit-elle. Bois. Ça va te retaper en moins de deux.

Eleanor sentit un verre contre ses lèvres et but une gorgée de liquide. C'était amer, dégoûtant. Du laudanum, encore !

— Pourquoi me faites-vous cela ?

— Du calme, mam'zelle.

— Combien de temps va-t-elle dormir avec ça ? demanda une voix d'homme, rugueuse et grave, depuis l'autre côté de la pièce.

Eleanor essaya de lever la tête pour voir de qui il pouvait bien s'agir, mais sans succès.

Trop fatiguée. Trop sommeil…

— Quelques heures.

— Parfait. Garde la porte bien fermée. Caleb va monter la garde.

Caleb. Une peur indicible envahit Eleanor quand elle se souvint du visage hideux de cet homme. Le dernier qu'elle ait vu avant d'être aspirée par les ténèbres.

***

Quand elle ouvrit les yeux pour la seconde fois, elle était seule. Elle se sentait mieux, plus forte. La pièce, qui sentait le renfermé, ne tournait plus. Le lit sur lequel elle gisait, sous une couverture rêche, en constituait l'unique mobilier ; le plâtre des murs s'effritait par plaques. Un trou s'ouvrait dans la porte de bois noirci par les ans et la crasse. L'avait-on épiée dans son sommeil ? Un frisson lui vint à cette idée. Elle était en chemise de nuit et en robe de chambre, et penser que des hommes l'avaient empoignée dans cette tenue lui donnait la nausée.

Un haut-le-cœur lui vint, qu'elle repoussa de toutes ses forces, de peur qu'on ne l'entende si elle recommençait à vomir.

— Est-elle réveillée ? fit la voix de Caleb de l'autre côté de la porte, comme sortie d'un cauchemar.

Elle se souvenait de l'avoir entendue pendant qu'on la transportait, presque inconsciente, dans un véhicule.

Encore tremblante, elle ferma les yeux et resta immobile. Leur faire face lui semblait pour l'instant au-dessus de ses forces. Il fallait d'abord qu'elle en retrouve un peu.

— Nan, bougonna la vieille femme après avoir sans doute jeté un regard dans l'œilleton.

— Le sergent s'ra bientôt de retour.

— Ouais, je vais faire à manger et la réveiller ensuite. Il voudra sûrement qu'elle soit prête.

Prête ? Pour quoi ?

Eleanor perçut un pas traînant, des bruits de vaisselle. Tendue, elle entrouvrit les yeux en prenant soin de rester totalement immobile.

— Elle est réveillée, dit Caleb. Je le savais !

— Fiche le camp, gros lourdaud. C'est moi qui m'occupe d'elle, comme a dit le sergent. Retourne faire le guet, sans quoi il va t'étriper en arrivant.

— J'ai un petit différend à régler avec cette traînée, rapport à mon bras, grommela Caleb, dont les pas s'éloignèrent.

Une porte claqua.

Terrorisée à l'idée de se retrouver à moitié nue et à la merci de ces ruffians, Eleanor cherchait l'air avec difficulté. Ils allaient la tuer. Elle allait mourir dans cet horrible taudis.

« Calme-toi, Ellie. »

La voix de son père l'apaisait, comme toujours. Il disait souvent que la peur tuait les soldats sur le champ de bataille bien plus sûrement que les balles de l'ennemi, parce qu'elle leur ôtait toute réflexion.

« Ressaisis-toi et tout ira bien. »

Elle prit une longue inspiration. Puis une autre. Son cœur battait déjà moins vite, et le souffle lui revenait lentement. Quand la clé tourna dans la serrure et que la vieille femme entra, portant un plateau, elle était assise sur sa paillasse.

— Où suis-je ? s'enquit-elle. Qui êtes-vous ? Que me voulez-vous ?

La femme posa le plateau sur le bord du lit puis ajusta son châle gris sur ses épaules voûtées. Elle avait tout de la villageoise ordinaire avec sa robe noire et ses cheveux gris tirés en arrière dont quelques mèches folâtraient autour de son visage hâlé par le grand air.

— Tu le sauras assez tôt, ma jolie. Pour l'instant, bois ton thé et mange un peu, tu te sentiras mieux.

Encore du laudanum ? songea Eleanor avec dégoût. L'estomac dans les talons, elle se demanda depuis combien de temps elle n'avait pas mangé.

— Quelle heure est-il ?

— Bientôt midi. Tu as dormi toute la journée, hier.

Une journée entière ? Garrick serait inquiet, sûrement, mais comment ferait-il pour la retrouver ?

— Vous ne pouvez pas me retenir ici. Le marquis de Beauworth s'attend à me trouver chez moi.

— Vraiment ? fit la vieille femme avec un sourire sombre,

sans se démonter le moins du monde. Libre à toi de manger ou pas, ma belle. Je me moque que tu aies faim.

Là-dessus, elle sortit et ferma la porte derrière elle.

Eleanor regarda le plateau. Il fallait qu'elle retrouve des forces pour affronter ce qu'ils lui préparaient, mais il n'était pas question qu'elle absorbe encore la moindre goutte de laudanum. Pour s'éviter ce désagrément, elle renifla soigneusement le thé et le pain et, ne décelant aucune odeur suspecte, se risqua à les goûter. Aucun arrière-goût ne se faisant sentir, elle fit glisser une première bouchée de pain au moyen d'une grande lampée du liquide noirâtre.

Légèrement revigorée, elle arpenta sa prison. Le sol était rugueux et froid, une odeur de moisi flottait dans l'air, et une petite fenêtre haute et encombrée de toiles d'araignées laissait passer un peu de jour. Pour voir au-dehors, il lui faudrait tirer le lit sous l'ouverture et combattre les araignées, ce qui ne lui disait rien qui vaille. Les épouvantables bestioles devaient être tapies dans les recoins sombres de la pièce, attendant leur heure. En frissonnant, elle ravala l'envie furieuse qu'elle avait de supplier qu'on la laisse sortir.

Par l'œilleton de la porte, elle vit l'intérieur d'une cuisine très semblable à la sienne, bien que certainement pas aussi propre, et, au fond, ce qui devait être la porte d'entrée.

Celle-ci s'ouvrit brusquement sur un homme aux cheveux noirs ébouriffés.

— Est-elle réveillée ? demanda-t-il.

— Oui, sergent.

Il s'agissait de celui qui l'avait saisie par-derrière. Quand elle le reconnut, son cœur se mit à cogner dans sa poitrine, et elle battit en retraite vers le lit. Bientôt, l'inconnu pénétra dans sa cellule. Instinctivement, Eleanor serra l'encolure de sa robe.

— J'espère que vous allez mieux, milady, lança l'homme d'un ton poli.

Il semblait avoir une certaine éducation, mais n'était

pas gentleman, assurément. Qui pouvait-il bien être ? Et comment savait-il qu'elle était noble ? Ces questions l'inquiétaient terriblement ; cependant, elle s'évertua à le toiser d'un air hautain.

— Vous n'avez pas le droit de me retenir ici contre mon gré. J'exige que vous me libériez sur-le-champ.

— Vous êtes bien prétentieuse, milady, et un peu maigrichonne pour exiger quoi que ce soit.

Eleanor resta interdite un instant, le visage en feu.

— Comment osez-vous ? Je suis sous la protection du marquis de Beauworth.

— C'est le marquis lui-même qui nous a ordonné de vous garder ici. Faites ce qu'on vous dira, et il ne vous arrivera rien.

Garrick savait qui elle était ? Elle ne pouvait le croire.

— Vous mentez, maudit ruffian ! s'écria-t-elle.

— Vraiment ? répliqua l'autre d'une voix dure. Votre frère a en sa possession une chose qui appartient à Beauworth, et vous allez vous assurer qu'elle lui soit rendue.

Une sorte de torpeur la saisit, comme si son esprit soudain se refusait à entendre la vérité. Si cet homme connaissait son identité, Garrick la connaissait aussi. Comment était-ce possible ? Avait-elle laissé échapper quelque indice sans le vouloir ? Mais, en ce cas, pourquoi s'était-il tu ? Elle allait se sentir mal… Dire qu'elle s'était fiée à lui, persuadée qu'il n'arriverait rien à William ! Et voilà qu'il s'en prenait à son frère, à présent qu'elle figurait à son tableau de chasse. Mais pour quelle raison, dans quel but ? Que diable cherchait-il ?

— Lord Castlefield n'a rien en sa possession qui appartienne de près ou de loin au marquis.

Caleb entra sur ces entrefaites, ployant sous le poids d'une table et d'un tabouret de bois.

— Où voulez-vous que je mette ça, sergent ?

— Là, répondit l'intéressé en désignant du doigt l'autre côté de la pièce. Apporte aussi des plumes et du papier.

L'homme jeta à Eleanor un regard égrillard avant de sortir et revint aussitôt avec de quoi écrire. Il posa le tout sur la table sans cesser de la reluquer, comme s'il essayait de voir à travers le tissu de sa robe de chambre. Quel être ignoble ! Si elle avait eu un pistolet à sa disposition, ou même simplement son épée, elle lui aurait appris les bonnes manières.

— Nous vous avons apporté vos vêtements, milady. Je dirai à Millie de vous les rendre dès que vous aurez écrit la lettre pour votre frère.

— Mon frère n'est pas en Angleterre. Il se bat pour son pays à l'étranger.

— Son bateau est arrivé à Portsmouth il y a trois jours, repartit le sergent.

Eleanor réprima un cri de surprise.

— Comment le savez-vous ?

— Nous avons ouvert l'œil, voilà tout.

Quelqu'un semblait avoir planifié toute cette affaire avec soin. Que diable voulait Beauworth ?

— Il n'est pas question que j'écrive quoi que ce soit à William.

— Peut-être Caleb peut-il vous faire changer d'avis…

C'était dit d'un ton égal, sans l'ombre d'une émotion.

Eleanor sentit son cœur manquer un battement en voyant le dénommé Caleb la fixer d'un œil gourmand par-dessus l'épaule du sergent, un sourire abject aux lèvres. Elle ferma brièvement les yeux. Elle ne pouvait même pas imaginer que cet homme la touche.

— Fort bien, je vais écrire cette lettre.

L'air déçu, Caleb quitta la pièce d'un pas lourd.

Sur un geste du sergent, elle prit place devant la table.

— Ma belle, lui dit-il, écrivez sagement ceci : Cher William, si tu tiens à me revoir en vie, tu feras tout ce que t'ordonneront de faire les porteurs de ce pli. C'est seulement à cette condition qu'il ne me sera fait aucun mal. Ta sœur, lady Eleanor Hadley.

Cette dictée achevée, elle sursauta en sentant l'homme poser sur son cou une main calleuse.

— Ne me touchez pas, butor !

— Croyez-vous que votre frère reconnaîtra ce colifichet ? s'enquit le sergent en glissant un doigt sous le ruban qu'elle portait au cou.

— Oui.

Quand il défit le petit fermoir et que ses doigts râpeux frôlèrent son cou, elle ne put réprimer un frisson de dégoût. Elle se leva dès qu'elle le put pour s'écarter de lui. Sans un mot, il prit la lettre et sortit.

Assommée, elle s'effondra sur le lit en se couvrant le visage. Apparemment, le marquis l'avait bernée. Que diable William pouvait-il bien avoir en sa possession qui fût si important aux yeux de Beauworth ? La lettre qu'on l'avait forcée à écrire n'en disait rien.

Quelle sotte elle faisait, vraiment ! Tout ce qu'elle entreprenait lui explosait au visage, comme un pistolet enrayé. A l'avenir, elle se tiendrait à carreau…

Si elle avait encore un avenir.

— Voici vos vêtements, milady, lança Millie en entrant dans la pièce. Voulez-vous que je vous aide ?

Le ton avait bien changé, soudain. Elle semblait compatir à son sort.

— Non, merci. J'ai l'habitude de me débrouiller seule, répondit Eleanor en regardant la robe grise comme s'il s'était agi du plus beau des atours. En revanche, je serais heureuse de pouvoir couvrir cet œilleton.

— Pour ça, vous pouvez prendre mon tablier, dit la vieille femme en dénouant les cordons de celui-ci avant de le jeter sur le lit. Mais vous l'enlèverez quand vous aurez fini de vous changer.

Une fois masqué l'œilleton, Eleanor s'habilla rapidement,

de peur que Caleb ne veuille s'assurer de ce qu'elle faisait. Elle arrangea ses cheveux tant bien que mal en une longue tresse, n'ayant aucune épingle à sa disposition. Quand elle fut vêtue décemment, elle se sentit d'un coup beaucoup moins vulnérable et à même d'affronter les regards vicieux de ses geôliers.

De l'autre côté de la porte, elle entendait Millie faire la cuisine en chantonnant ; l'odeur écœurante de la viande en train de bouillir emplissait l'air. Caleb et celui qu'ils appelaient le sergent semblaient s'être absentés.

Seule la fenêtre offrait un espoir de s'échapper. Et, pour l'atteindre, il faudrait d'abord en découdre avec les araignées. Elle en frissonnait d'avance. Elle devait essayer maintenant, sans attendre, tant que Millie ne s'inquiétait pas que l'œilleton soit encore occulté. Elle grimpa sur la table, rabattit sa manche sur sa main et balaya les toiles collantes d'un geste ample. L'une d'elles lui frôla le visage. Aussitôt, elle s'essuya en réprimant un haut-le-cœur, avec tant de frénésie que la table se mit à branler sous elle. Elle dut agripper le bord de la fenêtre pour retrouver l'équilibre. *Surtout, ne pas imaginer leur corps velu et leurs longues pattes…*

Les dents serrées et la gorge nouée, elle risqua un œil au-dehors.

Des arbres. Rien que des arbres. Ni repère ni vue. Si elle parvenait à s'arracher à cette prison, par où s'enfuirait-elle ? Dans quelle direction ?

Tant pis. Tout valait mieux que de rester dans ce trou.

Elle tenta de repousser la guillotine, mais celle-ci refusa de bouger d'un millimètre, aussi — aux grands maux les grands remèdes — donna-t-elle un coup violent du talon de la main sur le bord du cadre. Il s'ouvrit à grand bruit, une toile d'araignée lui tomba sur le nez. Avec un cri perçant, elle referma la fenêtre et sauta à terre. En se récupérant, elle fit tomber son assiette, au moment même où Caleb et Millie faisaient irruption dans la pièce.

— Eh bien ! éructa le premier en regardant le tabouret renversé et les éclats de faïence répandus sur les dalles. On a son caractère, n'est-ce pas ? Si vous continuez, je vais finir par vous attacher à ce lit.

— Je suis désolée. Je ne recommencerai plus, plaida Eleanor, terrifiée.

— A la bonne heure. Mais, comme vous l'avez cassée, c'est à vous de ramasser les morceaux. Non, Millie, ne l'aide pas. Il vaut mieux qu'elle apprenne les bonnes manières tout de suite, sans quoi je lui donnerai une leçon qu'elle ne risque pas d'oublier.

Eleanor se mit à genoux et commença à rassembler les débris de l'assiette et les miettes de pain sous le regard des deux autres. Quand elle en eut terminé, elle les versa sur le plateau et redressa le tabouret.

Caleb ôta le tablier qui masquait l'œilleton et fit sortir Millie, laissant la porte grande ouverte.

— Cassez encore une assiette, milady, et la prochaine fois, vous mangerez à même les dalles.

Ce fut seulement quand elle se fut assurée que personne ne la surveillait qu'Eleanor leva les yeux vers la fenêtre. Ses geôliers remarqueraient-ils l'absence de poussière et de toiles d'araignées à cet endroit ? Elle s'essuya les mains sur son tablier en faisant la grimace. Dès qu'il ferait nuit, il faudrait de nouveau faire face à ces fichues bestioles, elle n'avait pas le choix. Elle devait rejoindre William avant qu'il ne paye la rançon. Ensuite, elle déciderait de la conduite à tenir envers Beauworth.

Elle se souvenait de ce qu'il avait dit dans la grange, l'autre jour : jamais les ravisseurs ne laissaient la vie sauve à leurs prisonniers.

L'avait-il vraiment bernée depuis le début ? Lui faisait-il payer l'attaque de la Dame du Clair de Lune ? Ou bien

William avait-il vraiment en sa possession quelque chose qui lui tenait à cœur ? Ce qui voudrait dire qu'il n'avait fait que se servir d'elle pour atteindre son frère…

Son cœur se serrait dans sa poitrine, comme s'il refusait toujours d'admettre la triste vérité. A tort, sans doute.

— Il nous faut du bois pour le feu, annonça Millie, la tirant de ses réflexions.

— C'est un travail de femme, commenta Caleb. Moi, je garde la prisonnière.

Par la porte ouverte, Eleanor vit la vieille femme saisir en pestant un lourd panier et se diriger vers la sortie. Caleb, lui, resta immobile sur sa chaise, ses yeux à demi clos fixés sur elle.

Elle savait ce que devait ressentir une souris en face d'un chat, à présent. Son cœur battait la chamade. Finalement, incapable de supporter cette tension plus longtemps, elle se leva et alla fermer la porte.

Mais le battant lui revint avant d'avoir touché son cadre.

— Laisse-la ouverte, ma jolie.

— Vous espérez que j'essaye de m'échapper, c'est cela ?

L'homme s'avança sur le seuil d'un air menaçant.

Pourquoi fallait-il toujours qu'elle parle à tort et à travers, bon sang ?

Appuyé sur le chambranle, il lui passa une main le long du corps avec un air lascif. Son instinct lui criait de s'écarter, de s'enfuir aussi loin que possible, mais c'aurait été faire preuve de faiblesse, et il n'en était pas question ; aussi demeura-t-elle immobile, sans quitter son tourmenteur du regard.

Caleb sourit, et son visage crasseux s'empourpra quand il tendit la main vers elle pour lui caresser la joue. Son haleine fétide frappa les narines d'Eleanor.

— Bas les pattes, misérable !

Surpris, il recula en agrippant le chambranle, vacillant sur ses jambes. Manifestement, il était ivre.

— Allons, ma jolie, le vieux Caleb veut juste un petit peu de ce que tu as donné au marquis. Il vaudrait mieux que tu le fasses gentiment plutôt que de m'obliger à l'obtenir par la force, non ?

Chaque fibre de son corps criait « danger ». Fallait-il fuir ou se défendre ? Ou bien ruser, plutôt ?

— C'est que..., murmura-t-elle en souriant et en faisant un pas en avant.

Comme Caleb retroussait ses grosses lèvres sur ses dents pourries, elle saisit la porte à deux mains et la lui lança au visage en rassemblant toutes ses forces. Le coin du battant heurta l'ivrogne en plein front avec un bruit sourd, lui écrasant le nez par la même occasion. Le sang gicla, rouge et épais. A moitié assommé, il regardait stupidement devant lui, figé, tandis que des perles de sang tombaient du bord de sa moustache.

Elle n'avait pas frappé assez fort. Et maintenant il allait se jeter sur elle ! Et elle n'avait aucun moyen de s'enfuir !

Les yeux de Caleb devinrent vitreux soudain. Lentement, il s'effondra en arrière, comme un arbre qui vient de recevoir l'ultime coup de cognée.

Oh, Seigneur ! Elle allait se sentir mal. C'était la première fois de sa vie qu'elle faisait du mal à quelqu'un. Cependant, les regrets pouvaient attendre. Si elle ne prenait pas ses jambes à son cou tout de suite, après ce qui venait de se passer, elle signait son arrêt de mort.

Il lui fallait une arme. N'importe quoi ferait l'affaire.

Elle se jeta à genoux auprès de sa victime inconsciente et lui fouilla les poches frénétiquement. Dans l'une, elle trouva un pistolet, dans l'autre un couteau. Quelle aubaine ! En deux pas, elle rejoignit la porte et poussa le loquet.

Des pas résonnèrent au-dehors, sur les marches.

Tonnerre !

Elle recula, s'appuyant au mur derrière la porte. Le cœur dans la gorge, elle arma le chien du pistolet.

Chapitre 7

Quelque chose cognait contre la tête de Garrick.

— Milord !

Non. En fait, il y avait quelqu'un à la porte.

— Allez-vous-en ! répondit-il difficilement, tant il avait la bouche sèche.

— Je vous en prie, milord. C'est Dan !

Garrick se leva en grommelant. Il était habillé. Avec les rideaux tirés, il faisait sombre dans la pièce. Quelle heure pouvait-il être ?

— Milord, intervint Nidd en entrant par la porte du salon. Ce gamin prétend qu'il doit vous parler absolument.

— Tonnerre de tonnerre ! maugréa Garrick.

N'avait-on plus le droit de se soûler en paix ?

Si son oncle Duncan n'était pas parti à Portsmouth pour affaires, il aurait entrepris le vieil homme au lieu de cette bouteille de brandy. A présent, il allait falloir qu'il affronte la journée nanti d'une migraine carabinée.

— Bien, Nidd. Fais-le entrer. Ne peux-tu me trouver l'une de tes poudres magiques ?

— Si, maître. Bien sûr. J'y cours.

Quelques secondes plus tard, Dan apparut, serrant son chapeau dans sa main, l'air inquiet. Peste ! Ce gamin avait l'air d'avoir causé du grabuge.

— Eh bien, mon garçon ? Qu'y a-t-il ?

— C'est… c'est à cause de… M… Mlle Brown.

Garrick plissa les yeux.

— Mlle Brown ? Mais encore ?

Dan fixait la pointe de ses chaussures.

— Je… je buvais tranquillement un petit coup de genièvre, tard hier soir, et…

Garrick lui avait interdit de toucher de nouveau à ce poison auquel il s'était habitué dans son enfance.

— … je me suis endormi dans le fenil, pour me réveiller ce matin, au moment où M. Matthews arrivait. J'ai vu Sa Seigneurie sortir pour le saluer.

Excellent, songea Garrick. Duncan devait être rentré après que lui-même était allé se coucher.

Dan le regardait à présent.

— Ils t'ont attrapé, n'est-ce pas ?

— Non, milord. En fait, ils étaient juste en dessous de moi, et je n'ai pu faire autrement que d'entendre leur conversation. Il semble que Mlle Brown soit en danger.

Garrick se raidit. Les vapeurs de l'alcool se dissipaient rapidement dans son esprit.

— Tu dois faire erreur, car elle a quitté Boxted il y a deux jours.

Dan se tortilla.

— M. Matthews a parlé d'une lettre. Il a dit aussi qu'elle dormait toujours. Je n'ai pas compris ce que ça voulait dire. Ensuite, milord a dit que c'était généreux à vous de leur fournir une arme. Pour moi, ça avait pas de sens non plus…

— Ça n'avait pas de sens, corrigea Garrick.

— Oui, milord. Après ça, M. Matthews a dit que Mlle Brown était une sacrée tigresse et qu'il lui tardait de l'apprivoiser, mais Sa Seigneurie a répliqué qu'il devait la laisser tranquille. J'ai compris qu'il parlait de Mlle Brown quand il l'a appelée la… la coccinelle du marquis. Parce que je sais qu'elle…

Garrick l'arrêta d'une simple grimace.

— Sauf vot'respect, milord…, s'excusa le gamin, rouge de confusion.

— Ont-ils dit où se trouvait Mlle Brown ? demanda Garrick d'une voix qui grinçait comme une porte rouillée.

Dan rentra la tête dans les épaules en un geste de défiance et de peur mêlées.

— Je… je l'ai suivi.

— Qui ça ?

— M. Matthews, milord. Je n'ai pas entendu le reste de leur conversation parce qu'ils ont quitté la grange mais, quand je suis descendu du fenil, je l'ai vu qui partait à cheval et je l'ai suivi. Il est allé du côté de Standerstead. Dans une ferme.

Des fadaises, forcément.

— As-tu vu Mlle Brown ?

— Non, milord. Il y avait un grand type très laid qui gardait la porte. On aurait dit un militaire.

Garrick était de plus en plus intrigué. Dan n'avait aucune raison de mentir. Rien de tout ce qu'il racontait n'avait de sens, mais il fallait qu'il en ait le cœur net.

— Quand était-ce ?

— Il n'y a pas longtemps, milord. Une heure, peut-être.

— Crois-tu que tu peux retrouver l'endroit ?

— Oui, milord.

— Tu es un brave garçon, le félicita Garrick en passant sa veste. Dis à Nidd de se presser avec cette poudre et rejoins-moi dans les écuries. Ah ! Et demande à Johnson de préparer Bess.

Dan salua en touchant la frange qui lui pendait devant les yeux et fila, visiblement content de lui-même.

Garrick sortit ses deux pistolets de duel de la boîte qu'il tenait rangée dans sa chambre et les passa à sa ceinture. Il enfilait ses bottes quand Nidd arriva avec la fameuse poudre, qu'il dilua dans un verre d'eau.

— Oh, milord ! Regardez, vous avez laissé des traces de doigt partout sur le cuir du revers.

— Ne t'occupe pas de ça, veux-tu ? Je dois partir. Une affaire urgente.

Là-dessus, il avala d'un trait le liquide trouble et fit une grimace épouvantable.

— As-tu vu mon oncle ?

— Je crois qu'il est occupé, milord. Dans son bureau.

— Bien. Inutile de le déranger.

Garrick atteignit les écuries sans avoir vu quiconque et trouva Dan dans la cour de celles-ci, tenant dans sa main les rênes d'une Bess passablement énervée et de la haridelle qu'il montait depuis son arrivée.

— Désolé, mon garçon, mais j'arriverai plus vite si j'y vais seul. Dis-moi où cela se trouve et va remiser ton cheval.

Si Dan parut quelque peu déçu, il obtempéra sans protester.

Pour un gamin des rues, il avait donné des indications remarquablement précises, si bien que Garrick n'eut aucun mal à trouver le chemin de la ferme. La fumée qui s'en échappait trahissait l'endroit, tapi au bout d'un sentier boueux qui serpentait à travers des bois épais. Il attacha Bess à un roncier et prit le temps d'examiner de loin la masure couverte d'un toit de chaume galeux. En fait de ferme, il s'agissait plutôt d'une cabane de bûcheron un peu élaborée. Comme personne ne semblait en garder l'accès, Garrick se risqua sur le chemin dallé qui menait à la porte et gravit les quelques marches qui la précédait. Aucun bruit ne filtrait de l'intérieur, mais la porte était ouverte.

En la poussant, il découvrit un spectacle étonnant : un homme bouffi de graisse gisait sur le sol de pierre, le visage ensanglanté. Que diable pouvait-il bien s'être passé ici ?

Garrick s'apprêtait à tâter le pouls de l'homme blessé lorsqu'un froissement de tissu le fit se retourner vivement. Il se retrouva face au canon d'un pistolet que tenait une jeune femme aussi pâle qu'apparemment déterminée à tirer s'il le fallait.

Sans réfléchir, il se redressa et s'avança vers elle en tendant les bras.

— Ellie, vous voilà ! Etes-vous blessée ?

Il hésita une seconde puis, s'inclinant respectueusement, un sourire plein de regret sur les lèvres, ajouta :

— Je veux dire… lady Eleanor.

— Si je n'étais pas au courant de vos manigances, je serais presque convaincue que vous êtes vraiment ravi de me revoir, répliqua-t-elle, glaciale.

Que voulait-elle dire ? Garrick s'avança encore.

Elle leva son pistolet.

— Restez où vous êtes !

— Milady, il me semble que vous êtes en danger. Nous devrions quitter cet endroit.

— Nous ? répéta Eleanor. Je ne crois pas. Où avez-vous prévu de rencontrer William ?

— Votre frère ? Mais jamais de la vie…

— Allons, n'essayez pas de me gruger une nouvelle fois, rétorqua-t-elle en le fusillant du regard. Dites-moi simplement où vous devez le rejoindre.

Garrick se crispa, surpris par cette défiance, mais répondit d'une voix toujours avenante :

— Il faut d'abord que nous filions d'ici. Ensuite, nous pourrons parler…

— Nous ne ferons rien de tout ça. Ne me prenez pas pour une sotte. Votre homme de main m'a tout raconté.

Sans cesser de le tenir en joue, elle recula vers la porte.

— Ne commettez pas l'erreur de croire que je ne sais pas me servir de cette arme, Garrick. Un geste, et vous êtes mort.

C'était bel et bien la Dame du Clair de Lune qui parlait, et non Eleanor.

— A votre guise. Partez seule, si vous y tenez.

Une ombre glissa sur les dalles du chemin, au-dehors. Garrick se déporta un peu, pour y voir mieux, suivi par le pistolet de la jeune femme. Damnation ! C'était Matthews, un fusil à la main, et un sourire aux lèvres.

— Ne bougez pas, milord, le menaça Eleanor.

Le fusil de Matthews était pointé sur elle. S'il la prévenait du danger, elle se retournerait inévitablement. Et elle risquait de mourir.

Garrick se jeta à terre et roula sur la pierre froide, saisissant un pistolet au passage.

Il tira. Un second coup de feu retentit juste après le sien.

La douleur atroce de la balle déchirant les chairs lui brûla le bras, et, quand il tomba en arrière sous la violence du choc, il remercia le ciel qu'elle n'ait pas tiré pour tuer.

Eleanor se retourna, alertée par un bruit derrière elle, et découvrit Matthews, une main en sang, un pistolet à ses pieds.

Garrick se releva tant bien que mal et tituba vers Matthews, qu'il assomma d'un coup de crosse sur la tempe. L'homme s'effondra lourdement au côté de l'inconnu au visage en bouillie.

— Filez ! lança Garrick. Partez d'ici, vite. Prenez ma jument. Elle est attachée tout près, à dix mètres d'ici, sur la droite du chemin. Pour l'amour du ciel, hâtez-vous !

— Je… je vous ai tiré dessus…, balbutia Eleanor en se mordant le poing, atterrée.

— Ne vous occupez pas de ça, répondit Garrick en se penchant pour ramasser l'arme de Matthews, qu'il plaça d'autorité dans la main de la jeune femme pour remplacer son pistolet vide. Courez.

Il la poussa sur le seuil, une main calée au creux de ses reins.

Un cri rauque s'éleva alors. Une femme courait dans leur direction, surgie de l'arrière de la bâtisse. Si elle avait une arme, ils seraient dans de mauvais draps. Entraînant Eleanor, Garrick se mit à courir à perdre haleine, rentrant

DÉTACHEZ SELON LES POINTILLÉS ET POSTEZ AUJOURD'HUI MÊME.

❒ **Oui,** envoyez-moi mes **2 romans Les Historiques gratuits et mes 2 cadeaux surprise. Les frais de port me sont offerts.**

J'accepte de recevoir ensuite chaque mois 3 livres de la collection Les Historiques, simplement en consultation, au prix exceptionnel de 5,94 € le volume (au lieu de 6,25 €), auxquels viennent s'ajouter 2,90 € de participation aux frais de port. Je n'ai aucune obligation d'achat et je peux retourner les livres, frais de port à ma charge, sans rien vous devoir, ou annuler tout envoi futur. Il en sera ainsi tous les mois tant que je le voudrai. Dans tous les cas, je conserverai mes cadeaux.

N° ABONNÉE (SI VOUS EN AVEZ UN) ▢ ▢▢▢▢▢▢▢

❒ Mme ❒ Mlle

NOM .... PRÉNOM ....

ADRESSE ....

....

CODE POSTAL ▢▢▢▢▢

VILLE ....

N° DE TÉLÉPHONE ▢▢▢▢▢▢▢▢▢▢

DATE DE NAISSANCE ....

EMAIL ....

Offre valable jusqu'au 31/12/2011. Votre colis gratuit vous parviendra 20 jours environ après réception de cette carte.

HF1E01

❒ Oui, je souhaite recevoir les offres promotionnelles des Éditions Harlequin par e-mail.

❒ Oui, je souhaite recevoir les offres promotionnelles des partenaires des Éditions Harlequin par e-mail.

Cette offre – soumise à acceptation - est valable en France métropolitaine uniquement jusqu'au 31 décembre 2011 à raison d'une demande par foyer. Prix susceptibles de changement. Réservé aux lectrices de plus de 18 ans qui n'ont pas encore demandé de livres gratuits. Conformément à la loi Informatique et Liberté du 6 janvier 1978, vous disposez d'un droit d'accès et de rectification aux données personnelles vous concernant en vous adressant au : Service Lectrices Harlequin BP 20008 - 59718 Lille cedex 9. Les informations demandées sont nécessaires à la gestion de votre commande et au suivi de la relation commerciale. Si vous ne souhaitez pas recevoir nos offres promotionnelles, cochez ci-contre ▢ Y. Par notre intermédiaire, vous pouvez être amenée à recevoir des propositions commerciales de nos partenaires. Si vous ne le souhaitez pas, cochez ci-contre ▢ O. Photos non contractuelles.

ECOPLI

20 g
Validité permanente

HARLEQUIN
AUTORISATION 59031
59789 LILLE CEDEX 9

les épaules comme s'il s'attendait à tout instant à recevoir une balle entre les omoplates.

Devant eux, un bruit de sabots se fit entendre. Un cavalier fonçait sur eux.

Garrick tira son second pistolet de sa ceinture.

— Continuez, ne vous arrêtez pas ! hurla-t-il à l'adresse de la jeune femme. Je vous rattraperai.

Comme son bras gauche refusait tout service, il mit un genou à terre pour l'appuyer sur sa cuisse. Il tirerait sur le cavalier dès qu'il apparaîtrait. Une seule balle. Il ne pourrait tirer qu'une seule balle.

— Milord !

Le cavalier en question arrêta son cheval au dernier moment.

Les boucles blondes ne trompaient pas. C'était Dan, tonnerre de tonnerre ! Il allait falloir sérieusement dresser ce gredin si c'était là la façon dont il obéissait aux ordres !

— Petit imbécile, s'écria Garrick en relâchant la pression sur la détente de son arme. Je t'avais dit de rester à Beauworth !

Il devait vraiment avoir l'air furieux, car Dan parut sur le point de se mettre à pleurer.

— Oublions ça, marmonna Garrick. Suis-moi !

Quand il se retourna pour se lancer à la poursuite de la jeune femme, il manqua de trébucher sur elle.

Elle s'était mise en position juste derrière lui, le fusil à la main, prête à tirer.

Garrick jura, excédé. Personne n'obéissait à ses ordres !

Elle le considérait d'un air perplexe.

— Vous ne savez vraiment rien du tout de cette affaire, n'est-ce pas ?

Il aurait bien aimé que cela fût entièrement vrai.

— Nous n'avons pas le temps de discuter ; secouez-vous !

Il prit Eleanor par le bras pour la pousser vers Bess. Dan

sauta à terre et l'aida à installer la jeune femme sur sa selle avant de faire de même pour lui.

— Où allons-nous, milord ? s'enquit-il en enfourchant de nouveau sa monture, les yeux brillant d'excitation.

Bonne question.

— Chez Brown ! répondit Eleanor. C'est là qu'est mon cheval.

Ainsi, elle prenait les choses en main ? Pourquoi pas. La tête lui tournait. Ce serait sûrement mieux.

La cuisine des Brown ressemblait à toutes les cuisines d'Angleterre, avec son sol carrelé, ses pots de cuivre rutilants et son âtre au-dessus duquel bouillait une marmite d'eau suspendue à un crochet, hormis — songea Garrick — que s'y trouvaient à cet instant même une jeune femme qui regardait par la fenêtre d'un air angoissé, un marquis, torse nu, assis devant la table, et une fermière aux joues rebondies qui tenait à la main une bassine d'eau et un torchon taché de sang.

La porte s'ouvrit soudain sur un homme plutôt costaud au visage taillé à coups de serpe.

— Qu'est-ce que j'entends ? J'étais à l'écurie quand un gamin est venu me dire que Beauworth avait besoin d'aide, lança-t-il.

Garrick remarqua qu'il ressemblait fort à Martin Brown, en plus jeune, et reconnut en lui l'un des fermiers de Beauworth.

— Sa Seigneurie a eu un petit accident, expliqua Mme Brown. Il est tombé de son cheval.

— Le garçon m'a parlé d'une balle. Je parie qu'il s'agit de ces brigands dont on nous rebat les oreilles ces derniers temps.

— Oh, Seigneur ! s'exclama Mme Brown en ouvrant tout grands ses yeux bleus.

Tonnerre ! Ils avaient oublié de recommander à Dan de se taire avant de servir leur petit conte à la femme du fermier.

Les mains sur les hanches, Ellie retourna vers la table — pour le protéger ou pour qu'il la protège, Garrick n'aurait su dire.

— Ce gamin se trompe, voilà tout, repartit-elle avec assurance. Ne vous inquiétez pas, monsieur Brown. Nous sommes seulement venus chercher mon cheval et repartons immédiatement.

Elle le protégeait, donc. Cela lui donnait envie de l'attirer vers lui et de l'embrasser. Mais peut-être n'aurait-elle plus du tout envie de le protéger quand elle connaîtrait son secret...

Brown se gratta derrière l'oreille, tout en lorgnant vers le bras de Garrick.

— Je vais envoyer quelqu'un chercher la voiture à Beauworth.

— Inutile, objecta Garrick. Ce n'est rien. Je serai de nouveau en selle d'ici peu. N'est-ce pas, madame ?

Mme Brown battit des paupières, émue par le clin d'œil qu'il venait de lui adresser.

— Comme vous voudrez, milord, répondit le fermier en touchant la mèche qui lui pendait sur le front. Mais il faut que nous attrapions ces brigands. Ils terrorisent les gens d'ici, voilà la vérité. On devrait envoyer chercher M. Le Clere. En tant que magistrat, il saurait quoi faire.

— J'en parlerai à mon oncle dès que je le verrai, répondit Garrick, frappé par l'ironie de la situation.

— Vous me trouverez dans ma grange si vous avez besoin de moi, milord. Mon bon à rien de cousin a encore disparu, grommela Brown avant de sortir d'un pas lourd.

Mme Brown, elle, continuait de tapoter la plaie de Garrick.

— Ce n'est qu'une égratignure, milord, affirma-t-elle. Les hommes se font souvent des blessures plus profondes que celle-ci en coupant le foin.

— Je vous l'avais dit, lança Garrick à l'adresse d'Ellie, qui sourit d'un air absent.

Il fallait absolument qu'ils parlent de ce qui s'était passé. Puis il trouverait un moyen de la mettre en sûreté.

— Je vais chercher un peu de liniment, reprit la fermière en se dirigeant vers ce qui devait être l'arrière-cuisine. Il m'en faudra pour vous bander le bras proprement.

— Et maintenant, que faisons-nous ? demanda Ellie.

— Il faut que nous rentrions en contact avec votre frère. Il est venu vous chercher à la ferme.

— Vous avez rencontré William ? s'étonna la jeune femme en pâlissant.

— Oui.

— A la ferme ?

— Oui. C'est Martin qui l'a amené.

— En ce cas, dit Eleanor avec une grimace, il sait... à propos de nous...

Garrick trouva son air navré plus douloureux encore que la blessure de son bras.

— Nous allons nous marier, Ellie, dès que possible. Tout ira bien...

Il l'espérait, du moins.

Les lèvres pincées, elle se leva et prit la bassine d'eau rougie par le sang pour aller la vider dans l'évier. Garrick eut l'impression abominable qu'elle mettait ainsi une distance infranchissable entre eux deux.

Elle se retourna pour lui faire face, mais le contre-jour qui tombait de la fenêtre masquait l'expression de son visage.

— Que se passe-t-il, Garrick ? Caleb, l'homme que vous avez trouvé assommé tout à l'heure, m'a dit m'avoir enlevée sur votre ordre. Est-ce vrai ?

Beauworth se leva d'un bond.

— Ellie, non ! Vous... vous ne pouvez pas croire une chose par...

Mme Brown venait de rentrer dans la cuisine, un pot rempli de Dieu savait quoi et un rouleau de bandage blanc à la main. Elle dut sentir que quelque chose n'allait pas, car elle hésita sur le seuil, considérant les deux jeunes gens alternativement d'un air gêné.

— Si vous voulez bien vous asseoir, milord, je vais vous arranger ça en un rien de temps.

— Merci. Vous êtes vraiment une infirmière admirable, répondit Garrick en souriant.

— Oh, milord ! minauda Mme Brown, vous me flattez ! Allons, ne bougez plus.

Elle ôta le papier qui recouvrait l'orifice du pot ; Garrick manqua de s'étrangler devant l'odeur épouvantable qui en sortait.

— Tonnerre, cela pue affreusement !

La fermière étala un peu d'onguent sur la plaie.

— Nous nous servons de ça pour panser les chevaux et nous obtenons de bons résultats, d'après ce qu'en dit John, repartit-elle en achevant de le bander soigneusement.

Garrick remit sa chemise, passa son gilet et sa veste, puis noua sa cravate.

— Merci infiniment, madame. Me serait-il possible d'avoir un entretien privé avec lady Eleanor ?

— Oh, mais où ai-je la tête ! Pardonnez-moi, milord, de vous avoir fait entrer ici alors que le salon aurait été bien plus convenable. Suivez-moi, je vous prie.

Elle les guida vers l'avant de la maison, jusqu'à une pièce remplie de chaises impeccablement cirées, à l'assise bourrée de crin de cheval et recouverte de peluche, qui rappelèrent à Garrick une visite qu'il avait faite à sa grand-mère bien des années plus tôt.

— Cela vous convient-il, milord ? demanda humblement la fermière soudain pleine de déférence, à présent que Garrick se ressemblait un peu plus.

— Quelle pièce magnifique ! dit Ellie. Je vous remercie.

Mme Brown rayonnait.

— En effet, renchérit Garrick. C'est très beau, et la vue est superbe.

— Je vais vous apporter le thé dont je vous ai parlé, répondit la maîtresse de maison en souriant.

Elle sortit, fermant la porte derrière elle.

— Ce sont de braves gens, observa Garrick.

— Ils ont été très bons envers Martin depuis qu'il habite et travaille chez eux, dit Eleanor, qui s'était rembrunie.

— Ellie, je n'ai rien à voir avec votre enlèvement. C'est une conversation, surprise entre Matthews et mon oncle, qui m'a mené à vous.

— Matthews ?

— Oui, l'homme que j'ai blessé.

— Ah ! Ils l'appelaient sergent. Il a dit que…

— Je me moque de ce qu'il a dit, coupa Garrick rageusement. Je n'ai pris aucune part dans toute cette affaire.

Eleanor se tassa sur elle-même. Seigneur, elle avait peur de lui, à présent !

— Jamais je ne pourrais vous faire du mal, jura-t-il en s'efforçant de calmer sa colère.

Pendant un long moment, il la regarda dans les yeux. Il poussa un profond soupir quand elle sembla se détendre.

Cependant, ses yeux s'emplissaient de larmes…

— Je n'ai pas voulu y croire, reprit-elle d'une voix chargée de sanglots. Mais ils parlaient avec de tels accents de vérité que j'ai fini par m'y résoudre. J'aurais dû me douter que ça ne pouvait être vrai. Je suis désolée…

— Je vous en prie, *ma chérie*, murmura-t-il en français en la serrant contre sa poitrine. Ne pleurez pas. Vous n'êtes responsable de rien en cette affaire.

Du bout du pouce, il lui souleva le menton. Le sourire tremblant qu'elle lui offrit alors lui serra le cœur, et, quand il essuya du bout du pouce la larme qui roulait sur sa joue, il sentit une boule se former dans sa gorge. Etait-ce de la tendresse, ce sentiment étrange qui le submergeait ? En tout cas, cela ne faisait pas bon ménage avec la colère. Il trouvait le mélange étrange, déroutant. Il avait envie de la réconforter et d'aller tuer ses bourreaux en même temps.

— Voilà qui est mieux.

— Pourquoi vous ont-ils accusé ? demanda Eleanor.

Il lui prit la main et lui embrassa doucement le bout des doigts.

— Vous devriez vous asseoir, conseilla-t-il.

S'accrochant à sa main comme si cela pouvait l'aider à garder la tête froide, il la guida vers le canapé. Elle s'y laissa tomber et leva vers lui, qui s'était assis auprès d'elle, des yeux effrayés.

— Ils ont dit qu'ils voulaient quelque chose de William.

Il aurait bien aimé ne pas deviner ce dont il s'agissait, et aussi que la remarque d'Eleanor ne le conduise pas tout droit en enfer.

— Mon oncle est derrière votre enlèvement. Je ne savais rien de tout ça, je vous le jure. Je pense que cela doit avoir un rapport avec la visite qu'a rendue Piggot à votre père.

Elle le regardait en silence, les yeux pleins de méfiance, au point qu'il se sentit les mains moites, soudain.

— Il y a eu un accident, il y a des années. Ma mère a fait une chute dans un escalier, à la Cour. Piggot m'a accusé de l'avoir poussée, après quoi il s'est enfui.

— Et… était-ce vrai ?

Garrick baissa les yeux sur leurs doigts enlacés de peur de voir la répulsion envahir le regard d'Eleanor.

— Je ne sais pas, répondit-il.

— Comment pouvez-vous ne pas savoir ? s'exclama-t-elle en libérant sa main.

— Je ne m'en souviens plus.

Il se leva pour s'approcher de la fenêtre et contempler le paysage si typiquement anglais qui s'offrait à sa vue, avec ses collines ondoyantes, ses prés et ses bois nettement dessinés. Mais il ne voyait plus qu'un damier de marbre noir et blanc, des cheveux noirs et des membres blancs sur la pierre froide…

— Je ne me souviens plus de rien, ajouta-t-il en regardant par-dessus son épaule.

Elle le dévisageait, les yeux hors de la tête.

— Seulement du corps de ma mère gisant au bas des marches et de Piggot, qui m'accusait.

Il l'avait fait exprès.

— Après ça, il a disparu. Et l'autre jour vous m'avez appris sa visite à votre père. J'imagine qu'il lui aura raconté cette histoire, mais je jure — à moins que vous ou votre frère ne sachiez quelque chose qui puisse éclairer ma lanterne — que je ne comprends absolument pas quel jeu joue mon oncle. Avez-vous entendu ce qu'a raconté Piggot ?

— Non, murmura Ellie d'une voix qu'altéraient la surprise et l'horreur. L'avez-vous poussée, Garrick ?

Il n'avait pas prévu de lui dire les choses de cette façon, ni dans ces circonstances, alors que le doute lui rongeait le cœur et que sa vie était en jeu.

— J'aimais ma mère, commença-t-il d'une voix rauque. Passionnément. Jamais je n'aurais pu toucher à un cheveu de sa tête, en tout cas pas délibérément, et pourtant…

Il déglutit avec peine.

— Le sang des Le Clere est vicié, Ellie. De temps en temps, certains d'entre nous ont des accès de fureur imprévisibles, durant lesquels leur grande vigueur devient l'esclave d'une rage meurtrière. Cela nous vient de nos ancêtres Vikings, qui se rappellent ainsi à notre souvenir. Cela saute une génération, parfois deux. C'est une bonne chose quand on est militaire, mais en société… C'est la raison pour laquelle les Beauworth sont des soldats, et non des politiciens.

C'était la vérité. Une vérité qu'il détestait au plus profond de son âme.

— Mon oncle Duncan — le cousin de mon père — pense qu'il s'est agi d'un accident.

Il l'entendait encore lui parler comme le font certains adultes avec des enfants indisciplinés, en les flattant pour s'attirer leurs bonnes grâces, ce qui l'avait rendu perplexe.

— Je n'ai jamais rien su de cette... maladie jusqu'à la mort de ma mère. Le Clere nous a consacré sa vie, à moi et à ma famille. Il aime Beauworth comme personne, bien plus que moi en tout cas, et je crois qu'il essaye de me protéger.

— Et donc, si je comprends bien, vous n'avez rien à voir avec mon enlèvement.

Que fallait-il qu'il dise pour l'en convaincre ?

— Je vous le jure sur mon honneur.

— En ce cas, pourquoi vous ont-ils accusé ?

— S'ils l'ont fait en mon nom, je suis aussi coupable qu'eux, j'imagine, répondit-il en se tournant de nouveau vers la fenêtre. Il n'y a qu'une seule façon de mettre fin à ce cauchemar. Je vais me rendre aux autorités et leur dire la vérité.

Il sentit sa main se poser doucement sur son épaule. Il ne l'avait pas entendue approcher. Craignant de surprendre dans son regard l'expression du doute ou, pire, du dégoût, il se tourna vers elle lentement. Mais ce fut la pitié qu'il lut dans ses yeux brillant de larmes retenues avec peine, et cette vue lui parut libérer son cœur de la douleur et de la honte qui l'empoisonnaient depuis des années.

— Vous ne vous souvenez vraiment pas ? insista-t-elle.

Il secoua la tête.

— Alors, cela a dû être un accident.

Il reconnaissait bien là la douce, la compatissante Ellie. Malgré tout ce qui s'était passé, elle lui accordait le bénéfice du doute.

Il eut un rire amer.

— Il n'est pas nécessaire que je me souvienne de ces événements, car ils ont eu un témoin...

Il repoussa cette idée à peine l'eut-il exprimée.

— Pour l'heure, reprit-il, la seule chose qui compte, c'est de vous ramener chez vous saine et sauve. Après ça, je m'occuperai de mon oncle.

— Mais…

Quelqu'un gratta à la porte, et Mme Brown entra, les mains chargées d'un plateau.

— Nous y voici enfin, lança-t-elle. Regardez qui vient prendre des nouvelles de votre santé, milord. Mon époux a pensé qu'il valait mieux prévenir le château, finalement.

Garrick baissa la tête, atterré de voir Le Clere pénétrer dans la pièce sur les talons de Mme Brown.

Ellie ne put retenir un cri de surprise.

— Pourquoi ne prenez-vous pas tous une bonne tasse de thé avant de partir, suggéra la maîtresse de maison avec un sourire rayonnant en posant le plateau sur la table basse placée devant le canapé. Il y a de la confiture, des biscuits, et une petite jatte de crème fraîche.

Ellie avait envie de hurler, de s'enfuir pour échapper au regard de l'homme qui la dévisageait, avec l'air d'un chien de chasse, par-dessus l'épaule de Mme Brown.

Garrick se tenait raide comme un piquet, ses poings serrés plaqués contre ses cuisses. Pourquoi ne protestait-il pas ? Pourquoi n'envoyait-il pas son oncle au diable s'ils n'étaient pas de mèche ? C'était un cauchemar. Elle allait se réveiller à Castlefield…

— Ce sera tout, madame Brown, dit Le Clere en faisant un pas de côté.

Eleanor comprit alors pourquoi Garrick semblait si tendu : son oncle tenait un pistolet à la main. Décidément, c'en était trop. Combien de fois allait-on pointer une arme sur elle aujourd'hui ? Elle fit mine de s'avancer vers la porte, bien décidée à suivre Mme Brown, mais Garrick la retint.

— Ne bougez pas, Ellie.

Elle se retourna vivement pour l'interroger du regard. Ils étaient deux contre un. S'ils se jetaient sur Le Clere en même temps, ils pourraient sûrement le maîtriser. Comprenant sa question muette, Garrick secoua la tête. Etait-il le complice de son oncle en cette affaire, finalement ? Elle en avait la nausée rien que d'y penser.

— Eh bien, eh bien, tout cela n'est-il pas plaisant ? s'exclama Le Clere quand Mme Brown eut refermé la porte derrière elle. Et moi qui croyais que Matthews vous avait perdus tous les deux.

— A quel jeu croyez-vous jouer, bon sang ? s'exclama Garrick. Cette jeune personne est lady Eleanor Hadley.

Le Clere haussa le sourcil.

— Je sais. A cette heure, votre frère devrait avoir reçu votre lettre, mademoiselle, et suivre les instructions qu'elle contient. L'échange va s'opérer strictement comme prévu.

— Non, fit Garrick. Je ne le permettrai pas.

— Vraiment ? rétorqua Le Clere, le visage soudain dur et fermé. Après tout ce que j'ai fait pour cette famille ? Les choses sont simples : soit lady Eleanor coopère, soit elle passera de vie à trépas, ainsi que tous les membres de sa famille.

Horrifiée, Ellie regarda alternativement les deux hommes. Garrick était pâle comme un mort.

— Que diable avez-vous fait, oncle Duncan ? Vous avez perdu la raison !

Le Clere serra son pistolet tout en s'approchant de la jeune femme.

— Pourquoi faites-vous cela ? insista Garrick en se figeant. Qu'a donc Castlefield de si important ?

— Assieds-toi, mon garçon, répondit Le Clere d'une voix égale. Puisqu'il faut bien que nous ayons cette conversation, autant le faire comme des gens civilisés. Peut-être lady Hadley sera-t-elle assez bonne pour nous servir le thé ?

En l'espace d'une seconde, il était redevenu le vieux

gentilhomme sympathique qu'elle connaissait, songea Eleanor, troublée, un frisson glacé lui courant sur l'échine. Garrick prit place sur une chaise, et, comme dans un rêve, elle se mit à servir le thé.

Le pistolet de Le Clere ne dévia pas d'un pouce quand il but sa première gorgée.

Garrick refusa la tasse qu'elle lui offrait. Elle regarda la sienne d'un air songeur. Peut-être, si elle la lui lançait au visage…

— Pour répondre à ta question, Garrick, nous avons besoin de la lettre que Piggot a donnée au père de cette jeune femme. Quand nous l'aurons, tout pourra reprendre son cours normal.

— Piggot a donné une lettre à lord Hadley ? s'exclama Garrick en fermant les yeux comme si de prononcer ces mots lui causait une douleur indicible. Comment le savez-vous ?

— Il m'a informé de l'existence d'une lettre qui ne devait être ouverte qu'après sa mort. Buvez votre thé, lady Eleanor. Et oubliez cette idée que vous avez de me le jeter au visage. Je vous assure que les balles volent plus vite que l'eau chaude.

— Ce serait du gaspillage, répliqua Ellie. Ce thé est excellent.

Garrick se tourna vers elle pour la mettre en garde du regard.

Si elle voulait bien convenir que son idée n'était pas extraordinaire, elle espérait qu'il en avait une meilleure, sans quoi elle serait obligée de mettre la sienne à exécution. Peut-être la théière ferait-elle une arme plus efficace ?

— C'est très sage de votre part, lady Eleanor, reprit Le Clere en souriant avant de reporter son attention vers son neveu. Piggot m'avait prévenu que si quelque chose lui arrivait, à lui ou à sa famille, la personne à qui il l'avait confiée la rendrait publique. J'ignorais quelle était cette personne. J'aurais dû deviner qu'il irait voir un militaire ami de votre père. Quand l'homme que j'ai embauché l'a finalement retrouvé, il était mourant. Il semble qu'il ait voulu décharger sa conscience en lui racontant toute l'histoire. Ensuite, avec l'aide de quelques guinées, j'ai appris exactement ce que je voulais savoir.

A voir la tête de Garrick, on aurait pu croire que les murs de la maison se refermaient sur lui.

— Vous ne m'avez jamais rien dit de tout ça, chuchota-t-il, l'air sincèrement horrifié par ce qu'il venait d'entendre.

— Pourquoi les choses se sont-elles précipitées ainsi ? demanda Eleanor.

— L'arrivée prochaine de votre frère m'a contraint à agir, expliqua Beauworth comme s'il parlait de la chose la plus naturelle du monde. Tôt ou tard il trouvera la lettre, et je sais qu'il considérera de son devoir de la transmettre aux autorités. Je ne peux pas me permettre de laisser une telle chose advenir.

Garrick se pencha vers son oncle.

— Avez-vous tué Piggot ? s'enquit-il, plus pâle que jamais malgré son teint hâlé. Ai-je encore sur les mains un sang dont je ne sais rien ?

— Ne sois pas stupide, mon garçon, répondit Le Clere en s'esclaffant presque. Quel avantage y aurait-il eu à tuer cet homme ? Tant qu'il restait en vie, ton secret était protégé. A présent la lettre doit être ouverte. Heureusement votre frère aîné est mort avant d'avoir eu le temps de fouiller dans les papiers de votre père, lady Eleanor. Nous avons eu besoin d'un peu de temps supplémentaire.

Ces paroles terribles glacèrent Eleanor. Nerveusement, elle agrippa le tissu du canapé, avide de sentir sous ses doigts quelque chose de solide.

— Vous avez tué Michael ?

— Disons qu'il a mal choisi son moment, répondit Le Clere.

— Non ! cria Garrick, les jointures toutes blanches à force de serrer les poings.

— Du calme, mon garçon, dit froidement Le Clere. Toujours est-il, reprit-il à l'adresse de la jeune femme, qu'en exigeant l'hypothèque et en vous expulsant j'espérais trouver ce pli avant que votre jumeau ne revienne en Angleterre. William, c'est bien cela ? Un brave garçon, dont j'ai vu souvent le nom sur les registres d'expédition.

Une vague de terreur submergea Eleanor. William ! Elle sentait ses forces la quitter, comme l'eau s'échappe entre les doigts qui cherchent à la retenir. Elle aurait voulu s'effondrer sur le sol, hurler sa détresse, mais la vie de William était en jeu. Il fallait qu'elle trouve un moyen de le prévenir.

Elle se tourna vers Garrick. Il était comme pétrifié ; mais le feu de la colère brûlait dans ses yeux.

Le Clere, lui, avait l'air parfaitement tranquille d'un gentleman prenant le thé avec des amis, n'eût été la noirceur absolue de son regard. Eleanor réprima un frisson. Il n'était pas question de lui laisser voir la terreur qu'il lui inspirait.

— J'ai donné de l'argent à l'un des gendarmes pour qu'il fouille la maison, dit-il d'un air hautain en se laissant aller dans son fauteuil. Malheureusement, il n'a rien trouvé. Pas même un coffre-fort.

Eleanor songea au petit réduit caché derrière les boiseries, et qui avait servi autrefois, sous les Tudors, de refuge à des prêtres. Seul un homme bigrement habile l'aurait découvert.

— Ah ! s'exclama Le Clere en plissant les yeux. Je vois que vous savez où se trouve ce document.

— Ne lui dites rien, Ellie ! lança Garrick.

— Je n'ai jamais vu ce document, mais mon père avait effectivement un coffre, répondit-elle.

— J'aurais fini par le trouver, de toute façon, mais j'ai commis une erreur, commenta Le Clere, en comptant sur la faiblesse de Garrick à l'égard d'une certaine jeune personne. Je croyais qu'elle le retiendrait à Beauworth.

Le vieil homme regarda son neveu d'un air triste.

— Nous pouvons mettre un terme à toute cette affaire tout de suite, Garrick. Epouse lady Eleanor, fais-nous un héritier et institue-moi son tuteur. Après ça, je serais ravi de te voir partir à la guerre et aller te faire tuer si ça te chante.

Le ton sur lequel il prononçait ces paroles donna la nausée à la jeune femme.

— Vous êtes écœurant.

— Méprisable, renchérit Garrick. Mais la supercherie touche à sa fin.

— Vraiment ? fit Le Clere en se levant. A l'heure qu'il est, Matthews doit être devant la maison avec la voiture. Il nous suffit d'aller retrouver votre frère à l'endroit prévu, et tout se passera le mieux du monde.

— Je ne le crois pas, objecta Ellie, effrayée. Je sais ce qu'a fait votre neveu.

Ce dernier accusa le coup, mais la regarda sans protester, un sourire plein de tristesse et d'amertume aux lèvres. Comment pourrait-elle encore éprouver de la sympathie pour lui quand tant de mal avait été perpétré en son nom ?

Le Clere fit la moue, la tête légèrement penchée sur le côté.

— Croyez-vous vraiment qu'on prêtera attention aux propos d'une maîtresse éconduite ? Contentez-vous de faire ce que l'on vous dit et vous pourrez rentrer chez vous.

Il mentait. Quelque chose sur son visage disait à Eleanor qu'il ne leur laisserait pas la vie sauve. Ni à William ni à Sissy non plus. Un vent aigre lui caressait les épaules et la glaçait jusqu'aux os. Une peur profonde l'étouffait.

— Vous avez tout prévu. Le bateau dans lequel j'ai investi. La dette…

Le Clere eut le front de rire à ces mots.

— Votre homme d'affaires travaille pour moi, ma chère.

— Jarvis ?

— Lui-même.

Plus il parlait, et plus elle se sentait comme une mouche

prisonnière d'une toile d'araignée. Chaque mouvement qu'elle faisait pour se libérer l'enfermait un peu plus.

Garrick devait éprouver quelque chose de semblable. Il se pencha vers son oncle en le fusillant du regard.

— Je vous dénoncerai. Dès que vous aurez le dos tourné, j'irai voir les autorités.

On l'aurait cru prêt à sauter à la gorge de son oncle tant il avait les épaules et le visage tendus.

Eleanor se raidit, prête à le suivre immédiatement s'il portait une attaque.

— Si vous le faites, lady Eleanor mourra, repartit Le Clere sans élever la voix. Tout de suite, ou plus tard, peu importe. Et ce sera votre faute.

Garrick siffla entre ses dents en se laissant aller contre les coussins.

— Le diable vous emporte !

— La voiture est ici, milord, annonça Mme Brown en passant brièvement la tête par l'embrasure de la porte.

Le Clere saisit le bras d'Eleanor par-dessus la table puis, en pressant le pistolet contre la poitrine de la jeune femme, déclara :

— Je suis sûr que vous ne verrez pas d'objection à aider un vieil homme comme moi à regagner sa voiture, milady.

Si elle résistait, il la tuerait certainement, aussi s'exécuta-t-elle.

— Passe devant, Garrick. Un faux pas et lady Eleanor se retrouvera avec un vilain trou dans le ventre.

Une colère terrible émanait de Garrick, dont les lèvres pincées étaient blanches. Les muscles de son cou tendaient le col de sa chemise, et ses mains s'agitaient comme s'il s'apprêtait à étrangler Le Clere. Il observa celui-ci pendant une longue minute, débattant en lui-même de l'opportunité d'une attaque sans doute, puis ses épaules s'affaissèrent, et il fit un pas vers l'entrée.

Le Clere passa un bras autour des épaules d'Eleanor

et, appuyant son pistolet contre elle, la força à avancer. La porte était ouverte et, dans la cour, debout à côté de la voiture, une ecchymose sur la tempe, les doigts de sa main droite bandés, Matthews les regardait tous trois de l'air d'un homme qui avait envie de tuer quelqu'un.

Deux chevaux étaient attachés à l'arrière de la voiture et Caleb, le visage tuméfié, les fusilla du regard depuis son marchepied. Assurément, Eleanor ne comptait aucun ami parmi tous ces gens.

Garrick y compris.

John Brown, lui, semblait avoir disparu mais, de toute façon, qu'aurait pu faire un fermier contre son propriétaire ?

Soudain, il y eut un mouvement dans l'écurie, comme un éclair jaune, et un visage apparut. Ce devait être Dan, mais le pauvre petit ne pouvait rien pour elle non plus. Personne ne pouvait plus rien.

Garrick monta en voiture, suivi par Matthews. Après quoi Le Clere poussa la jeune femme à l'intérieur avant de l'y rejoindre.

— Attache-leur les poignets, ordonna-t-il à Matthews. Je ne veux plus d'ennuis.

Le sang battant à ses tempes, le regard brouillé, Garrick fixait Le Clere. Le cousin de son père ! Un homme qu'il connaissait depuis l'enfance. Sa propre chair, son propre sang ! Comment pouvait-il ne jamais avoir soupçonné cet aspect de sa personnalité ?

A la vérité, il en avait été le témoin, bien des années plus tôt. Demeuraient dans son esprit le vague souvenir d'éclats de voix, de sa mère qui pleurait, et, plus tard, après qu'il eut refusé d'admettre avoir poussé cette dernière dans l'escalier, celui de son oncle ivre de colère qui le frappait furieusement à coups de canne. Il se rendait compte à présent qu'après ces événements un changement radical s'était opéré chez son oncle. Il était devenu son ami, son mentor, sa conscience, toujours prêt à lui rappeler ce qu'il avait fait, mais sans jamais le dire.

Dans l'espace confiné de la voiture, la soif de pouvoir de Le Clere rendait l'air irrespirable, toxique.

De simplement penser qu'il pouvait avoir commis tous ces actes abominables en son nom l'horrifiait. Et, plus que tout, il aurait voulu le tuer pour lui faire payer le sort indigne subi par Ellie.

La corde qui enserrait ses poignets mordait sa chair douloureusement. Il ne quittait pas des yeux Le Clere et Matthews.

Il voulait voir leur sang couler sur ses mains, un brouillard rouge voilait son regard.

A son côté, Eleanor restait immobile, l'œil aux aguets, distante, glaciale, quand elle aurait très bien pu hurler de colère après ce qu'elle venait d'entendre. Un courage admirable brillait dans ses yeux, mais elle devait le haïr à présent, ne plus voir en lui que le digne parent de son tourmenteur.

Il fallait à tout prix qu'il reprenne le contrôle de lui-même, sans quoi il était perdu.

— Où allons-nous ? demanda-t-il après avoir pris une longue inspiration.

— Vous verrez, répondit Le Clere.

Patience. Le temps venu, il serait prêt à agir. Le Clere avait perdu la raison, à l'évidence. Il ne devrait pas être si difficile que cela de se montrer plus malin que lui.

Chapitre 8

La voiture s'arrêta. Garrick risqua un œil au-dehors. Ils se trouvaient sur l'allée qui passait derrière la ferme. Matthews se pencha sur les prisonniers et vérifia d'abord ses liens, puis ceux de la jeune femme.

— Ils ne risquent pas de se détacher, commenta-t-il.

— Parfait, répondit Le Clere en ouvrant la porte. Et ne t'inquiète pas, mon neveu, ajouta-t-il en riant méchamment. Je vous suivrai de près jusqu'au bout.

Ayant dit, il sauta à terre. Matthews l'imita. Les deux hommes enfourchèrent leur monture, sans doute pour aller discuter de leurs plans à l'écart.

Une nouvelle fois, la voiture s'ébranla.

Ellie regardait par la fenêtre, les épaules raides, le visage pâle et triste.

— Je suis désolé que vous ayez été entraînée dans tout cela, Ellie..., dit Garrick après un long silence.

— Plutôt que de vous perdre en inutiles excuses, vous n'auriez pas un couteau sur vous ? répliqua-t-elle sèchement.

Il n'aimait pas la façon dont elle inspectait l'intérieur de la voiture.

— Je vous en prie, Ellie, quoi que vous fassiez ne jouez pas les héroïnes. Je vais vous tirer d'ici. Faites-moi confiance et suivez mes ordres.

Il n'aimait pas non plus la façon dont elle relevait le menton en un geste de défi.

— Avez-vous un plan ? s'enquit-elle.

— Je saisirai la moindre chance qui se présentera.

— Voilà qui devrait nous tirer d'affaire..., dit-elle avec une moue méprisante en se tournant de nouveau vers la fenêtre.

Vexé, il soupira.

— Vos sarcasmes ne nous serviront à rien. Croyez-moi, Ellie, je ne laisserai pas mon oncle vous faire du mal.

— Il a tué mon frère, pour vous, répondit-elle d'une voix rauque en tournant lentement la tête vers lui.

Les larmes qu'elle essayait de cacher en lui parlant durement déchiraient le cœur de Garrick. Elle s'était montrée si brave jusqu'à présent que de voir son courage l'abandonner l'accablait. Et il ne trouvait pas un seul mot pour se défendre.

Il ne pouvait pas se permettre de laisser la sympathie qu'il éprouvait à son égard prendre le pas sur sa raison, car alors la colère qu'il parvenait à peine à contenir le submergerait et ferait de lui une bête féroce.

Il remarqua qu'ils approchaient du carrefour situé à la sortie du village. C'était ici que la première Dame du Clair de Lune avait quitté ce monde en se balançant au bout d'une corde. Un trait d'humour lugubre lui fit souhaiter que ce ne soit pas un mauvais présage. La voiture s'arrêta derrière un mur de pierre dressé au bord d'un champ communal où paissaient une demi-douzaine de moutons et une vache aux côtes saillantes. Garrick regarda Caleb s'éloigner en courant, un mousquet sur l'épaule, vers un talus sur le flanc duquel de grosses pierres et des bosquets d'ajoncs offraient un abri.

Matthews ouvrit la porte, lui bouchant la vue tout à coup.

— Sortez ! Milady d'abord, s'il vous plaît.

Garrick songea à lui donner un coup de tête en descendant le marchepied, mais, voyant Le Clere qui le surveillait à quelques pas de là, il ne put que ronger son frein. Eleanor sortit ; il la suivit. Lorgnant du côté où se trouvait Caleb, il nota que celui-ci venait de disparaître.

C'était l'endroit parfait pour une embuscade.

*
* *

Faire confiance à un homme qui admettait lui-même être un assassin ? Eleanor en avait envie. Après tout, il n'était qu'un enfant à l'époque. Un tel acte pouvait-il être le signe de quelque horrible maladie, comme Garrick semblait le penser, ou bien ne s'était-il agi que d'un malencontreux accident ? Qu'il ait pu tuer sa mère délibérément paraissait incroyable. Et pourtant il en était convaincu, tout comme Le Clere…

Jusqu'à présent, chacune de ses initiatives avait tourné au désastre. Comme une petite sotte, elle s'était fiée à Jarvis pour diriger ses affaires, et voilà où cela l'avait menée. Maintenant que la vie de William était en jeu, elle n'osait plus faire confiance à personne hormis à elle-même.

Et encore.

Michael. Une douleur terrible lui déchirait la poitrine quand elle songeait à son frère. Mieux valait ne pas imaginer ce qui pouvait lui être arrivé.

Concentre-toi sur ce que tu as à faire, ma fille.

L'esprit tout plein de pensées indécises, elle suivit à travers les herbes hautes le chemin que lui indiquait Matthews, Garrick sur les talons.

— Attendez ici, ordonna le majordome. Et pas de bêtises. Je vous ai à l'œil.

Sur ces mots, il rejoignit Le Clere près de la voiture, d'où celui-ci inspectait les alentours avec sa longue-vue. Etait-ce William qu'il cherchait à repérer ?

Fallait-il qu'elle se mette à courir ? Sûrement pas tant que Matthews, à quelques pas de là, gardait le canon de son pistolet pointé sur elle. Si elle voulait avoir une chance de s'enfuir, il importait de détourner son attention.

Elle regarda Garrick. Il contemplait l'horizon, un vague sourire aux lèvres, sans prêter attention à Matthews. On aurait pu croire qu'il n'avait pas l'ombre d'un souci.

Il dut sentir son regard peser sur lui, toutefois, car il se tourna vers elle brusquement, le sourcil levé.

— J'aurais bien aimé que vous laissiez votre frère se sortir lui-même de ses difficultés financières, lui dit-il à voix basse. Jamais vous n'auriez été entraînée dans cette histoire si…

Avait-il vraiment décidé de l'énerver ?

— Avec des si…, répliqua-t-elle sur le même ton. Et puis, de toute façon, il ne s'agissait pas de ses problèmes mais des miens. J'ai imité sa signature.

— J'aurais dû m'en douter, grommela Garrick.

— Votre M. Jarvis disait que c'était l'occasion du siècle !

— Ce n'est pas mon M. Jarvis. Il travaille pour le domaine, nuance.

— Un domaine qui vous appartient, milord.

— Sur le papier seulement. Jusqu'à mes vingt-cinq ans, c'est Le Clere qui l'administre.

Voilà qui expliquait bien des choses.

— Ce n'est pas un choix très judicieux…

— Il était comme un frère pour mon père. Je ne comprends pas ce qui s'est passé.

— Il vous protège.

Garrick soupira.

— Je sais. Mais il va vraiment trop loin…

— Vous pouvez le dire.

— Allons, il ne sert à rien de nous quereller de la sorte.

Ce fut au tour d'Eleanor de froncer le sourcil.

— Que suggérez-vous ?

— Que nous œuvrions ensemble.

Elle chercha son regard. A l'évidence, il avait conscience des doutes qu'elle nourrissait à son égard.

— Entendu, répondit-elle enfin.

Matthews les observait d'un air suspicieux.

— De quoi parlez-vous, les tourtereaux ?

— Cela ne te regarde pas, espèce de chien ! s'exclama Garrick.

— Je pourrais faire en sorte que cela me regarde, milord, rétorqua Matthews, visiblement peu impressionné.

— Matthews ! cria Le Clere d'une voix dans laquelle on décelait une mise en garde.

Si le majordome ferma la bouche comme une carpe sur un hameçon, on voyait bien sur son visage qu'il rêvait de reprendre cette conversation avec ses poings.

Au lieu de se hausser du col et de faire le fier-à-bras comme un ivrogne cherchant querelle sur un champ de foire, Garrick aurait mieux fait de se concentrer sur leur situation, songea Ellie en lui donnant un coup de coude dans les côtes.

En voyant son oncle indiquer à Matthews la position où il devait se tenir derrière le mur, Garrick se demanda où diable pouvait bien être Caleb, et si d'autres hommes étaient en embuscade avec lui.

Au milieu du terrain accidenté couvert de bosquets d'ajoncs, il remarqua soudain un éclair lumineux, puis un autre, plus à droite. Il y avait donc deux hommes au moins. D'un rapide coup d'œil il mesura la distance qui les séparait de Matthews ainsi que l'angle de leur position par rapport au mur. Le Clere avait tout prévu. Quiconque traverserait le pré communal serait pris entre deux feux.

Le temps pressait de plus en plus, hélas il ne trouvait aucune faille dans la stratégie de Le Clere. Sur le pré, il n'y avait pas le moindre endroit où s'abriter, la moindre touffe d'herbe oubliée par les moutons.

A l'autre bout du champ, un cavalier approchait, au pas. Seul.

— Votre frère est à l'heure, chuchota Le Clere à l'intention de la jeune femme.

La joie et l'espoir qui illuminèrent les traits de celle-ci à ces mots touchèrent Garrick en plein cœur. Que pouvait-on ressentir lorsqu'on avait une famille qui vous aimait de la sorte ? Ce qu'il avait pris pour de l'amour, et qui n'était en fait qu'une affection distante, s'était au fil du temps étiolé. Sa mère l'avait aimé, certes, à sa manière, mais cela ne lui avait guère profité.

Il fallait absolument qu'il aide Eleanor à retrouver sa famille.

De l'autre côté du pré, l'homme leva la main pour se protéger les yeux. C'était bien vu de la part de Le Clere. Face au soleil, il aurait bien du mal à repérer les tireurs embusqués.

Il devait avoir aperçu le petit groupe rassemblé près du mur, car il fit ralentir son cheval et s'arrêta au beau milieu du champ.

— Où est ma sœur ? cria-t-il.

Le Clere poussa Eleanor à travers la brèche en appuyant le canon de son arme contre sa tempe.

— Venez la chercher !

— William ! Sauve-toi, c'est un piège ! hurla la jeune femme.

Tonnerre ! Elle les avait tous pris par surprise.

Le Clere la tira en arrière en jurant entre ses dents. Castlefield, lui, ne bougea pas, visiblement tendu comme un arc. Son cheval commençait à s'agiter.

— Je devrais vous tordre le cou, marmonna Le Clere.

Garrick l'aurait bien fait lui aussi. A moins que… En fait, Le Clere venait de lui donner l'occasion qu'il cherchait.

— Laissez-la tranquille. Il n'approchera plus. Plus maintenant. Retirez-vous. Il va vous falloir trouver un autre moyen d'obtenir cette lettre.

— Non, répondit Duncan en levant sa longue-vue. J'ai bien envie de… Le scélérat !

— Qu'y a-t-il ? fit Garrick, alerté.

— Il n'est pas venu seul. Il a des soldats avec lui.

Ellie plissa les yeux. L'espoir renaissait sur son visage.

Inquiet, Garrick se demanda quelle folie elle allait encore se convaincre de tenter.

Le Clere tira un couteau de sa ceinture et coupa les liens de son neveu.

— Tiens, regarde, lança-t-il en lui tendant la jumelle.

Surpris par ce geste mais peu disposé à refuser, Garrick s'exécuta.

Deux officiers d'infanterie se tenaient sur le bord du champ derrière Castlefield.

— Apparemment ce sont des hommes de son régiment. J'en vois deux.

— C'est deux de trop, grommela Le Clere.

— Beauworth, cria Castlefield. Je veux ma sœur.

— Attends-moi ici, ordonna l'oncle. A la moindre sottise de ta part, cette fille mourra.

Une lueur étrange brillait dans son regard. Comme le reflet d'une sorte de folie perverse. Garrick hocha la tête.

Le Clere alla rejoindre Matthews près du mur.

Le regard perdu, les épaules affaissées, Ellie frissonna. Il ne supportait plus de la voir dans cet état.

— Il ne vous fera pas de mal tant que votre frère aura cette lettre en sa possession. Je prie le ciel qu'il ne l'ait pas ouverte.

— S'il l'a fait, votre vie est en jeu, répliqua-t-elle, les joues rouges de colère.

Saine réaction. Il la préférait ainsi.

— C'est à peu près ça.

Si Castlefield avait suivi ses ordres, alors peut-être pourrait-on convaincre Le Clerc de les libérer. Ce ne serait pas facile, car Ellie en savait trop. Mais sans preuves irréfutables…

Le Clere revint vers eux puis, son pistolet fermement pointé sur la jeune femme, il tendit son couteau à Garrick.

— Détache-la.

Perplexe, Garrick obtempéra. Son oncle recula d'un pas.

— Maintenant, mène-la à son frère, récupère ce document et reviens ici. Et pas de bêtises, sans quoi elle mourra. Mes hommes surveillent le pré en joue d'un bout à l'autre, et vous ne pourrez leur échapper s'ils tirent. C'est bien compris ?

— Absolument, répondit Garrick en imaginant la scène.

— Dis-toi bien ceci, mon garçon : en l'amenant à son frère, tu deviens mon complice. Si les choses tournent mal, tu seras pendu.

Puisque de toute façon, si le contenu de la lettre venait à être connu, il finirait au bout d'une corde, cela semblait une menace sans objet. Garrick répondit tout de même :

— C'est vrai, mon oncle. Je vous remercie de me le rappeler.

Ellie le regarda, décomposée. En faisant mine d'accepter la défaite aussi facilement pour mieux berner son oncle, il avait fini par la convaincre de sa couardise. Cela lui laissait un goût amer dans la bouche.

— Avancez, ordonna-t-il. Calmement.

— Pourquoi l'aidez-vous ? s'enquit-elle en tirant doucement la manche de sa veste.

— Avancez, répéta-t-il seulement en la poussant devant lui.

Encore quelques pas et ils seraient à la hauteur du frère d'Eleanor. Le cheval de celui-ci fit un écart, forçant le cavalier à tirer vigoureusement sur le mors de l'animal.

— Jetez la lettre par terre, fit Garrick d'une voix forte. Soyez prudents, car il y a des hommes armés postés derrière nous. Un faux mouvement et je ne réponds plus de rien.

Castlefield opina et tira de l'une des sacoches de sa selle un petit paquet scellé qu'il jeta sur le sol d'un geste mesuré.

Le nom de Beauworth s'y étalait en grosses lettres tracées à l'encre noire et semblait narguer Garrick. Il continua d'avancer en poussant devant lui la jeune femme sidérée, qui lui jetait des regards incrédules par-dessus son épaule.

— Dirigez-vous vers le coin du pré, chuchota-t-il. Ils ne pourront pas vous atteindre sans me toucher d'abord.

— Hé ! protesta Castlefield en jurant et en faisant faire volte-face à son cheval.

— Vite ! insista Garrick.

— A quoi diable jouez-vous, Beauworth ? demanda le frère d'Eleanor en revenant à sa hauteur. Retournez d'où vous venez.

— Avancez si vous tenez à la vie.

— Garrick ! hurla Le Clere.

En vain.

Castlefield tira son pistolet.

— Eloignez-vous de ma sœur ou je vous tue !

— Ne soyez pas stupide, répondit Garrick. Je suis sa seule protection contre les balles de ces hommes. Occupez-vous de vous mettre à l'abri.

— Ecoute-le, William, plaida la jeune femme.

Dieu merci, elle avait compris. Il reconnaissait bien là son intelligence et sa finesse d'esprit. C'était comme un rai de lumière dans un monde de ténèbres.

Un coup de feu retentit, et le cheval bai de Castlefield s'élança au galop.

— William !

Garrick saisit la jeune femme par le bras pour l'empêcher de suivre son frère. Il leur restait très peu de temps pour se mettre à l'abri. Dès que les hommes de Le Clere auraient compris ce qui se passait, ils changeraient de position — si ce n'était déjà fait.

— Courez ! cria-t-il.

C'était leur seule chance.

Pâle comme un linge, Eleanor releva ses jupes et se mit à courir. Garrick l'imita, soulagé. Dans une minute, ils seraient à l'abri de l'autre côté du mur.

— Cessez le feu ! s'exclama Le Clere d'une voix si pleine de panique que Garrick éprouva un instant de joie furtif.

Un nouveau coup de feu retentit, mais qui ne venait pas des hommes de Le Clere cette fois. Sans doute était-ce Martin Brown qui avait visé Garrick. Lequel aurait préféré qu'il prenne Matthews et Caleb pour cible… Or, en se retournant, il ne vit nulle trace des deux sbires de son oncle. Peut-être après tout ne s'étaient-ils pas encore rendu compte du renversement de situation.

Des coups de feu éclatèrent en tous sens, d'un seul coup, et Garrick sentit une brûlure sur son flanc, terrifiante. Quand ses jambes se dérobèrent sous lui, il continua d'avancer tant bien que mal en trébuchant. La douleur se faisait de plus en plus vive mais il fallait avancer, coûte que coûte. Et rester à son poste entre Ellie et les balles de leurs ennemis. Devant eux, la paroi du mur couvert de mousse se dressait comme une barrière. Gênée par ses jupes, Eleanor se retrouva coincée sur la crête. D'une seconde à l'autre, une balle pouvait les frapper tous deux. Du bras, il la poussa de l'autre côté du mur, sans ménagement, après quoi il parvint à poser un genou sur la plus haute pierre et alla rejoindre la jeune femme, tombant lourdement à son côté. Il resta un moment à chercher l'air, la bouche ouverte, une main crispée sur son flanc.

— Etes-vous blessée ? s'enquit-il en voyant Eleanor pliée en deux, le souffle court.

Elle secoua la tête.

— Avez-vous vu ce qu'il est advenu de William ?

William ! Toujours à se préoccuper de son frère ! Mais il ravala sa colère. Après tout, il n'était pas illégitime qu'elle se soucie de son jumeau. Il en allait toujours ainsi dans les familles dignes de ce nom.

— Son cheval a franchi le mur un peu plus bas que nous. Je ne pense pas qu'il ait été touché, répondit-il en essayant de se lever.

Eleanor lui saisit le bras, le visage inquiet, soudain.

— Le Clere a raison. Vous allez être impliqué dans cette

affaire. Partez tant qu'il en est encore temps. Sauvez votre vie. Prenez un bateau pour l'Amérique.

Le cœur de Garrick se gonfla à ces mots. Ainsi, elle tenait à lui !

Il lui prit le visage entre les mains et plongea son regard dans le sien.

— Venez avec moi, murmura-t-il en retenant son souffle, l'espoir au cœur comme une flamme vacillante.

Eleanor n'eut pas le temps de répondre : son frère venait de surgir, l'arme à la main.

— Recule-toi, Ellie. Tu ne risques plus rien. Je l'ai dans ma ligne de mire.

Les yeux brillant de colère et d'indignation, cet homme ressemblait si étrangement à la jeune femme que Garrick s'étonna de ne pas avoir remarqué cette ressemblance plus tôt. A sa décharge, il se souvenait d'un Castlefield bien plus joufflu et forcément beaucoup plus jeune. Prudemment, il écarta les bras.

— Elle est à vous, mon ami. J'en ai terminé avec elle.

Les joues baignées de larmes, Eleanor se mordit le poing.

— Vous auriez dû vous enfuir quand vous en aviez encore le temps, dit-elle tout bas.

S'enfuir ? Sans elle ? A quoi bon ?

— Vous allez le payer ! s'écria Castlefield en sautant à terre.

Mieux valait une balle que la corde.

Eleanor s'interposa entre les deux hommes.

— William, il m'a sauvé la vie…

— Dis plutôt que ce couard a trouvé là le moyen de sauver sa peau.

Castlefield dénoua sa cravate, fit pivoter Garrick en le prenant aux épaules, lui tira les bras en arrière et, à l'aide de la bande de tissu, lui lia les poignets. Le prisonnier grimaça, assommé par la douleur.

— Voilà qui le fera se tenir tranquille jusqu'à ce qu'on lui mette les fers.

— William, non ! s'écria Eleanor.

La sincérité de ce cri fut comme un baume sur le cœur de Garrick. Malgré la douleur, il lui adressa un sourire pour lui signifier que la tournure des événements ne le surprenait nullement.

Castlefield le poussa vers les deux officiers qui se tenaient un peu à l'écart, flanqués de deux paysans qui poussaient une charrette.

— Mes amis brûlent d'impatience de vous mener en prison, vous et votre bande de brigands.

Eleanor avait le cœur déchiré. Elle revoyait encore le visage de Garrick si plein d'espoir… Si William n'était pas arrivé, quelle réponse aurait-elle donnée à son offre de partir avec lui pour l'Amérique ?

Elle devait bien admettre qu'elle aurait sans doute dit oui.

Elle regarda Garrick, si fier dans la défaite, si imposant malgré sa blessure, et de le voir ainsi ne fit que renforcer sa douleur et embuer un peu plus ses yeux. Elle avait presque peur de devenir folle, tant elle se sentait tiraillée par des sentiments contradictoires, et elle serra ses bras autour d'elle pour s'accrocher à quelque chose.

Si seulement elle avait pu ne pas adorer la façon dont il souriait comme s'ils étaient seuls au monde, cette manière qu'il avait de la taquiner doucement et de la faire rire, de la tenir dans ses bras, et les sensations qu'il faisait naître en elle !

Oh, Seigneur ! Maintenant qu'elle savait tout de lui ou presque, comment pouvait-elle encore éprouver de tels sentiments ?

Une petite goutte sombre brillait sur le sol à ses pieds. Saisie d'une horrible prémonition, elle se pencha pour la toucher du bout du doigt. Du sang, c'était du sang, épais, d'un rouge profond, presque noir.

La blessure de Garrick devait s'être ouverte. Il lui fallait un médecin, vite. Elle se rua vers les deux paysans qui surveillaient les prisonniers.

Les hommes de William avaient réussi à capturer l'immonde Caleb, en effet. Non loin de lui, Garrick était allongé sur la paille d'une charrette, aussi paisible que s'il partait pour une promenade. Elle trembla de lui voir les lèvres blanches et les joues aussi grises que la cendre.

William causait avec Martin et ne remarqua sa présence que lorsqu'elle le tira par la manche.

— Il est blessé et a besoin d'un médecin.

— Pas maintenant, Eleanor. Il nous reste encore à attraper le reste de cette bande de brigands, répondit William. Ne les lâche pas d'une semelle, ajouta-t-il à l'adresse de Martin.

— Oui, milord, acquiesça le fermier.

— Beauworth n'a pris aucune part dans mon enlèvement, insista-t-elle en secouant son frère par le bras.

— La cour décidera s'il est innocent ou non, repartit William en s'éloignant comme si elle ne comptait pas plus qu'une mouche sur la croupe de son cheval.

— Bon sang, William ! s'exclama-t-elle en courant derrière lui. Donne-moi ton couteau !

Sans attendre qu'il s'exécute, elle saisit l'arme et la tira de sa ceinture.

— Je peux tout de même le panser avant qu'il ne saigne à mort, sacrebleu !

William haussa les épaules.

— Sois prudente. Il a beau être enchaîné, c'est un homme dangereux.

— Il est à moitié mort, répliqua-t-elle à mi-voix. Où vas-tu ?

William regarda de l'autre côté du pré, les yeux plissés.

— J'ai quelque chose à faire. Attends-moi ici. Je serai de retour dans un moment.

Là-dessus, il s'avança vers la voiture de Beauworth, boitant plus bas qu'à l'ordinaire, sans doute d'avoir chevauché trop longtemps. Eleanor aurait voulu lui conseiller de se reposer, mais elle savait fort bien le sort qu'il aurait réservé à cette suggestion, aussi s'abstint-elle.

Elle courut jusqu'à la charrette et y grimpa souplement. Une fois installée au côté du blessé, elle déchira une bande de tissu dans le bas de son jupon.

Garrick leva les sourcils. Le regard rivé sur la cheville de la jeune femme, il remarqua en souriant :

— Très joli…

— Faites-moi voir cette blessure.

— C'est juste une égratignure, répondit-il en soulevant sa main toute poisseuse de sang.

Une tache noire s'étendait sur son flanc.

C'était une seconde blessure, songea Eleanor, horrifiée par tout ce sang.

— Il faut que je vous bande.

D'un geste furtif du menton, Garrick désigna Caleb.

— Ce n'est pas un endroit pour une femme.

— Je suis la Dame du Clair de Lune, ne l'oubliez pas, rétorqua-t-elle, ce qui arracha un sourire au blessé.

Elle sortit du pantalon de Garrick les pans souillés de sang de sa chemise et découvrit juste au-dessous des côtes une plaie béante de laquelle coulait sans discontinuer une humeur noire et épaisse.

— J'espère, chuchota-t-elle en réprimant un haut-le-cœur, que c'est la dernière fois aujourd'hui que vous vous jetez sur la trajectoire d'une balle.

Garrick gloussa, mais son sourire se transforma vite en grimace.

— Moi aussi, dit-il d'une voix sifflante.

Le souffle court, pleine d'appréhension, elle pressa la bande de tissu contre la plaie.

— Tenez ça, lui dit-elle.

Quand les doigts de Garrick frôlèrent les siens l'espace d'une brève seconde, elle les trouva glacés et, quand il la remercia, elle vit danser dans ses yeux de petites taches d'or et sur ses lèvres un sourire.

Un sourire qu'elle ne reverrait peut-être plus jamais.

Les larmes aux yeux, elle enroula la seconde bande de tissu autour du torse de Garrick. Cela suffirait-il ?

Il leva la main pour lui toucher la joue, faisant cliqueter par ce geste l'affreuse chaîne attachée à la menotte qui lui enserrait le poignet.

— Maintenant, allez-vous-en, dit-il en lorgnant vers l'homme qui partageait son sort. Je ne veux plus de vous ici. Vous comprenez ?

Cela faisait mal, mais elle concevait que sa présence lui soit odieuse puisqu'elle l'avait rejeté.

— Partez, Ellie, insista-t-il en faisant mine de se lever.

L'un des paysans qui surveillaient la charrette — le plus trapu des deux — leva sa fourche.

— Vous ne devriez pas être ici, mademoiselle, grommela-t-il.

Elle n'avait pas envie d'abandonner Garrick de cette façon, mais si elle ne partait pas tout de suite les choses pourraient empirer pour lui.

— Je m'en vais. Prenez soin de vous.

Il se laissa aller contre la ridelle de la charrette en fermant les yeux. La douleur creusait de profonds sillons autour de sa bouche.

Elle mit pied à terre. Elle tremblait si fort que ses jambes lui refusaient tout service ; aussi s'appuya-t-elle contre l'une des grandes roues cerclées de fer pour ne pas s'effondrer.

Une main se posa brusquement sur son épaule, et elle se retourna d'un bond.

— Pour l'amour du ciel, Len, s'exclama William en tirant de sa poche un mouchoir pour lui essuyer le visage. Tu ne vas tout de même pas pleurer pour cette fripouille !

Elle ne s'était pas rendu compte qu'elle pleurait.

— Il a besoin d'un médecin, Will. Je t'en prie, ne sois pas si cruel.

Son frère la fixa d'un œil torve, les lèvres pincées.

— Tu ne comprends pas, Len. Tu ne sais pas ce qu'il nous a fait, ni ce qu'il m'a fait.

— C'est son oncle qui est responsable de tout.

— Non, ce n'est pas vrai. Il est des choses que tu ignores. Enfin… nous en parlerons plus tard.

— Il a besoin d'un médecin, s'obstina-t-elle envers et contre tout.

Elle commençait à se demander si elle savait dire autre chose. En tout cas, elle se promit d'être une sœur modèle s'il acceptait seulement de faire venir un homme de l'art au chevet de Garrick.

— Très bien, je m'en occupe. Mais ensuite je ne veux plus t'entendre jusqu'à ce que nous arrivions chez nous.

— Merci.

Un jeune officier s'approcha, tenant deux chevaux par la bride.

— Nous avons été bien inspirés de vous accompagner depuis Portsmouth, Will, pas vrai ?

— En effet. Peux-tu escorter ces chiens galeux jusqu'à Haverstock à ma place pendant que nous terminons le travail ici ? Veille à ce qu'un médecin examine Beauworth dès qu'il sera derrière les barreaux.

— A vos ordres, milord.

Quelques minutes plus tard, le paysan trapu fit avancer le chariot sur la route, flanqué du jeune officier.

Eleanor les regarda partir. Elle ne pouvait rien faire de plus.

Le bruit de l'eau ne s'arrêtait jamais dans cette maudite geôle. En frissonnant, Garrick serra la couverture autour de ses épaules et se laissa aller contre le mur, épuisé. L'humidité de sa cellule le transperçait jusqu'aux os, et s'il gardait la bouche ouverte ses dents s'entrechoquaient affreusement.

Par respect pour son rang, on l'avait installé dans une cellule individuelle. Un trou puant restait un trou puant ; cependant, conscient des conditions épouvantables dans lesquelles vivaient les malheureux enfermés à plusieurs dans les autres cellules de la prison, il ne pouvait pas se plaindre.

La plaie sur son flanc avait été nettoyée, et son bras allait de mieux en mieux grâce à l'insistance d'Ellie. Le médecin avait même déclaré qu'il ferait un pendu magnifique.

Il n'y avait rien de tel qu'un peu d'humour macabre pour vous redonner le moral.

Il n'aurait pas été aussi amer si Le Clere avait été capturé lui aussi.

Comme celui-ci avait agi en son nom, il faudrait en subir les conséquences.

N'empêche, les regrets lui serraient le cœur. Il aurait bien aimé épouser Ellie.

Quelle femme magnifique, et si courageuse ! Jusqu'au bout elle avait essayé de sauver sa misérable vie. Oh, il ne lui en voulait pas de n'avoir pas voulu le suivre dans sa fuite. Elle méritait tellement mieux, tellement plus. Quoique de simplement l'imaginer avec un autre homme lui faisait bouillir le sang…

Tant pis. D'ici peu, cela ne lui ferait plus ni chaud ni froid, au bout de sa corde…

Seigneur ! Cet endroit commençait vraiment à lui porter sur les nerfs.

Il aimait se la représenter en sécurité au milieu des siens, libérée de la menace de Le Clere. C'était en fait la seule chose qui lui rendait ce cul-de-basse-fosse fétide à peu près supportable. De toute façon, il n'y resterait plus longtemps.

Ils allaient l'emmener à Londres et le faire comparaître devant un jury composé de ses pairs, à la Chambre des lords.

Y penser lui donnait des frissons. Il avait souillé le fier nom des Beauworth. C'était Harry à présent, le doux Harry, le joyeux Harry, qui en porterait le fardeau. Tout le monde l'aimait bien, ce qui constituait un atout certain. Il ferait un excellent marquis.

Un bruit de bottes résonna dans le couloir. Le cœur de Garrick s'emballa. Déjà ? S'il attendait qu'on vienne le chercher depuis l'aube, au fond de lui-même il espérait toujours un miracle. Sans cette maudite lettre de Piggot, il aurait pu mourir honorablement sur un champ de bataille, en servant son pays. Il pouvait compter sur son vieil ennemi, Hadley, ou Castlefield comme il se faisait appeler désormais, pour veiller à ce qu'il subisse un châtiment définitif. Les dieux devaient se tordre de rire devant l'ironie de tout cela.

Les pas approchaient. Si seulement Eleanor lui avait dit la vérité ! songea-t-il en donnant du poing dans le mur. Jamais il ne lui aurait fait du mal. C'était son seul regret.

Ça et ce qu'il avait fait à sa mère…

Il lissa ses cheveux raides et se gratta le menton. Depuis trois jours qu'il ne se rasait plus, il devait avoir l'air d'un parfait assassin.

La porte de la cellule s'ouvrit brusquement. Garrick laissa tomber sa couverture et se leva en tendant ses poignets entravés. Dieu merci, on ne l'attachait tout de même pas au mur.

Le gardien ignora ce geste.

— Par ici, milord, s'il vous plaît.

Malgré les courbatures qui torturaient son corps, Garrick se redressa et suivit le garde. Une fois sortis de la geôle, ils prirent des escaliers. On l'emmenait à Londres, il en était certain. D'abord, l'humiliation d'une traversée de la ville au milieu de la foule, ensuite : la mort.

Arrivé en haut des escaliers, l'homme le fit entrer dans

une petite pièce. Un bureau. Pour la première fois en trois jours, Garrick sentit le froid qui lui glaçait les os s'adoucir quelque peu. A sa vue s'était levé un homme entre deux âges, pas très grand, dont les tempes grisonnaient un peu.

— Bonjour milord. Je suis Andrew Calder, votre avocat, pour vous servir, lui dit-il en plongeant dans le sien son regard bleu à l'expression franche.

— Je n'ai pas besoin d'un avocat, répondit Garrick.

Sa culpabilité ne faisait pas débat.

— Vous avez sans doute raison, milord. Cependant, lord Dearborn m'a demandé de vous voir avant votre audience.

Dearborn était un magistrat du cru, ce qui signifiait qu'il n'allait pas être jugé par la Chambre des lords.

Etrange…

— Le procès doit-il avoir lieu aujourd'hui ?

— Non milord. On va vous libérer.

Garrick sentit ses jambes fléchir sous lui.

— Je ne comprends pas, murmura-t-il en se laissant tomber sur le siège le plus proche.

— Lord Dearborn m'a prié de vous présenter des excuses, milord, pour cette arrestation injustifiée. Vous avez été blanchi de toutes les accusations portées contre vous concernant lady Eleanor Hadley. Caleb Trubbs a avoué son crime, et son témoignage prouve que vous avez été la victime des manigances de Le Clere. Lady Eleanor elle-même a confirmé ses dires.

Garrick avait l'impression que la pièce tournait autour de lui. Il allait se réveiller d'un moment à l'autre dans sa cellule glaciale, sur sa paillasse crasseuse, et se rendre compte qu'il était la proie d'hallucinations. Ce ne serait pas la première fois, mais d'habitude c'était Ellie qui hantait ses rêves.

Comme le petit avocat continuait de le regarder d'un air bonasse, il se mit peu à peu à croire ce qu'il venait d'entendre. Lentement, ses épaules se relâchèrent.

Et puis soudain il se souvint, et un goût amer lui vint à la bouche.

— Il y a autre chose, maître. Il s'agit de la marquise de Beauworth, ma mère…

Il lui fallut s'y reprendre à deux fois pour déglutir, comme si ces mots l'étouffaient.

— Je ne suis nullement informé de cette affaire, repartit Calder en fronçant le sourcil.

Garrick agrippa les accoudoirs de son siège.

— Il existe une lettre, écrite par un témoin oculaire.

— Pas à ma connaissance, milord.

— Si, il y en a une.

Il voyait encore Castlefield la jeter à ses pieds. Il l'avait vue de ses yeux, et Ellie aussi.

— On ne m'a pas parlé d'une lettre, milord, insista Calder d'une voix où perçait l'impatience.

L'avocaillon devait sans doute se demander pourquoi il ne sautait pas de joie. Garrick secoua la tête comme pour essayer de se remettre les idées en place. Il y avait bel et bien une lettre, il en aurait juré. Adressée à lui, de surcroît. Il la revoyait tout à fait clairement, gisant sur l'herbe rase et verte au milieu des crottins. Quelque chose d'ailleurs l'avait intrigué, mais il ne savait plus quoi.

C'était l'occasion de passer aux aveux.

« Pourquoi prétendre avoir commis des actes dont vous ne vous souvenez plus ? »

La voix d'Ellie résonnait dans sa tête.

Certes, se charger de ce crime consisterait à avouer un forfait qu'au fond de lui il ne pensait pas avoir commis. Lentement, très lentement, l'évidence se faisait jour : avant de dire quoi que ce soit, mieux valait être totalement sûr.

— Allons-y, milord, voulez-vous ? dit Calder en se levant. Une voiture nous attend dehors.

Il toussota avant d'ajouter :

— Peut-être avez-vous envie de vous… rafraîchir un peu ?

Garrick jeta un coup d'œil à sa tenue sale, déchirée et puante puis, se levant à son tour, répondit :

— Je crois que j'apprécierais cela, en effet.

— Parfait. Lord Dearborn serait heureux que vous le contactiez dans deux jours. On vous demandera de faire une déposition, après quoi on préparera tous les documents nécessaires.

— Et Duncan Le Clere ? Et Matthews ?

— Les recherches se poursuivent.

— Je veux y prendre part.

— Laissez cela aux autorités, milord, répondit l'avocat avec une grimace. Le Clere est un homme dangereux.

Il n'y avait qu'un Le Clere pour s'occuper de Duncan, mais pour l'heure Garrick avait quelque chose de plus important en tête. Une femme. Une épouse. Il allait faire en sorte que les choses s'arrangent pour Ellie.

— Lord Beauworth. Je viens voir lady Eleanor, annonça-t-il en tendant sa carte de visite au majordome des Castlefield.

Malgré l'agitation qui régnait en lui, sa voix semblait calme. C'était déjà ça.

Le domestique le fit entrer dans un salon aux murs bleu pâle rehaussés d'un liseré blanc et dont les larges fenêtres s'ouvraient sur de vastes jardins. Si la maison de Castlefield était un petit château de style Tudor, la pièce en question se trouvait dans l'une des ailes récemment ajoutées au bâtiment originel.

— Si vous voulez bien attendre ici, je vais voir si milady est dans ses appartements.

Pourquoi n'avait-elle pas répondu à sa lettre de la semaine passée ? Incapable de rester assis, il se mit à arpenter la pièce encombrée d'innombrables trésors de famille — des porcelaines de Saxe, des tableaux, des statues — accumulés par des générations de Castlefield.

Cela ne ressemblait pas vraiment à Beauworth, où ne

subsistaient que de rares souvenirs de ses parents. Le Clere les avait tous fait ranger dans les greniers, y compris les portraits de l'un et de l'autre, par égard pour Garrick, prétendument. A moins qu'il n'eût tenté ainsi de faire oublier à son neveu la partie la plus heureuse de son enfance.

Intrigué, il examina le portrait d'une femme accroché au-dessus du manteau de la cheminée. Ses yeux, gris et clairs comme ceux d'Eleanor, le fixaient sous la frange de sa perruque poudrée. Il devait s'agir de la mère de celle-ci, sans doute. Elle semblait lui sourire.

— Lady Castlefield, vous avez une fille ravissante, déclara-t-il en s'inclinant devant le tableau.

— Garrick…

Il se retourna vivement. Eleanor, ravissante en effet, presque éthérée dans sa robe de mousseline blanche, lui apparut. De petites mèches entouraient son visage, qui lui sembla plus fin et plus pâle que dans son souvenir. Il n'y avait plus rien de la Dame du Clair de Lune dans cette jeune femme parfaitement digne et qui tenait sagement ses mains croisées devant elle.

Lady Eleanor, enfin !

En deux pas, il la rejoignit et embrassa avec passion chacune de ses mains glacées.

— Ellie, murmura-t-il en lui prenant tendrement le visage pour effleurer sa bouche de ses lèvres brûlantes.

Seigneur Dieu, comme elle lui avait manqué ! Il la prit aux épaules et l'étreignit avidement. Elle s'arqua contre lui avec une fougue identique en lui rendant son baiser, pressa le ventre contre sa chair palpitante. Il exhala un soupir haletant. Elle était sienne. Il la voulait pour femme.

Il s'arracha à leur étreinte pour mieux contempler son visage sublime.

Eleanor se mordit la lèvre.

— Qu'arrive-t-il, ma chérie ?

L'inquiétude se lisait dans ses yeux. Elle gagna Garrick.

— Que se passe-t-il ?

Elle s'écarta, puis traversa la pièce avant de se retourner.

— Que faites-vous ici ? lança-t-elle.

Garrick sentit le sol se dérober sous ses pas.

— N'avez-vous pas reçu ma lettre ?

— Vous m'avez écrit ? Vraiment ? s'écria-t-elle avant de secouer la tête d'un air incrédule. William doit avoir…

Elle eut un geste d'impuissance, mais n'en dit pas plus.

— J'ai écrit à votre frère pour lui demander la permission de vous présenter mes respects. Il ne vous l'a pas dit ?

— William est en colère contre moi parce que je l'ai déçu, repartit-elle en détournant les yeux. J'ai déjà bien de la chance qu'il ne m'ait pas jetée dehors.

A ces mots, une immense vague de colère submergea Garrick. L'emportement caractéristique des Le Clere le poursuivait comme une malédiction, et il dut faire un effort terrible pour calmer le tremblement qui secouait ses poings serrés et ne pas briser la première chose à sa portée.

Il prit une longue inspiration en se forçant à ouvrir les poings, puis déclara :

— Croyez-moi, si j'avais su qui vous étiez, jamais je ne me serais comporté comme je l'ai fait. Je suis ici pour réparer, comme l'honneur le commande.

— L'honneur ? répéta-t-elle d'un ton cinglant en reculant d'un pas.

Il avait l'impression que quelque chose lui échappait, aussi traversa-t-il la pièce pour la rejoindre et prit-il ses mains entre les siennes avec assez de force et de décision pour l'empêcher de se dégager avant de mettre un genou à terre et de lever les yeux sur elle.

— Lady Eleanor Hadley, faites-moi l'honneur de devenir ma femme. Je vous protégerai et vous chérirai chaque jour de ma vie, j'en fais le serment. Jamais je ne vous ferai de mal. Je vous en prie, Ellie, donnez-moi une chance.

Tout cela sonnait comme une prière, une supplication même, mais il s'en moquait.

— Vous ne comprenez pas, dit-elle en se dégageant, les yeux embués de larmes.

Garrick se remit sur ses pieds, fit mine de s'éloigner puis, se ravisant, se tourna vers elle. Eleanor le regardait, comme figée sur place et mortellement pâle. Elle ne s'était jamais donnée à lui totalement, ni de son plein gré. Ne devait-il leurs étreintes qu'à la nécessité dans laquelle elle était de trouver de l'argent pour son frère ? Non ; ni cela ni le simple désir charnel n'expliquaient tout ce qui existait entre eux, il en était certain.

— Ce que vous avez fait…

La douleur de sa voix le bouleversait, de même que la peur qu'il lisait dans ses yeux.

Se pouvait-il qu'elle sente instinctivement le mal qui infectait le sang des Le Clere ? Cette idée le remplissait d'un chagrin si profond qu'il ne savait pas très bien comment il faisait pour l'endurer.

— C'est vous-même qui l'avez dit : pourquoi avouerais-je un crime dont je ne me souviens pas ?

— Et ce que vous avez fait à William ? répliqua-t-elle d'une voix étranglée. Allez-vous le nier aussi ?

Garrick avait le sentiment d'être entré dans un labyrinthe habité par un dragon et dont toutes les issues auraient été bloquées.

— Oui, je le nie. Tous mes amis ont affirmé que je n'avais pas quitté le dortoir.

— Vos amis, répéta Eleanor avec une moue méprisante. Comme c'est pratique ! Vous vous êtes battus, il a eu le dessus, et tout le monde vous a entendu jurer que vous auriez votre revanche. Quel genre de monstre faut-il être pour aller frapper un enfant dans son lit pendant son sommeil ? Il voulait être officier de cavalerie et à cause de vous il ne peut plus se tenir à cheval au-delà d'une heure ou deux.

Sur ces mots, elle lui tourna le dos, le plantant là, muet, en position d'accusé, tremblant de rage et de peur à l'idée de la perdre.

— A l'époque, il nous a dit qu'il s'agissait d'un accident, ajouta-t-elle d'une voix déchirante en se prenant le visage entre les mains. Un mensonge dicté par la fierté sans doute, et que nous avons cru… Si j'avais su, jamais je ne serais venue vous solliciter. Jamais.

— Je n'ai pas fait ce dont vous m'accusez.

Elle tourna vers lui un regard éteint.

— A moins que, simplement, vous ne vous en souveniez pas.

L'amertume de cette remarque lui lacéra le cœur. Il hésita un instant. Ses amis l'avaient innocenté mais, en toute honnêteté, il n'avait aucune certitude. Il n'était pas impossible qu'il ait commis ce crime.

— Je dormais à cette heure-là, affirma-t-il en haussant les épaules pour cacher sa douleur.

— Mon frère aîné est mort à cause des Beauworth, et voilà que de nouveau les rêves de William ont été anéantis. Il est très en colère, Garrick, et si j'ai encore affaire à vous je ne le reverrai jamais, et Sissy non plus. Je ne peux pas laisser faire ça.

Une chaîne d'acier lui enserrait la poitrine.

— Ainsi, vous me croyez coupable…, dit-il, prenant lentement conscience de la douloureuse vérité.

De grosses larmes coulaient sur les joues d'Eleanor.

— Je ne sais pas, je ne sais plus… Et puis qu'importe ce que je crois ? J'ai promis à Sissy de ne jamais la quitter.

Elle pleurait tant qu'elle ne pouvait plus réfléchir sainement. Sa famille venait en premier, certes, et elle avait tout abandonné pour elle. A présent qu'il l'avait ruinée, elle ne pouvait plus penser qu'à sa jeune sœur.

— Et vous ? Votre réputation ?

Elle le fixa tristement, aussi distante qu'une île en pleine mer, les larmes séchant sur ses joues.

— Personne ne sait rien à propos de… de nous. Cela demeurera ainsi tant que vous garderez le silence, murmura-t-elle.

Elle avait honte des heures passées avec lui. Mais comment aurait-il pu la blâmer de vouloir respecter le serment fait à un enfant ?

Un rire amer lui monta dans la gorge. Tous ces jours passés dans sa cellule à rêver d'elle, de ses baisers, de la chaleur de son regard, étaient la marque d'un fou. Il savait désormais n'avoir été pour elle qu'un moyen de sauver sa famille, car si elle avait vraiment tenu à lui elle aurait cru en son innocence.

Tu n'y crois pas toi-même, murmura une petite voix au fond de lui.

— Si jamais vous changez d'avis, lady Eleanor, dit-il doucement, avec sur les lèvres quelque chose qui ressemblait vaguement à un sourire, il faudra me le dire à genoux. Après tout, vous me devez encore le reste de ces fameux trois mois.

Le petit cri qu'elle retint l'émut plus encore que ses larmes. Il se sentait comme un loup la gueule ouverte sur le cou d'un faon.

D'un coup, il se retourna, ouvrit la porte et, la main sur la poignée, ajouta en se maudissant intérieurement :

— Pardonnez-moi. Je n'ai pas voulu tout cela. Je ne souhaite que le bonheur de votre famille.

Il s'étonna d'être encore sur ses deux jambes en traversant le grand hall. Il se sentait plus vieux que les vertes collines d'Angleterre.

Une petite fille dévala l'escalier comme il allait sortir et s'arrêta en le voyant.

— Oh ! C'est le vilain marquis d'Eleanor ! s'écria-t-elle en se ruant vers lui, radieuse.

— Lady Sissy, répondit Garrick sèchement, je vous souhaite le bonjour.

Il franchit la porte en trombe. Bientôt, sa voiture s'ébranlait, menée par le fidèle Johnson. La vérité avait un goût de bile dans sa bouche. Ellie avait bien raison de ne pas le croire.

Un abattement incommensurable l'envahit. Que lui restait-il après cette entrevue ? Rien. Rien du tout. Pas même l'ombre d'un espoir.

C'était tout ce qu'il méritait.

Chapitre 9

Londres, mai 1815

— Votre sœur est charmante, déclara Mme Bixby en tapotant le bras d'Eleanor. Et si… naturelle !

Cette vieille pie voulait-elle dire que Sissy profitait par trop de la vie, comme William ne cessait de le répéter ?

— Je vous remercie.

Cecilia était comme un rubis au sein d'un rang de perles, en effet. Sa robe d'un rose sombre mettait en valeur sa chevelure et ses yeux noirs, et son rire résonnait, cristallin, au milieu de la piste. La remarquait-on plus qu'on n'aurait dû ? Aurait-elle dû porter une robe blanche, finalement ?

— Elle n'est pas facile, remarqua la tante Marjorie, qui se tenait auprès de Mme Bixby. On ne sait jamais quelle folie va lui passer par la tête.

— Voyons, ma tante, repartit Eleanor, c'est seulement qu'elle est heureuse de vivre, rien de plus.

— Ce qui est tout à votre honneur, répondit Mme Bixby.

Cette dernière ne croyait pas si bien dire : Sissy faisait bel et bien honneur à la famille Hadley — contrairement à son aînée. Elle était appréciée des jeunes filles de son âge qui cette année-là faisaient leur entrée dans le monde en même temps qu'elle. Quant aux jeunes gens, ils recherchaient tous avidement sa compagnie et s'agglutinaient autour d'elle sans pour autant se permettre la moindre privauté.

— Avec qui danse-t-elle à présent ? demanda la tante Marjorie.

La pauvre femme n'arrivait plus à suivre le rythme frénétique de sa nièce.

— Avec lord Danford, dit Mme Bixby. Une famille exceptionnelle. Il fera un bon parti, s'il sait se montrer à la hauteur.

— Il est bien trop tôt pour parler de mariage, objecta Eleanor.

A moins — ce serait merveilleux, bien sûr — que Sissy ne tombe amoureuse.

— A propos d'être à la hauteur, intervint la tante Marjorie, je n'ai pas vu M. Westbridge ce soir.

— Il est sûrement dans la salle de jeu, marmonna Eleanor. Il sait que je n'ai pas l'intention de danser.

Westbridge, un homme d'une quarantaine d'années, lui demandait de l'épouser à peu près une fois par semaine, refusant obstinément d'admettre qu'elle ne changerait jamais d'avis — et qu'elle était heureuse de jouer les maîtresses de maison pour son frère et sa jeune sœur.

Comme elle balayait la salle du regard à la recherche d'un nouveau cavalier pour Sissy, elle crut défaillir.

Beauworth était là, dépassant son voisin de la tête et des épaules.

Parmi les Anglais au teint blafard qui composaient l'assistance, ses cheveux bruns et son teint hâlé ressortaient en un contraste saisissant. Malgré le temps passé — quatre ans, déjà —, elle le reconnut instantanément. Il semblait plus fort, plus sûr de lui. Plus sévère aussi. Elle s'avisa de tout cela en une fraction de seconde.

Son cœur se calma un peu, mais elle gardait le souffle court. Quels changements noterait-il en elle, s'il la reconnaissait ? Elle regarda ailleurs, bien décidée à ne pas chercher à savoir s'il l'avait vue ; las, comme poussée par une main invisible, elle tourna de nouveau la tête vers lui.

Le temps avait laissé des traces : des lignes profondes entouraient désormais sa bouche, dont le rare sourire avait comme un pli sardonique qu'elle ne prenait pas autrefois. Son visage mince semblait dur, sans pitié, et il considérait le monde avec des yeux froids et distants.

Son teint sombre évoquait un Maure. Il devait avoir passé toutes ces années sous un soleil de plomb. Les rumeurs concernant ses conquêtes féminines, sa vie dissipée et son hédonisme allaient bon train dans les salons de la capitale, agrémentées de détails salaces. Les dames adoraient écouter le récit de ses exploits, qui lui conféraient une aura quelque peu diabolique. Au début, elle devait avouer avoir ressenti une jalousie aiguë, mais avec le temps la douleur s'était atténuée, au point qu'elle pouvait l'ignorer la plupart du temps. Etre jalouse d'un homme qu'elle avait éconduit n'aurait-il pas été d'un égoïsme terrible ?

En tout cas, les femmes de l'assistance, jeunes et vieilles, lui jetaient des regards fascinés sans vraiment se soucier d'être discrètes, sous l'œil ulcéré de quelques messieurs qui ne songeaient pas pour autant à s'en plaindre ouvertement. Beauworth était après tout l'un des très bons amis du prince régent. Cela commandait le respect, sinon l'amitié.

Dans la pièce généreusement éclairée, avec ses vêtements sombres, il avait l'air d'un spectre.

Eleanor frissonna.

Peut-être à cause du demi-sourire glacial qu'il arborait en écoutant son voisin, un homme aux cheveux blonds, tout en balayant lentement la salle d'un regard morne.

Le cœur affolé, elle baissa les yeux. Quand bien même il la reconnaîtrait, il ne se risquerait sûrement pas à s'approcher, pas après ce qui s'était passé entre eux.

A moins que…

Etait-ce de l'espoir qu'elle sentait dans son cœur ?

L'esprit un peu embrumé, elle prit soudain conscience que la série de danses touchait à sa fin, aussi se leva-t-elle pour rejoindre Sissy. Peut-être, si elle arguait d'une migraine, celle-ci accepterait-elle de rentrer. Dans le cas contraire, elle pourrait sans doute la confier à leur tante Marjorie.

— Lady Eleanor, c'est un plaisir de vous rencontrer de nouveau.

La voix grave mâtinée d'une pointe d'accent français fit résonner une corde sensible au plus profond d'elle-même — comme au premier jour —, et cela la bouleversa.

Tremblante, elle leva la tête vers lui. Il avait toujours des yeux bruns tachés d'or, mais ils étaient froids comme la glace. Si le sourire charmant qu'elle conservait dans son souvenir flottait sur ses lèvres, découvrant un peu ses dents blanches et régulières, elle ne pouvait s'empêcher de lui voir un air prédateur. Il lui faisait penser à un léopard s'avançant dans les ténèbres, silencieux et affamé.

Beauworth tendit la main.

Elle sentit une bouffée de chaleur empourprer son visage ; son cœur battait si fort qu'elle pouvait à peine respirer. Si elle réagissait de la sorte à un simple salut, les gens allaient jaser, forcément, se livrer à des conjectures, répandre des commérages. Il ne fallait pas prêter le flanc au scandale. Elle posa le bout de ses doigts sur les gants immaculés de Garrick et les en retira presque aussitôt.

— Bonsoir, lord Beauworth, chuchota-t-elle. Tante Marjorie, madame Bixby, ajouta-t-elle en se tournant vers les deux femmes assises à côté d'elle, permettez-moi de vous présenter M. le marquis de Beauworth.

— Enchantée, dit la tante en regardant l'intéressé d'un air inquisiteur, comme pour jauger sa valeur et son lignage.

— Bonsoir milord, minauda Mme Bixby, les yeux brillant de curiosité.

— C'est un plaisir de vous rencontrer, mesdames. Puis-je vous demander cette danse, lady Eleanor ?

Il parlait bas, mais le sourire narquois qui plissait ses lèvres avait l'air d'un défi.

Muette de stupeur, elle le fixa sans réagir. Ce serait merveilleux de sentir ses bras l'enlacer. Merveilleux et horrible en même temps.

Elle ne dansait jamais.

Mme Bixby hochait la tête comme s'il n'était rien de plus naturel au monde, mais de quoi aurait-elle l'air si elle acceptait ? Et, si elle refusait, que penseraient les gens ? Que diraient-ils ? Mme Bixby adorait jaser.

— Je vous remercie, milord, répondit Eleanor en penchant légèrement la tête.

Il la força à se lever. Sentait-il comme sa main tremblait ?

Pourvu que non, Seigneur !

L'orchestre entama une valse. Une valse ! Se pouvait-il qu'il l'ait su ? Elle le regarda furtivement, décidée à lui dire non, mais il ne lui en offrit pas l'occasion, l'entraînant malgré elle dans une danse tournoyante qu'il dirigeait avec une autorité et une grâce admirables, lui faisant décrire sur le parquet ciré des orbes élégants. Le décor autour d'eux lui parut se dissoudre en un tourbillon de couleurs confondues et de lumières scintillantes. Elle ne voyait plus qu'une paire d'épaules enserrées dans une veste noire, une cravate soyeuse subtilement nouée au-dessus d'un gilet blanc rehaussé de minuscules myosotis brodés. L'odeur de son parfum emplissait ses narines, la chaleur de son corps se diffusait en elle, caressante, bien qu'il ne la tînt pas plus serrée que les convenances l'exigeaient.

Sissy, qui n'avait pas encore reçu l'autorisation de valser, leur tira la langue quand ils passèrent devant elle.

— Votre sœur est toujours aussi charmante, dit le marquis d'un ton dans lequel il lui sembla déceler de la nostalgie.

Ce devait être son imagination…

— C'est sa première saison mondaine. Lady Cecilia a beaucoup de succès.

— Cela ne m'étonne pas. Et vous ?

Eleanor leva les yeux sur lui pour s'assurer qu'il ne s'agissait pas d'une pique et lui trouva l'air simplement curieux.

— Pourquoi ne serais-je pas ravie de voir ma sœur heureuse ?

— Pourquoi donc, en effet. Vous êtes ravissante.

— Balivernes. J'ai l'air de ce que je suis : une femme qui a passé la fleur de l'âge. Une vieille fille.

— En ce cas, peut-être devrais-je exprimer les choses autrement. Disons que je vous trouve ravissante.

Elle se sentit toute chamboulée à l'intérieur. Un désir subit l'investit, réclamant d'être satisfait. Elle eut du mal à retenir le cri de surprise qui lui montait dans la gorge, mais y parvint in extremis. Le rose de ses joues devait avoir viré à l'écarlate, car elle avait les joues en feu.

— Pourquoi êtes-vous ici ? Pourquoi faites-vous tout cela ?

La bouche de Garrick frémit légèrement, comme s'il devinait qu'elle parlait non pas de leur danse mais de la réaction de son corps.

— Il faut que je vous demande quelque chose, répondit-il.

La déception lui perça le cœur. S'attendait-elle à ce qu'il soit venu pour la voir ? L'avait-elle espéré, contre toute raison ?

— Eh bien, demandez-le-moi, et qu'on en finisse.

Une femme qui passait dans une robe émeraude frangée d'or se retourna sur eux, alertée sans doute par le ton cinglant d'Eleanor.

Atterrée, celle-ci força un sourire sur ses lèvres et se laissa guider jusqu'à l'autre bout de la pièce. Beauworth la tenait maintenant serrée, la main sur sa taille, comme l'aurait fait un amant, ou presque.

— Pas ici, murmura-t-il quand ils s'arrêtèrent de tournoyer, si près de l'oreille de la jeune femme qu'un frisson passa sur sa nuque.

— Je vous demande pardon ?

— Nous ne pouvons parler ici. Faisons une promenade en voiture, demain après-midi.

Ce n'était pas une requête, mais quasiment un ordre. Eleanor se raidit. William serait déjà furieux s'il apprenait qu'elle avait dansé avec lui ; que dirait-il s'il avait vent d'une promenade en voiture ? Et pourtant elle se sentait tentée. Son cœur piaffait comme un jeune poulain.

— Et si je dis non ?

— En ce cas, répondit-il, le regard soudain plus froid, il faudra que je trouve ma réponse ailleurs.

Il y avait quelque chose de sombre dans sa voix. Pas vraiment une menace, non, mais il regardait Sissy du coin de l'œil.

La danse terminée, il la raccompagna auprès de sa tante. Mme Bixby s'était esquivée, probablement impatiente d'aller régaler ses amies du récit de l'incursion de Beauworth dans le monde des dames respectables. La nouvelle risquait de causer un certain émoi parmi les familles qui cherchaient à caser leur progéniture. Eleanor ne pouvait se garder d'éprouver une certaine fierté à cette idée.

— Je passerai vous prendre à 4 heures, annonça-t-il.

Zut ! Elle avait hésité trop longtemps. Sans compter qu'il savait pertinemment qu'elle ne le laisserait pas approcher sa petite sœur.

— Je serai prête.

Beauworth salua la tante Marjorie et s'en fut.

— Prête pour quoi donc, ma chérie ? s'enquit cette dernière.

Eleanor répondit d'un air absent, en regardant Garrick s'éloigner au milieu de la foule qui s'ouvrait devant lui comme devant une créature dangereuse :

— Il veut m'emmener en promenade demain.

— Oh, Seigneur ! Un si bel homme. Que vas-tu te mettre ?

Il disparut au fond de la pièce. Etait-il venu spécialement pour l'inviter ? Le souffle lui manquait rien que d'y penser, Peuh ! Il était bien plus vraisemblable que la raison de sa visite n'avait rien à voir avec elle, mais bien plutôt avec les tables de jeu autour desquelles il devait déjà rôder. Quelle sotte elle faisait !

— Pardonnez-moi, ma tante… vous disiez ?

— Je pense que tu devrais porter cette robe bleu ciel que tu t'es fait confectionner au début de la saison, repartit Marjorie en hochant la tête comme si la cause était entendue.

La robe à laquelle sa tante faisait allusion était un choix ridicule, pas du tout du genre qu'une jeune femme de son âge — c'est-à-dire plus vraiment jeune — pouvait porter. Du reste, elle ne l'avait pas une seule fois sortie de sa penderie.

— Je vais y réfléchir, promit-elle.

Comment l'aurait-elle pu quand son cœur battait une chamade effrénée et qu'elle cherchait la silhouette de Garrick dans la foule toutes les deux minutes ?

— Savez-vous où est Sissy, ma tante ?

— Là-bas, répondit Marjorie en désignant un couple de danseurs du bout de son éventail. Elle danse avec Felton. Ce pauvre garçon s'est entiché d'elle.

Lord Felton était un gentleman bien sous tous rapports, et qui ne risquait donc pas de profiter de l'enthousiasme de sa cavalière pour se permettre des choses inconvenantes. Eleanor soupira, soulagée. Le moindre murmure de scandale provoquerait inévitablement le retour immédiat de William à Londres. Le souvenir de leur mésaventure, quatre ans plus tôt, le hantait encore tant qu'il se comportait à l'égard de ses sœurs comme une véritable mère poule, quand bien même Eleanor lui jurait ses grands dieux qu'elle en avait terminé avec ses erreurs de jeunesse.

En sortant de sa maison de St James Street, Garrick releva le col de son manteau pour se protéger du vent aigrelet qui soufflait ce jour-là. A cette heure tardive, il y avait peu de monde dans les rues, et la brume fétide qui montait de la Tamise empêchait d'y voir à plus de cinq pas. Il aurait de loin préféré rester chez lui à siroter une bouteille de cognac pour oublier certains yeux gris plutôt que d'honorer la promesse faite à Dan.

Quand il arriva à destination, ce dernier l'accueillit sur le seuil de la mansarde de célibataire qu'il occupait, à deux pas de Piccadilly, en souriant d'une oreille à l'autre.

— J'allais bientôt renoncer à vous attendre, major, dit-il d'une voix dans laquelle il ne restait pas grand trace de son accent cockney d'antan.

— Tu finiras bien par prendre l'habitude de m'appeler Garrick, un de ces jours.

— Non, milord. Ce ne serait pas bien.

Dan — le lieutenant Dan Smith — ne se poussait pas du coude, quelque louange que son régiment puisse chanter sur lui. Il savait qu'il venait du ruisseau, et le moindre avancement, les moindres félicitations l'étonnaient toujours.

— Entrez, mettez-vous à l'aise.

L'enfant mal nourri et haut comme trois pommes d'autrefois mesurait maintenant cinq pieds et huit pouces, avait de larges épaules et l'air épanoui sous sa tignasse blonde. Avec son visage avenant et ses grands yeux bleus, il avait autant de succès auprès des femmes que Garrick lui-même ; mais il était bien trop timide pour profiter de leurs faveurs.

Garrick s'installa dans l'un des fauteuils placés devant la cheminée pendant que Dan remplissait deux verres. L'un de whisky pour son chef et l'autre de gin pour lui-même.

— Alors, vous l'avez vue ?

— Oui.

— Et... ? fit Dan d'une voix pleine d'espoir.

— Et... rien. Nous nous sommes vus, nous avons discuté, nous avons dansé, et je suis parti. Je n'ai rien ressenti, et elle non plus.

— Vous avez dansé ?

— Oui, répondit-il en faisant de son mieux pour avoir l'air blasé malgré la douleur qui lui vrillait le ventre.

— Comment l'avez-vous trouvée ?

Garrick réfléchit un instant. Il l'avait trouvée... superbe, très féminine. Plus pâle que dans son souvenir, presque terne, en fait, dans sa robe grise ; très sobre dans son attitude, comme si elle retenait ses émotions. Son indépendance d'esprit, cette pétulance qu'il admirait tant en elle semblaient avoir cédé la place à la sévérité des vieilles filles anglaises. Et pourtant, malgré tout cela, il y avait eu comme une étincelle entre eux, au cours de leur valse. A moins qu'à force d'espérer il ne l'ait tout simplement imaginée, allez savoir.

Surpris de percevoir une douleur soudaine en un point de son âme d'ordinaire endormi, il but une gorgée d'alcool.

— Assez bien, répondit-il. Un peu vieillie. J'avais oublié à quel point ces soirées mondaines sont assommantes. Et toi, quelles nouvelles ?

Toujours respectueux des humeurs de son chef, Dan n'insista pas et répondit avec une grimace :

— Nous attendons l'ordre du départ d'une minute à l'autre. Un de ces jours, Londres va se réveiller sans nous.

— C'est ce que je pense aussi. Le duc va agir très vite dès que le ministère aura pris une décision. En attendant, leurs atermoiements vont coûter cher à nos hommes.

Les gens du ministère de la Guerre avaient trop souvent fait fausse route pour que les choses changent désormais. L'armée anglaise ne devait son salut qu'à l'instinct de Wellington, en vérité.

— Et vous ? s'enquit Dan.

Il n'y avait que lui pour poser une telle question, car personne d'autre ne connaissait le rôle que jouait Garrick auprès des alliés de l'Angleterre. Beaucoup doutaient de sa loyauté, même s'ils prenaient grand soin de n'en rien laisser voir, et d'autant moins depuis que Prinny — c'était le petit nom qu'on donnait au prince régent — l'avait accepté dans le premier cercle de ses proches. Mais les charognards montaient la garde et, si on l'apercevait une nouvelle fois en

France, les choses allaient devenir vraiment compliquées. Il se fiait néanmoins à Dan autant qu'à lui-même.

— Je dois partir à la fin de la semaine.

— Si tôt que ça ! commenta le jeune homme en sifflant entre ses dents. Vous prendrez soin de vous, n'est-ce pas ?

Il était bien le seul au monde à tenir à lui. Assez pour s'inquiéter en tout cas.

— Et ensuite, quand Napoléon aura été remis sous les verrous ?

Ensuite ? Il ne pensait jamais vraiment à l'avenir. Etre encore vivant à cet âge le surprenait tous les jours. Très certainement, il ne reviendrait pas en Angleterre. A quoi bon ? Rien ni personne ne l'y attendait.

— Une autre guerre peut-être ? Je pourrais devenir mercenaire.

Dan le considéra d'un air sombre.

— Et l'autre affaire ?

— Je lui ai proposé de faire une promenade en voiture avec moi, demain.

— Et elle a accepté ?

— Oui.

Il regrettait encore de l'avoir menacée, mais quel choix avait-il ?

— Lui direz-vous que Le Clere a été vu en Angleterre ?

— Je n'en vois pas l'intérêt. Pas tant que nous n'en sommes pas certains. J'ai bien l'intention de lui tendre un piège avant qu'il n'approche les Castlefield. Allons, changeons de sujet, veux-tu ?

Il tendit son verre pour trinquer avec Dan.

— A ta santé et à celle des tiens, mon garçon. Puisses-tu rentrer chez toi en bonne santé.

— Pareillement, milord.

Garrick avala le reste de son whisky d'un seul trait. Il n'avait pas, ou plus, de famille.

Décidé à penser à autre chose, il brandit son verre pour

que Dan le remplisse. Mieux valait prendre le plaisir qui s'offrait à lui quel qu'il soit. Quelques heures avec elle, par exemple, même s'il craignait qu'elles ne soient pas vraiment plaisantes pour tous les deux.

Finalement, Eleanor décida de porter la robe bleue. Après tout, on ne sortait pas en promenade avec une personne du rang de Beauworth accoutrée telle une préceptrice, comme le lui avait péremptoirement fait remarquer Sissy avec toute l'assurance de sa jeunesse.

Elle descendit les escaliers, quelques minutes avant l'heure du rendez-vous, plutôt satisfaite par ce qu'elle venait de voir dans la glace en passant sur le palier du premier. Son cœur battait un peu trop vite, et une boule s'était formée dans son ventre, mais de telles choses ne se remarquaient pas, Dieu merci.

Sissy surgit du salon comme elle posait le pied sur la dernière marche.

— Tu es ravissante, lança-t-elle. Je savais bien que cette robe serait parfaite. Elle fait ressortir à merveille le gris de tes yeux.

— Allons, Sissy, je t'en prie. Tu parles comme un garçon.

— Ha ! s'exclama la jeune fille en repoussant quelques mèches brunes de ses épaules. Cesse de jouer les rabat-joie, Len.

La pendule sonna 4 heures en même temps que le heurtoir claquait à la porte d'entrée.

— Vite, chuchota Sissy. Dans le salon ! Il ne faut pas que tu aies l'air de l'avoir attendu.

— Sissy ! se récria Eleanor, sans pouvoir étouffer un petit rire.

Décidément, sa sœur avait adopté avec un enthousiasme et un zèle confondants la tournure d'esprit des débutantes dès sa première saison.

Elle se laissa pousser dans le petit salon tandis que le majordome se hâtait vers la porte.

— Ravissant, commenta la tante Marjorie en quittant un instant son ouvrage des yeux.

— Je vous remercie, ma tante.

La vieille dame n'aurait pas dit la même chose si elle avait su à quel point cette visite ferait enrager William. Cela dit, quand il en serait informé, il n'y aurait plus rien à en dire. Pour l'heure, elle comptait bien répondre aux questions de Beauworth, après quoi elle lui demanderait de ne plus l'importuner, de même que sa famille. S'il avait le sens de l'honneur, il en conviendrait. Et c'en serait terminé une fois pour toutes.

Son cœur se serrait à cette idée, mais elle l'ignora et choisit d'aller s'asseoir auprès de l'une des fenêtres.

— Non, pas là, Ellie, objecta Sissy. La lumière t'obscurcit le visage. Et pourquoi portes-tu cet affreux bonnet sous ton petit chapeau de paille ? On dirait une vieille fille !

Ce qu'elle était précisément.

— Il est trop tard pour changer quoi que ce soit, dit-elle calmement, quoique son cœur se mît à cogner follement dans sa poitrine lorsque Garrick apparut sur le seuil de la pièce.

Il ne pouvait pas voir les traits de son visage, mais elle voyait les siens parfaitement. Ils étaient toujours aussi beaux mais plus durs, décidément, surtout autour de la bouche et au coin des yeux, comme du granit dans lequel la pluie et le vent auraient creusé de profonds sillons. Du jeune homme d'antan demeuraient encore quelques vestiges dans son sourire, dans le dessin de sa mâchoire ou les ondulations de ses cheveux bruns.

Il prit la main de la tante Marjorie dans la sienne et murmura un salut poli avant de s'approcher de Sissy, qui leva les yeux sur lui.

— J'imagine que vous ne vous souvenez pas de moi, lança-t-elle.

— La dernière fois que je vous ai vue, vous aviez de la suie sur le bout du nez, répondit Garrick en lui décochant un sourire enjôleur.

Eleanor sentit son ventre se nouer encore une fois et se demanda si elle pourrait jamais voir ce sourire sans fondre.

— Je reconnais bien là le vilain marquis de ma sœur, milord. Vous n'avez pas changé.

— Sissy, ce ne sont pas des façons ! l'admonesta Eleanor.

Il se tourna vers elle, un sourire ravageur sur les lèvres. Elle allait se sentir mal s'il continuait.

— Que dis-tu, ma chérie ? s'enquit la tante.

— Rien, répondit Sissy en souriant d'un air ingénu et en faisant un clin d'œil aux deux autres.

— Etes-vous prête, lady Eleanor ? J'ai beau grandement apprécier la compagnie de ces dames, mes chevaux détestent attendre.

Il la prit par la main et la fit se lever, plongeant ses yeux dans les siens comme s'il cherchait à lire dans son regard. Mais quoi ?

— Oui, milord, répondit-elle en relevant le menton fièrement et en lui rendant un regard glacial. Tout à fait prête.

Sissy se précipita vers la fenêtre et là, sur la pointe des pieds, le nez collé à la vitre, s'exclama :

— Oh ! Un phaéton ! Et tiré par deux alezans !

— Eloigne-toi de cette fenêtre, ma chérie, dit Marjorie. Et vous, milord, prenez grand soin de ma nièce. Rien que de l'imaginer perchée sur l'une de ces voitures me donne des palpitations.

— Ne vous inquiétez pas, mademoiselle Hadley, repartit le marquis. Je prendrai soin de lady Eleanor comme je le ferais pour moi-même.

Sa voix de velours semblait une caresse sur la peau d'Ellie, l'emplissant d'une étrange sensation de manque.

— Je ne m'inquiète pas, milord, dit cette dernière en souriant tant bien que mal.

— Comme à l'ordinaire.

Il se trompait, bien sûr, car elle avait beaucoup craint pour sa vie pendant toutes ces années, sans pouvoir le montrer à quiconque.

Une fois dehors, Eleanor s'aperçut que Sissy avait raison : la voiture de Garrick semblait bel et bien dangereuse tant elle était haute. Les chevaux, qu'un jeune garçon retenait par la bride, avaient fière allure. Elle aurait adoré les conduire ; autrefois, du moins, dans sa folle jeunesse.

Elle aurait pu se passer de son assistance, mais elle le laissa l'aider à monter sur le marchepied et à prendre place sur la banquette. Quand elle fut assise, elle lissa sa jupe en s'étonnant encore une fois de la hauteur du véhicule, qui tanguait au moindre mouvement sur ses ressorts en col de cygne.

Ayant fait le tour du phaéton pour grimper à son côté, le marquis prit le fouet dans son étui en en saisissant la poignée dans sa main droite et le bout de la lanière dans l'autre, en un geste digne d'un cocher de profession.

— Etes-vous nerveuse, lady Eleanor ? s'enquit-il en la regardant d'un œil scrutateur.

— Certainement pas.

Le fait que son cœur batte la chamade depuis le matin avec une intensité qui ne se démentait pas n'avait évidemment rien à voir avec sa présence au côté de Garrick. Elle manquait de sommeil, voilà tout.

— Parfait, en ce cas, nous nous passerons des services de ce jeune homme. Rentre à la maison, Jeffers, ajouta-t-il, d'une voix plus forte.

Eleanor n'eut pas le temps de protester contre cette décision inconvenante que déjà le garçon en livrée les saluait et s'écartait de l'attelage, lâchant la bride qu'il tenait à la main. Le marquis lança aussitôt les chevaux au petit trot, et la voiture s'ébranla tranquillement.

— C'est plus intime ainsi, Ellie, expliqua Garrick. Je ne veux pas que quelqu'un puisse entendre notre conversation.

— Nous n'avons rien à nous dire en privé, protesta-t-elle en le fusillant du regard, terriblement contrariée. Et vous auriez dû me demander ma permission.

— Demander ne me réussit pas vraiment.

Que diable signifiait cette remarque énigmatique ? Il ne faisait pas allusion à sa calamiteuse demande en mariage, tout de même ! Avait-il l'intention de la réitérer ? Une vague d'espoir la submergea.

Il tourna dans Piccadilly et se dirigea vers Hyde Park. Eleanor admira ses talents de cocher lorsqu'il contourna un coche à l'arrêt chargeant un passager et évita proprement le fardier d'un brasseur qui venait dans l'autre sens. Il donnait l'impression qu'il n'y avait rien de plus facile, mais en fait les chevaux requéraient toute son attention ; aussi resta-t-elle tranquillement assise, heureuse de profiter de l'occasion d'être conduite à travers la ville par un maître cocher et de pouvoir contempler à son aise son profil parfait, les boucles qui frisaient sur ses tempes, sa carrure imposante, son visage énergique. Elle laissa son regard errer imprudemment sur les lèvres sensuelles, l'abrupt du menton. Il était toujours aussi beau, et avec l'air dangereux, en plus. Très dangereux.

Ils entrèrent dans Hyde Park et prirent immédiatement Rotten Row, sur laquelle seuls quelques badauds paradaient dans leurs voitures.

— Voilà ! Je peux me concentrer sur vous à présent, au lieu de garder l'œil sur ces bêtes.

Se concentrer sur elle ? Ces mots la rendirent toute pantelante de désir. Mais ce n'était pas ce qu'il voulait dire, bien sûr.

Si ?

Elle tâcha d'ignorer le mince espoir qui lui remuait le ventre en gardant les yeux fixés sur les chevaux qui encensaient nerveusement chaque fois qu'ils croisaient un promeneur à pied.

— Ils ont besoin de se dégourdir les pattes, remarqua-t-elle.

— J'aurais peut-être dû vous emmener jusqu'à Brighton. J'ai la clé du Pavillon Royal.

Il disait cela d'un ton badin ; elle sentit néanmoins un peu de défi dans cette phrase. Et un peu d'espoir aussi, peut-être. Ellie dut lutter pour repousser le désir qui lui venait de briser les chaînes qu'elle s'imposait depuis des années et de dire oui, en faisant fi de son devoir et des convenances.

— C'était juste un commentaire, milord.

— Naturellement.

— Eh bien, je vous écoute. Qu'avez-vous donc de si important à me dire qu'il vous faille me parler sans témoins ?

C'était dit d'un ton sec, plus qu'elle ne l'aurait voulu, en fait — assez tout de même pour lui éviter d'avoir l'air enamourée.

— Vous avez changé, Ellie.

— Je suis plus vieille, et plus sage.

— Mais pas plus heureuse, si je ne me trompe pas.

— Mon bonheur n'est pas votre affaire.

Comment aurait-elle pu être heureuse en entendant continuellement parler de ses conquêtes, en sachant que d'autres femmes profitaient de ses faveurs ? D'autant que, comme une petite sotte, elle fondait à chaque mention de son nom parce que, prétendument, cela le rapprochait d'elle ; alors qu'il était parfaitement évident qu'il n'avait jamais pensé à elle pendant tout ce temps, jusqu'à ce qu'il ait besoin d'elle.

— Il aurait pu l'être, répondit-il.

Elle avait choisi et elle assumait les conséquences de son choix, si douloureux qu'il fût.

— Votre question, je vous prie ?

— Très honnêtement, je ne sais pas comment vous demander cela.

— Eh bien, essayez.

Ah ! Quelle torture que de l'avoir à son côté, et de devoir cacher la fièvre qui montait en elle. Une fièvre sans remède.

— Après que vous… Quand tout a été fini, j'ai rejoint l'armée. Certaines rumeurs circulaient à mon propos, selon lesquelles j'avais déshonoré une femme de la noblesse.

Il parlait calmement, mais sa voix avait des accents amers.

— Impossible, personne n'était au courant, affirma-t-elle.

— Sauf à votre frère.

— Prétendez-vous que William a sali votre nom ? s'indigna-t-elle.

— Oui.

Cette réponse péremptoire l'ébranla.

— Il y a une chose que je veux que vous disiez à votre frère, ajouta-t-il.

Elle s'imaginait bien parler de Garrick avec William !

— Je…

— Dites-lui que ce n'est pas moi qui l'ai blessé.

La bise qui soufflait se transforma soudain en une bourrasque glacée. Quand Eleanor porta la main à sa gorge, elle sentit son cœur palpiter frénétiquement dans sa poitrine.

— Quoi ?

— Il m'a surpris au moment où je quittais le logis du portier par l'une des fenêtres. Il savait d'où je venais et est allé rapporter ma conduite inqualifiable. Je crois qu'il avait une sorte de béguin adolescent pour cette jeune fille. Croyez-moi, elle n'était pas vraiment l'ange qu'il imaginait.

— Que s'est-il réellement passé ? Il ne m'a jamais raconté toute l'histoire.

— C'est parce qu'il ne la connaît pas, répondit Garrick en évitant un phaéton qui venait de s'arrêter à la hauteur de deux demoiselles. Votre frère m'a frappé par-derrière et m'a presque assommé. Je l'ai traité de mouchard devant ses amis et l'ai menacé de lui casser la figure.

Visiblement, ce récit l'émouvait, car il grimaça.

— J'ai perdu mon sang-froid, je l'avoue. Plus tard, cette nuit-là, quelqu'un est entré dans sa chambre et l'a frappé avec un gourdin pendant qu'il dormait.

— Il soutient que c'était vous.

— Je n'ai pas été le seul à être puni ce jour-là. Le portier a été renvoyé. On a oublié de lui demander de rendre ses clés, à moins qu'il n'en ait eu un jeu de rechange. Toujours est-il qu'il pouvait se plaindre d'avoir perdu bien plus que moi dans cette affaire. Etre contraint de servir les professeurs à leur table tous les jours pendant un mois ne peut justifier qu'on batte un homme presque à mort, mais perdre son gagne-pain, si.

Et elle avait cru William, bonté divine ! Cela lui déchirait le cœur d'y penser. Garrick, lui, semblait impavide, comme si tout cela ne l'affectait en rien. Comment pouvait-il être aussi calme alors qu'on l'avait accusé si injustement ? Peut-être s'en moquait-il désormais ?

— Avez-vous la preuve de ce que vous avancez ?

Il la regarda, un sourire cynique aux lèvres.

— Vous doutez encore de moi ?

— Non. Je pensais à William. Il ne va pas être facile de le faire changer d'avis après toutes ces années.

Il hocha la tête.

— J'ai retrouvé la fille de cet homme voici un an. Son père est mort, et elle est tombée assez bas, je dois dire, mais elle s'est souvenue de moi. Elle a été contente de pouvoir me dire la vérité. Elle en jurerait de nouveau sur la Bible s'il le fallait. Elle peut même nommer ceux qui ont aidé son père.

Il y eut un silence, très court, puis il ajouta :

— Me croyez-vous, Ellie ? Votre confiance m'importe autrement plus que celle de William.

Une joie étrange investissait Eleanor. Avoir eu raison au sujet de Garrick depuis le début lui ôtait un poids terrible des épaules.

— Oui, je... je vous crois. Comme je regrette de n'avoir pas su lorsque...

— Moi aussi. Mon but premier, toutefois, en sollicitant cet entretien privé, n'était pas de régler mes comptes avec votre frère.

— Mais alors, quoi ?

— Reportez-vous au jour de la rançon, Ellie. Ou à la lettre de Piggot, si vous préférez.

Ils croisèrent une voiture dans laquelle se tenaient assises deux dames, l'une âgée et l'autre jeune et fort jolie. Garrick les salua toutes deux d'un petit mouvement de tête.

Eleanor ne se rappelait que trop ces jours funestes.

— William l'a jetée à vos pieds, dit-elle en fronçant le sourcil.

— Je l'y ai laissée. Je ne voulais pas leur donner l'occasion de tirer sur vous.

Il s'était montré d'une bravoure admirable ce jour-là. Elle lui devait la vie, tout comme William.

— Elle vous était adressée, c'est tout ce dont je me souviens.

Garrick tira sur les rênes pour retenir les chevaux qui venaient subitement d'accélérer et qu'il lui fallut un moment pour calmer.

— Pourquoi ? demanda-t-il.

— Je vous demande pardon ?

— Pourquoi m'était-elle adressée à moi, l'accusé ? Et qu'en est-il advenu ?

Son visage demeurait calme, mais la colère faisait vibrer sa voix.

— Je n'en ai aucune idée. Je suis navrée.

— Je veux cette lettre.

Qu'est-ce que ce pli avait à voir avec elle ?

— Le Clere a dû profiter de la mêlée pour la ramasser.

— Impossible. Quelqu'un d'autre l'a prise.

— Mais qui ?

— Qui croyez-vous ? lança-t-il avec un regard de côté.

— Si William l'avait fait, il n'aurait eu qu'à l'envoyer aux autorités, et l'on vous aurait remis en prison, répliqua-t-elle, le ventre plus noué que jamais.

— Précisément. Je veux cette lettre, Ellie.

Elle reprit son souffle difficilement.

— Vous pensez que je l'ai en ma possession !

Il était inutile qu'il réponde. Elle n'avait pas cette stupide lettre, mais à voir la façon dont il la regardait il ne risquait pas de la croire de sitôt.

— Pourquoi diable la voulez-vous, après tout ce temps ?

La main gantée de Garrick se crispa sur les rênes.

— Parce qu'elle m'était adressée.

— Je ne l'ai pas.

— Fort bien, dit-il avec un soupir d'impatience. Permettez que je vous rappelle ce qui s'est passé : vous êtes montée sur cette charrette et vous avez bandé ma plaie, ce dont je vous suis très reconnaissant. Ensuite, vous avez traversé le champ et avez ramassé la lettre. L'avez-vous lue ?

Elle pinça les lèvres.

— Répondez-moi, Ellie. L'avez-vous lue ?

L'homme impavide semblait fondre comme neige au soleil sous le feu de sa colère. Et, sous cette rage, elle entendait les cris apeurés et les pleurs d'un petit garçon solitaire et blessé. Cela la rendait très triste elle-même, au point qu'elle en avait les yeux qui la piquaient.

— Je n'ai pas votre lettre. Et, quand bien même je l'aurais, pourquoi remuer le passé ?

— Pour m'éviter de devenir fou, répondit Garrick, laissant s'exhaler le fond de son cœur après une longue hésitation. Enfin… si vous ne voulez pas m'aider à découvrir la vérité, je me passerai de vous.

Elle tendit la main pour lui toucher le bras en un geste d'apaisement.

— Je vous en prie, oubliez tout cela. Si quelqu'un avait

cette lettre, il l'aurait déjà utilisée contre vous. Peut-être le vent l'a-t-il emportée, qui sait ?

Garrick repoussa sa main et fit claquer son fouet au-dessus du premier cheval, lançant l'attelage au galop.

— Moins vite ! cria-t-elle comme ils entraient sur le Mall.

Mais Garrick semblait ne plus l'entendre, trop occupé à conduire la voiture au milieu des autres véhicules à une vitesse folle, les traits granitiques. Il était en colère, sans doute, mais il se trompait totalement de cible.

Quelques minutes plus tard à peine, il arrêta la voiture devant la maison d'Eleanor. Il ne prit pas même la peine de la raccompagner jusqu'à sa porte ; après l'avoir aidée à descendre le marchepied, il fit derechef claquer son fouet et la planta là, sur le trottoir, sans autre forme de procès.

Elle mâchonna le bout de son gant en se remémorant les jours anciens. Ils avaient tant changé, tous. Elle-même, Garrick, William. Il n'y avait que Sissy qui restait la même.

Elle frissonna.

Chapitre 10

Eleanor craignait de s'évanouir tant elle étouffait. La salle de bal des Smithwick était bien trop petite pour accueillir tous les invités. Elle ne pouvait même pas voir la piste à cause de la foule qui se pressait autour d'elle alors que, de retour des commodités, elle essayait de rejoindre sa tante.

— Où est Cecilia ? demanda-t-elle en s'asseyant enfin.

— Elle était ici il n'y a pas longtemps. Beauworth l'a invitée à danser.

Le cœur d'Eleanor fit une embardée.

— Beauworth ?

— Lui-même. Il a tourné son invitation assez joliment. Cela a fait rire ta sœur.

Pourquoi tout cela ? Le ventre noué, elle se haussa sur la pointe des pieds pour tenter d'apercevoir Sissy.

— Je ne la vois pas.

N'avait-il pas dit qu'il se passerait d'elle pour trouver la vérité ? Il vaudrait mieux pour lui qu'il ne s'avise pas d'impliquer Cecilia dans cette affaire. Un frisson glacé lui passa sur l'échine. Elle sentait confusément qu'un drame se préparait.

— Je vais la chercher.

— Elle sera de retour dès la fin de cette valse, affirma la tante Marjorie. Je n'ai jamais entendu dire que Beauworth s'intéressait aux tendrons.

C'avait pourtant été le cas, quelques années plus tôt…

— Je reviens tout de suite, promit Eleanor.

Cela sentait l'essence de rose, la lotion capillaire et —

vaguement — la transpiration. Eleanor déploya son éventail dans l'espoir de se procurer un peu d'air frais pendant qu'elle faisait, à deux reprises, le tour de la piste de danse. Las, elle ne vit pas les deux danseurs. Ils n'étaient tout simplement nulle part dans cette pièce, elle en avait la certitude. Elle aurait senti la présence de Garrick, forcément.

Elle se dirigea vers les portes en se faufilant au milieu de groupes serrés de gens qui tâchaient de se faire entendre par-dessus le vacarme.

Finalement, elle atteignit le hall d'entrée. C'était comme de passer d'un seul coup d'un asile de fous à un sanctuaire. Elle respira profondément, soulagée. Où pouvaient-ils être passés ? Elle allait avoir une petite conversation avec sa sœur. Comment osait-elle disparaître ainsi ? Et sans chaperon, par-dessus le marché ! Garrick aussi allait l'entendre.

Au milieu du couloir, elle croisa un jeune lieutenant aux cheveux blonds et au visage avenant, sanglé dans un uniforme vert foncé, qui hésita en arrivant à sa hauteur.

— Lady Eleanor ?

Elle fronça le sourcil, intriguée. Il lui rappelait quelqu'un, mais elle ne se souvenait plus qui.

Le jeune homme sourit en s'inclinant devant elle, des étincelles dans ses grands yeux bleus.

— Je suis Dan Smith, milady.

— Dan ? Seigneur ! Jamais je ne vous aurais reconnu. Et vous voilà lieutenant, à présent. Félicitations.

La guerre semblait avoir donné l'occasion d'avancer magnifiquement dans la vie au garçon chétif mais intelligent d'autrefois.

— Milord Beauworth m'a recommandé, répondit Dan avec fierté.

Visiblement, il avait une grande affection pour Garrick. Ce qui rappela à Eleanor la raison de sa présence en ce lieu.

— Avez-vous vu le marquis et lady Cecilia ?

— Je crois qu'ils sont dans le salon. Il y a là quelques tables de jeu. Puis-je vous accompagner ?

Ellie accepta en souriant et lui prit le bras. Ils arpentèrent le couloir brillamment éclairé et tendu d'un tapis d'Aubusson qui amortissait le bruit de leurs pas. Eleanor sentait son cœur s'affoler à l'idée de revoir Garrick. Elle avait espéré pouvoir l'éviter.

Ils trouvèrent la salle de jeu vide, hormis deux vieux messieurs qui y disputaient une partie de whist. Dan balaya la pièce du regard d'un air étonné. Déçue, Eleanor faisait mine de ressortir, quand une saute de vent fit danser les rideaux, révélant une fenêtre ouverte. Elle coula un regard vers Dan, qui se raidit d'un coup.

Avant qu'elle puisse faire quoi que ce soit, le jeune homme se précipita vers la tenture et l'ouvrit. La fenêtre à la française donnait sur une terrasse. Sans hésiter, il franchit le seuil, Eleanor sur les talons.

Assise sur un siège de pierre, les jupes relevées au-dessus du mollet, Sissy avait le pied posé sur le genou à terre du gentleman qui lui faisait face. Le marquis, car il s'agissait bien de lui, était occupé à remplir de champagne l'escarpin rose de la demoiselle et leva les yeux sur les intrus, un sourire sardonique aux lèvres.

Eleanor ne put retenir un cri d'indignation.

— Cecilia ! Qu'es-tu en train de faire ?

Le visage rieur, la jeune fille leva les yeux à son tour.

— Len ? N'est-il pas le plus ridicule des hommes ? lança-t-elle en gloussant. J'ai bien peur de perdre mon pari.

Elle avait l'air ivre. C'était une catastrophe. Ils risquaient le scandale. Une indiscrétion et il éclaterait au grand jour.

Crispée des pieds à la tête, prête à exploser, Eleanor parvint tout de même à parler d'une voix calme.

— Et quel sera ton gage, si je peux me permettre ?

— Un baiser.

Dan se figea.

Même un roturier comme lui trouvait ce comportement inqualifiable. Eleanor arracha l'escarpin des mains du marquis et en vida le contenu par-dessus la balustrade.

— Remets-le, Siss, ordonna-t-elle. Tout de suite.

En se relevant, Garrick lui dit, avec un sourire cynique :

— Bonsoir, lady Eleanor.

Elle serra les dents très fort, se retenant avec quelque peine de lui jeter la chaussure au visage.

— Lady Cecilia, poursuivit Garrick d'une voix douce, je crains fort que votre sœur n'attache que très peu de valeur à la parole donnée. N'ai-je pas raison, milady Eleanor ?

C'était un coup bas que cette allusion au fait qu'elle n'avait pas respecté les termes de leur marché, mais il faisait mal, très mal. Elle devait être rouge pivoine, à en juger par la chaleur qui lui piquait les joues. Ignorant la remarque, elle poussa sans ménagement le pied de sa sœur dans l'escarpin mouillé et la força à se relever.

— Retournons à la salle de bal avant qu'on ne s'aperçoive de notre absence.

— Milady, intervint le lieutenant Smith en parlant bas, d'une voix inquiète. Puis-je suggérer que si nous rentrons tous les quatre, milady Cecilia à mon bras et vous à celui de M. le marquis, nous aurons l'air d'avoir fait une petite promenade tous ensemble ?

— Vous êtes très aimable, lieutenant, répondit Eleanor en adressant au jeune homme un regard plein de gratitude.

— Tu m'attaques par le flanc, Dan ? maugréa Beauworth depuis la pénombre où il se tenait. Cette fois-ci, je me rends.

Le lieutenant offrit son bras à Sissy, qui s'agrippa à lui sans demander son reste.

— Cecilia, je te présente le lieutenant Smith.

— Bonsoir, lady Cecilia, murmura celui-ci, rouge de confusion.

— Enchantée, lieutenant, répondit la jeune fille avec

un sourire qui, pour être de guingois, n'en était pas moins fort gentil.

L'air un peu perplexe, Dan posa la main qu'elle lui tendait sur son bras.

Eleanor ferma les yeux l'espace d'une seconde. Que Dieu les protège ! Sissy était une demoiselle incontrôlable.

Elle ignora le regard courroucé de Garrick et lui prit le bras à son tour.

— Comment osez-vous ? murmura-t-elle.

— Pour obtenir ce que je veux, j'oserais n'importe quoi, lady Eleanor. Comme vous.

— Vous n'avez pas idée à quel point je regrette ce que j'ai fait, repartit-elle, submergée par une nouvelle bouffée de chaleur.

Le rythme de la respiration de Garrick changea brusquement. L'avait-elle ému ? Las, quand elle le regarda, elle lut sur son visage l'expression d'un ennui abyssal.

— Promettez-moi de ne plus vous approcher de Sissy.

— Me croiriez-vous si je le faisais ?

Elle n'eut pas le temps de répondre car ils entraient dans la salle de bal. Qu'il promette ou non, elle veillerait soigneusement à ce que Sissy reste à l'écart de Beauworth à l'avenir.

Quelques têtes se tournèrent vers eux quand ils traversèrent la salle, mais on ne fit aucun commentaire, ce dont Eleanor se trouva soulagée. Le lieutenant Smith raccompagna Sissy à sa place et la salua très poliment. Ellie s'assit à côté de leur tante Marjorie et remercia les deux messieurs pour les congédier.

C'était du moins ce qu'elle espérait, mais Sissy lança :

— Vous ne dansez pas, lieutenant ?

Smith se tourna vers elle, le visage cramoisi. Beauworth, de son côté — l'ignoble individu ! —, s'amusait de la gêne évidente de son protégé en souriant d'un air gourmand.

Eleanor aurait voulu le frapper avec son réticule, mais elle fit semblant de n'avoir rien vu.

— Si, milady, répondit Smith. Je serais très honoré si vous m'accordiez un quadrille ce soir.

Sissy répondit avec un sourire espiègle :

— J'en ai un de libre, après le souper.

Sérieux comme un pape, le jeune lieutenant s'inclina devant la jeune fille.

— En ce cas, je reviendrai. Je vous remercie.

Là-dessus, il prit le marquis par le bras et l'entraîna plus loin.

Cecilia regarda s'éloigner le soldat angélique et son diable d'officier d'un air pensif. Ces deux-là formaient une étrange paire…

— Vraiment, Cecilia, soupira Eleanor, qu'est-ce qui t'a pris de sortir seule sur la terrasse avec un débauché notoire ? Tu pourrais être perdue de réputation à l'heure qu'il est. Sans parler de demander à un homme de danser avec toi. C'est d'une inconvenance !

— Tu n'es qu'une vieille fille jalouse, Len.

Ellie jugea ces paroles affreusement blessantes et grossières, impardonnables pour tout dire, mais elle ravala sa fierté. C'était la faute de Garrick si Sissy avait bu trop de champagne, et se disputer avec cette dernière dans cette salle de bal bondée était évidemment hors de question. Du reste, à force de jouer les mamans auprès de sa sœur depuis des années, elle se sentait effectivement une vieille fille…

La dernière fois qu'elle avait vraiment eu le sentiment d'être jeune, c'était au cours de son été de folie avec Garrick. Elle gardait le souvenir d'une aventure à la fois débridée et merveilleuse ; or elle ne lui avait apporté que de la souffrance, au bout du compte.

Fini les aventures. Elle s'était calmée, une bonne fois pour toutes, et elle était heureuse, très heureuse.

Elle renifla dans son mouchoir, battit des paupières, puis

se joignit, comme elle était censée le faire, à la conversation que sa tante menait depuis un moment avec une veuve assise à son côté.

William arpentait nerveusement le salon tandis qu'Eleanor lui servait une tasse de thé.

— A quoi songes-tu de la laisser se comporter comme une petite sotte avec un homme qui sort du ruisseau ?

Bien évidemment, son souhait de voir son frère ignorer les commérages n'avait pas été exaucé. Elle adorait son frère jumeau, certes, mais il fallait avouer que depuis qu'il avait hérité de son titre il était d'une intolérance impossible.

— Cher William, le lieutenant Smith est un garçon très bien et très courageux. Tout le monde l'apprécie, même s'il n'est pas bien né. Il n'est qu'un prétendant parmi bien d'autres, et je t'assure que Cecilia n'en préfère aucun. Tu devrais être fier du succès qu'elle a auprès de la gent masculine.

— Je suis fier d'elle, répondit William. Mais enfin, Eleanor, tu sais bien que cet homme est totalement aux ordres de Beauworth.

Voilà la vraie raison de sa colère... Allait-elle oser lui parler de Garrick ? Son cœur cognait dans sa poitrine.

— A propos de Beauworth...

William fronça le sourcil.

— Je l'ai rencontré l'autre jour, dit-elle malgré sa gorge nouée.

— Je lui ai promis de le tuer s'il s'approchait de toi.

— Je t'en prie, Will. Il a la preuve qu'il n'est pas celui qui t'a blessé.

— Comment peux-tu être si crédule, bonté divine ? Tiens-toi à l'écart de cet homme. Je ne veux pas le voir rôder autour de cette maison, tu m'entends ?

Sa souffrance dut se lire sur son visage, car William, l'air coupable, s'assit auprès d'elle et lui dit :

— Je suis désolé de te parler durement, Len. Mais, si

quelque chose arrivait à Sissy, je ne me le pardonnerais jamais.

Tout comme il ne s'était jamais pardonné d'avoir été la cause du malheur d'Ellie. C'était d'ailleurs pour cela qu'elle ne lui en voulait pas.

— On a vu Beauworth en France, tu sais, reprit-il avec une grimace maussade. Mais personne n'ose l'accuser publiquement, quand bien même il est à moitié français.

Une moue de mépris tordit la bouche de William.

— Il s'attache à obtenir la faveur du prince régent.

— Ce sont des rumeurs, William, pas des faits, objecta Eleanor. Il… il y en a d'autres à son propos, qui m'impliquent personnellement. Tu n'as parlé à personne de ce qui s'est passé, j'espère ?

— Pour qui me prends-tu ?

Il semblait sur la défensive et soucieux d'éluder la question. Qu'avait-il pu faire pour se conduire de la sorte ?

Avec un sourire, elle lui tendit une tasse de porcelaine blanche liserée d'or.

— Je me suis toujours demandé ce qu'il y avait dans cette lettre que Le Clere t'a demandé d'apporter ce jour-là. L'as-tu lue ?

William changea de position sur son siège, faisant tressauter sa tasse sur la soucoupe dans la manœuvre.

— Bien sûr que non. Crois-tu vraiment que j'aurais risqué ta vie ?

L'indignation apparemment sincère de son frère la convainquit, et pourtant la façon dont il sirotait son thé, raide et gêné, le regard fuyant, ne laissait pas de lui donner le sentiment que quelque chose clochait.

— Et tu ne l'as pas ramassée, après coup ?

— Eleanor, ne change pas de sujet. Contente-toi de veiller à ce que ce jeune chiot de Smith soit respectueux avec Sissy et que Beauworth ne mette pas les pieds ici, et je m'en tiendrai là.

C'était lui qui changeait de sujet, et il y avait quelque chose de suspect dans ce soudain revirement à propos du lieutenant Smith. Il avait cédé trop vite. Il cachait quelque chose. A propos de la lettre ? Sûrement pas. A quoi lui aurait servi de garder le silence sur la culpabilité de Garrick ? Tonnerre ! Elle allait devoir s'enquérir elle-même de cette fichue lettre, ne serait-ce que pour avoir l'esprit tranquille. Elle enverrait un mot à Martin pour lui demander de la chercher. Ses fonctions d'intendant lui donnaient accès aux archives de William. Il n'aimerait pas cela, bien évidemment, mais elle trouverait le moyen de le persuader de l'aider une dernière fois.

Elle se rendit compte que William l'observait. Il devait attendre qu'elle réagisse à ce qu'il venait de dire concernant le lieutenant Smith.

— Je te remercie, dit-elle avec un sourire. De toute façon, m'est avis que la question ne se posera bientôt plus. Il doit être rappelé à son régiment d'un jour à l'autre. D'après lui, il est très vraisemblable qu'il reparte à la guerre.

— Sans aucun doute, confirma William en plissant le front.

— Dieu merci, ce n'est pas ton cas.

— Bon sang, Eleanor ! J'aimerais bien aller à la guerre moi aussi, figure-toi, et voir ce maudit Corse défait une fois pour toutes.

Son visage trahissait une excitation adolescente qu'elle ne se rappelait pas lui avoir vue depuis des années. Elle s'inquiéta.

— William, je t'en prie, pense à moi, et à Sissy. Que deviendrions-nous s'il t'arrivait quelque chose ? Ton devoir est ici.

Il eut un rire amer.

— J'aurais donné n'importe quoi pour participer à la curée. Si Michael n'était pas mort, j'aurais été là-bas, pour sûr.

— J'aimerais qu'il soit encore là, tout comme toi, mais

pas pour les mêmes raisons. Si son décès t'a évité d'aller te battre, tant mieux !

William sourit à ces mots, mais sa frustration se lisait toujours dans la façon qu'il avait de voûter les épaules et de pincer les lèvres. Il avait abandonné ses ambitions militaires à cause du titre qu'il portait désormais, pour le bien de sa famille. C'était un sacrifice qu'il regrettait chaque jour que Dieu faisait, elle le savait parfaitement.

— Il faut que je m'en aille, annonça-t-il en reposant sa tasse. J'ai rendez-vous chez White's avec quelques camarades de mon ancien régiment.

Il se leva gauchement et planta un baiser sur sa joue.

— Promets-moi de garder l'œil sur Sissy.

— Oui, William, c'est promis.

Elle le raccompagna jusqu'à la voiture et, en soupirant, le salua depuis le perron en agitant la main. Il faisait ce qu'il avait à faire et ne faillirait pas à son devoir. Elle non plus, d'ailleurs. Mais, une fois Sissy mariée, que ferait-elle ?

Comme elle s'apprêtait à rentrer dans la maison, un valet de pied surgit, dont elle ne reconnut pas la livrée.

— Vous habitez ici, mademoiselle ? s'enquit l'homme.

Seigneur Dieu, il la prenait pour une servante ! Elle avait beau savoir que sa robe était ordinaire, cela faisait un choc.

— Oui, en effet.

— J'ai une lettre pour une certaine lady… Sissy, déclara-t-il en lui jetant presque le pli au visage avant de détaler.

Sidérée, Eleanor le regarda filer à toutes jambes.

Elle baissa les yeux sur la lettre, la tourna dans tous les sens pour voir d'où elle pouvait venir. Un cachet rouge la tenait fermée, qu'elle reconnut pour celui de Beauworth.

Pourquoi diable Garrick écrivait-il à Sissy ? Quelle rouerie préparait-il ? « Je me passerai de vous pour découvrir la vérité… » Essayait-il d'impliquer Sissy dans sa quête ?

Elle gagna sa chambre. Là, elle s'assit à son petit bureau et retourna encore le pli dans tous les sens. Il était adressé à Cecilia, et donc elle ne devait pas l'ouvrir, évidemment. Mais William lui faisait confiance pour veiller sur leur sœur… S'il n'y avait rien de répréhensible dans ce billet, elle expliquerait les raisons de son indiscrétion. Bien sûr, Sissy serait en colère, mais il faudrait qu'elle comprenne qu'elle n'avait en tête que son bien.

D'une main tremblante, elle brisa le cachet.

Les mots s'étalaient impudemment sur toute la page :

Retrouvez-moi ce soir après minuit au coin de la place. Sur mon honneur nous conclurons notre marché.

Je compte sur vous.

B.

C'était tout. Nulle politesse, seulement un ordre. Il fallait qu'il soit vraiment sûr de lui. Eleanor sentit la colère monter en elle, brûlante, et très vite une main glacée lui serrer le cœur. Avait-il l'intention de convaincre Sissy de l'aider, de ruiner sa réputation pour servir ses intérêts égoïstes ?

C'était une chance que cet homme lui ait donné ce mot à elle plutôt qu'à son majordome car, en ce cas, elle n'aurait jamais été informée du complot. De la part de Garrick, c'était une sérieuse étourderie.

Depuis l'intérieur de sa voiture, Garrick observait la jeune femme cachée sous le capuchon de son manteau qui s'avançait vers lui. Minuit sonna. Elle était à l'heure. Un fanal, au coin de la rue, révéla seulement la taille de la demoiselle quand elle s'arrêta pour fureter autour d'elle. Il n'avait pas besoin de voir son visage pour reconnaître Ellie. Soulagé, il soupira. Après que son escapade avec Sissy sur le balcon avait échoué à la faire sortir de sa réserve, il n'avait trouvé que ce moyen-là pour lui forcer la main.

Dieu seul savait ce qu'il aurait fait si Sissy s'était présentée à sa place. Sans doute lui aurait-il servi un sermon avant de la renvoyer chez elle.

Il se réjouissait de constater qu'Ellie n'avait rien perdu de ce courage qui l'avait autrefois tant impressionné. Une voiture passa, qui lui masqua la jeune femme pendant quelques instants. Le souffle court, il attendit qu'elle s'éloigne pour voir réapparaître la silhouette et, quand il la vit s'engager pour traverser la rue, il eut un sourire carnassier.

Elle marchait droit vers le piège qu'il lui tendait.

Il ouvrit la porte de la voiture et sauta à terre, puis lui prit la main et y posa un baiser. Sous son capuchon, elle portait un petit chapeau à voilette.

— *Ma chérie*, murmura-t-il en français en se penchant à son oreille.

Un parfum de vanille frappa ses narines, réveillant des souvenirs enfouis. Langoureux. Sensuels. Les doigts d'Ellie tremblaient dans sa main. Sans doute s'inquiétait-elle de sa réaction quand il découvrirait la supercherie.

A la place de son frère, il l'aurait enfermée. Il aurait donné cher pour pouvoir l'enfermer lui-même dans une chambre. Mais cela n'avait aucune chance d'arriver jamais. Pas quand elle aurait appris sa trahison.

Sans un mot, elle monta dans la voiture et s'installa dans un coin de celle-ci.

Son plan fonctionnait à merveille. Une seule inconnue demeurait : elle-même.

— Je vais conduire, *ma chérie*, dit-il en se penchant à l'intérieur de la cabine. Ce sera plus discret.

Sur ces mots, il ferma la porte d'un geste sec et monta vivement à la place du cocher.

Surprise, Eleanor tendit la main pour saisir la poignée de la porte, mais la voiture s'ébranla. Pourquoi n'avait-elle pas remarqué l'absence de cocher, bon sang ? Sans doute devait-elle avoir été trop terrifiée par sa propre audace pour remarquer quoi que ce soit excepté la silhouette imposante de Garrick, qui l'attendait dans les ténèbres. Et comment aurait-elle pu imaginer qu'il la laisserait seule dans la cabine, sans aucun moyen de lui parler ?

Elle risqua un œil au-dehors. Où diable allaient-ils ? Chez lui ? Non. Ils venaient de quitter le quartier de St James et se dirigeaient à présent vers les faubourgs.

Il y avait une trappe juste au-dessus de sa tête. Devait-elle y frapper pour attirer l'attention de Garrick ? Peut-être valait-il mieux qu'elle attende qu'ils soient arrivés à destination. Malgré tous les efforts qu'elle faisait pour garder son calme, son cœur s'affolait de plus en plus dans sa poitrine.

Et si elle se trompait à son sujet ? Et si la colère prenait le pas sur sa raison, comme il le craignait tant ?

Après ce qui lui sembla des heures mais ne pouvait avoir duré plus d'une quarantaine de minutes, la voiture s'arrêta devant une maison petite quoique élégante, quelque part près de Chelsea.

Elle se tassa dans l'ombre quand il ouvrit la porte.

— Où sommes-nous ? s'enquit-elle.

Son courage semblait l'avoir abandonnée, tout d'un coup.

— Vous portez toujours votre voilette, ma chère ? dit Garrick en lui tendant la main. Quelle discrétion ! Un bon ami à moi m'a prêté son nid d'amour pour la soirée. Je vous promets que nous ne serons pas dérangés.

Cette phrase déclencha la colère d'Eleanor, qui connaissait ce genre d'endroit pour avoir entendu quelques dames de sa connaissance en parler. Il s'agissait le plus souvent de petites maisons tapies dans la campagne, à la lisière de la ville, dans lesquelles des pères de famille venaient chercher leur plaisir une fois rempli leur devoir de mari. Qu'il ait pu vouloir emmener sa sœur dans un endroit pareil la mettait dans une rage folle. Elle n'arrivait même pas à y croire.

Elle rassembla les mots qu'elle lui préparait depuis des

heures mais, avant qu'elle ait le temps d'ouvrir la bouche, il se pencha à l'intérieur de la voiture et lança :

— Allons, ma douce, ne soyez pas timide.

Son pied manqua le marchepied, et elle lui tomba dans les bras. Des bras musclés qu'elle se rappelait si bien… Ses mains fermes lui enserrèrent la taille, et il la laissa glisser le long de son corps avant de la reposer sur ses pieds. Elle frissonna, submergée par la vague brûlante du souvenir de certains instants de bonheur anciens. Combien de temps cela faisait-il depuis leur dernière étreinte ? Une éternité. Le désir qu'elle tenait enfoui au plus profond d'elle-même remontait à la surface, plus fort que jamais.

Garrick lui fit un grand sourire, découvrant ses dents blanches à la lueur du fanal accroché au-dessus de la porte. Elle tenait à peine sur ses jambes, et son cœur cognait dans sa poitrine. Il devait l'avoir entendu, forcément.

On eût dit qu'il sentait sa faiblesse, car il la souleva comme un fétu. Ah ! s'il avait su à quel point elle attendait de sentir ses bras autour d'elle !

Pendant un instant qui lui parut divin, merveilleux, elle reposa sa tête sur l'épaule de Garrick tandis qu'il sonnait à la porte, savourant la chaleur bienfaisante qui émanait de lui et qui depuis si longtemps hantait ses rêves.

Oh, Seigneur ! Et si quelqu'un les voyait ? Elle se débattit ; il la reposa complaisamment à terre, en étouffant un rire.

— Un peu de patience, mademoiselle.

La porte s'ouvrit sur un valet de pied en livrée verte, qui s'effaça devant eux. Garrick la prit alors par le coude et la guida, à travers l'entrée dallée de marbre aux murs couverts de miroirs étincelants, en direction d'un petit salon.

Par-dessous sa voilette, elle inspecta la pièce. Les murs vert sombre absorbaient l'essentiel de la lumière que diffusait l'unique chandelier. Un canapé tendu de velours marron faisait face à la cheminée de marbre blanc sculpté, à côté de laquelle se dressait une table portant une bouteille de champagne et deux coupes. Un tapis épais couvrait le sol devant l'âtre, sur lequel elle imagina instantanément Garrick occupé à honorer l'une de ses maîtresses. Détail troublant : le visage de cette dernière n'était autre que le sien !

Son cœur, qui jusque-là battait la chamade, cognait désormais dans sa poitrine avec une violence impossible, et elle se sentait en feu des pieds à la tête.

Au fond du salon, une porte donnait sur une autre pièce. Garrick se tenait derrière elle et lui caressait la nuque, le visage enfoui dans ses cheveux.

De délicieux frissons lui parcouraient l'échine. Les années passées semblaient s'évaporer, et elle avait une envie folle de s'abandonner contre lui et de le laisser l'emporter vers les confins du bonheur.

— Milord, dit-elle d'une voix ferme.

Les lèvres de Garrick se figèrent. Il s'écarta.

— Il faut que nous parlions, vous et moi, lança-t-elle en se débarrassant de son chapeau et de sa voilette.

Garrick sourit, découvrant de nouveau ses dents blanches, comme un loup jaugeant sa proie. Son regard, qui la balayait des pieds à la tête, faisait passer sur elle des frissons tantôt brûlants tantôt glacés.

— Tiens donc ! Ellie. Je m'y attendais.

— Bien sûr ! Vous m'avez fait remettre cette lettre par votre valet, à moi et à personne d'autre. Vous ne me ferez pas croire que vous pensiez que je ne l'ouvrirais pas.

Il eut l'air un peu ébranlé, mais se reprit vite.

— Ah, *ma chérie*, je savais que vous feriez n'importe quoi pour protéger votre sœur. Et même ceci.

Là-dessus, il se pencha sur elle sans prévenir et prit sa bouche en un baiser plein d'exigence. Du bout de la langue, il suivit les contours de ses lèvres, provoquant par cette caresse des torrents de feu dans les veines de la jeune femme, qui explosaient au fond d'elle en gerbes de bonheur et de plaisir. Son cœur cognait toujours plus fort. Pied à pied, elle résistait de toutes les fibres de son être.

— Vous vous refusez à céder, susurra-t-il, mais vous n'y parviendrez pas. Vous n'avez jamais pu.

— Pas plus que vous ? répliqua-t-elle, parfaitement consciente de l'essoufflement de sa voix. Je n'ai pas cette lettre, Garrick, je vous le jure sur mon honneur.

Décomposé, il s'arracha à elle, la désillusion et la colère vivement peintes sur son visage.

— Je crois que William l'a en sa possession, ajouta-t-elle. Il est revenu sur ses pas pendant que j'étais dans la voiture. Il a dû vous protéger pendant toutes ces années, à cause de moi.

— Lui ? Cela n'a aucun sens. Il ferait n'importe quoi pour me faire payer, j'en suis certain. A moins que…

Une expression horrifiée déforma ses traits.

— Oh, mon Dieu ! Non, ce n'est pas possible…

Il s'approcha de la fenêtre pour contempler les ténèbres.

— Quoi donc ? demanda Eleanor. Vous me faites peur.

Il se tourna vers elle et croisa son regard. Son visage était totalement fermé, comme s'il craignait de se trahir.

— Et si cette lettre m'innocentait ?

— Je ne comprends pas.

— Pourquoi la garderait-il par-devers lui si elle prouve ma culpabilité ? Réfléchissez, Ellie. Votre frère me hait.

Pas William. Impossible.

Garrick devait avoir deviné ce qu'elle pensait, car sa bouche se tordit en un rire amer.

— Vous imaginez toujours le pire quand il s'agit de moi, Ellie, et faites exactement le contraire pour lui. Obtenez-moi cette lettre et vous n'entendrez plus jamais parler de moi.

Il présentait cela comme un vulgaire pot-de-vin. Croyait-il vraiment qu'elle voulait cela ?

— Et si elle prouve votre culpabilité, quelles seront les conséquences ?

— Ce n'est pas votre affaire, répondit-il d'une voix dure, les yeux pleins d'une douleur indicible. Je veux cette lettre avant de partir pour la France.

— La France ? répéta Eleanor en se figeant sur place.

— Où voulez-vous que j'aille ? L'Empereur bien-aimé est de retour.

— Etes-vous en train de me dire que vous êtes un traître ?

— Je ne vous dis rien du tout.

— Et quand vous aurez cette lettre, poursuivit-elle sans relever, la peur déformant sa voix, je ne vous reverrai plus et je n'entendrai plus parler de vous, jamais ?

— Je vous le jure.

Elle avait l'impression qu'on lui écrasait le cœur. Ainsi, il pensait vraiment qu'elle se moquait de le revoir ou pas ? S'il partait pour la France, la petite lueur d'espoir qu'elle conservait au fond d'elle s'éteindrait une fois pour toutes.

— Garrick…

— Plus un mot, coupa-t-il en prenant son manteau pour le lui jeter, lui tournant le dos comme s'il ne supportait plus de la voir. Contentez-vous de trouver cette lettre.

— Vous me détestez, dit-elle en hoquetant, les mains crispées sur le tissu léger de son vêtement, cherchant désespérément à comprendre la colère de Garrick.

Il se retourna lentement. Deux pas, et il fut sur elle.

— Comment pourrais-je vous détester ? protesta-t-il en la prenant aux épaules. Avez-vous oublié que je vous dois la vie ?

C'était une grave erreur de l'avoir touchée, d'avoir pris le risque de sentir sa peau sous ses doigts. La lueur de désir qu'il lisait dans ses yeux révélait la profondeur de sa passion. S'arracher à elle devenait de ce fait presque impossible. Comme il avait eu tort de croire qu'il pourrait la séduire sans rien éprouver lui-même !

Elle leva la main pour repousser une mèche de cheveux de son front en une caresse légère et merveilleusement intime.

— Vous m'avez manqué, murmura-t-elle. Avez-vous jamais pensé à moi ?

Il ravala les mots qui lui venaient.

Jamais je n'ai cessé de penser à vous, de vous désirer, de vous chercher partout où j'allais.

Il n'osait pas admettre qu'il l'aimait, car elle s'en servirait contre lui, il en était sûr. Et pourtant il la désirait plus que jamais, corps et âme. Comme si, sans elle, il lui manquait quelque chose, comme s'il devenait un fantôme en son absence, une ombre parcourant la terre sans but.

— Etes-vous prête à repartir ? s'enquit-il en luttant de toutes ses forces pour se contrôler.

— Le faut-il vraiment ?

Cette naïveté décuplait sa colère.

— A quoi vous attendiez-vous, Ellie ? A ce que nous nous remémorions le bon vieux temps ? Allons donc. Il n'est qu'une seule chose pour laquelle les messieurs font venir des femmes dans une maison comme celle-ci. Si nous ne partons pas tout de suite, je ne réponds de rien.

— Oh ! Je vois.

Tonnerre ! Cette mise en garde semblait lui redonner de l'espoir ! C'était un encouragement dont son désir forcené se serait bien passé.

Il lui saisit le poignet et l'attira contre lui, puis prit sa bouche avec fougue. Elle lui rendit son baiser, se plaquant contre lui avidement. Quatre longues années de solitude s'effacèrent en l'espace d'un instant, comme si elles n'avaient jamais existé. Les baisers, le corps brûlant d'Eleanor semblaient à Garrick aussi familiers que son reflet dans un miroir. Peut-être même encore plus, car son visage avait changé, mais pas elle.

Avec un étonnement qui ressemblait à de la vénération, il lui souleva la tête pour la regarder au fond des yeux et lui trouva l'air si pâmée, si vibrante de passion qu'il crut perdre la raison. Taraudé par un désir qui le faisait trembler des pieds à la tête, il la souleva dans ses bras.

— Ma chérie…

Il pénétra dans la chambre à coucher seulement éclairée par le feu qui brûlait dans la cheminée et la reposa sur ses pieds au bord du lit tendu de draps de lin blanc. Là, il ôta les épingles retenant sa chevelure, qui cascada sur ses épaules nacrées. Il en retint une poignée entre ses doigts, qu'il porta à son nez pour en respirer le parfum, savourer cette senteur qui n'appartenait qu'à elle.

— *Oh, ma mie, je vous adore,* murmura-t-il en français. Vos cheveux ont la couleur de l'or et la douceur de la soie.

Exactement comme dans son souvenir.

L'instant d'après, il défaisait prestement les boutons de sa robe tandis qu'il couvrait son visage de baisers légers comme l'aile d'un papillon. Elle gémit, si doucement mais avec tant de passion que Garrick en perdit ce qui lui restait de raison. Ses mains fines suivaient la courbe de ses robustes épaules et caressaient son torse comme si elles en retrouvaient lentement le dessin dans leur mémoire…

C'était elle à présent qui défaisait frénétiquement les boutons de sa veste, au point qu'il dut cesser un instant de faire de même avec ceux de la robe pour lui permettre de repousser la première de ses épaules ; il s'ébroua pour s'en débarrasser. Sa cravate suivit, dénouée puis jetée sur le sol en un seul mouvement. D'une main fiévreuse, il arracha presque les derniers boutons de sa chemise et fit passer celle-ci par-dessus sa tête. Il entendit nettement Ellie s'arrêter de respirer en le voyant torse nu, mais eut lui aussi le souffle coupé quand elle embrassa sa poitrine.

Il lui prit le menton, avide de la sentir presser ses lèvres sur sa bouche, et la serra contre lui en l'écrasant presque. Son cœur cognait si fort qu'il craignait qu'il n'explose.

Elle avait envie de lui. Dans ce domaine, il ne lui inspirait aucune méfiance…

— Tournez-vous, *ma mignonne*, susurra-t-il. Il faut que je vous ôte cette robe.

Eleanor ne voulait pas s'arracher à lui, à sa chaleur, à la douceur de sa peau sous ses doigts, de peur de voir son audace flancher. C'était mal, très mal, elle le savait, mais ce serait la dernière fois.

Un bras autour de sa taille, tandis que de son autre main il délaçait les derniers rubans de la robe, il la tenait serrée, si bien qu'elle sentait son ventre palpiter contre ses reins. Un tressaillement défendu la secoua entre les jambes et, quand il s'écarta un instant pour tirer la robe par-dessus sa tête, l'air frais lui fit passer un nouveau frisson sur l'échine en même temps que ses jambes se mettaient à trembler. Le corset rejoignit le reste de leurs vêtements sur le sol et, lorsqu'elle lui fit face de nouveau, elle ne portait plus que sa chemise de lin diaphane, ses bas de soie et ses escarpins.

Dans la lumière dansante de l'âtre, sa silhouette imposante se dessinait devant elle, seulement animée par l'éclat doré de ses yeux. Eleanor contempla son corps mince, ses yeux errant jusqu'à la marque blanche qui marquait son épaule, puis vers son torse plat ombré de boucles noires qui descendaient ensuite en une ligne sombre sur son ventre, pour disparaître sous la ceinture. Ses muscles semblaient tendus sous la peau, comme ceux d'un fauve à l'affût prêt à bondir sur la proie qu'elle avait follement envie d'être.

Une autre balafre zébrait son flanc, atroce, boursouflée. Un vrai crime au milieu de tant de beauté virile. Quand le souvenir lui revint, brutalement, elle leva les yeux vers lui. Doucement, elle y porta la main. Il lui devait cette blessure, elle le savait.

Garrick lui saisit les doigts et les porta à ses lèvres sans la quitter des yeux un instant.

Un large sourire éclairait son visage. Chaleureux et plein de malice à la fois. Celui qu'elle aimait, en fait. L'homme qui lui faisait face n'avait rien d'une bête fauve. C'était bien le marquis espiègle qu'elle connaissait, sa bouche tendre, ses yeux brûlants de désir. Quand elle glissa les mains sur ses épaules, il la souleva comme en se jouant et l'étendit sur le lit.

Elle était exactement comme dans son souvenir, comme chaque fois qu'il l'imaginait, depuis des années, quand bien même il refusait d'admettre qu'il pensait à elle jour et nuit. A présent, elle se trouvait bel et bien là devant lui, prête à être cueillie comme une fleur à peine éclose, et il se sentait fou de joie.

Plus rien d'autre ne comptait.

Ni la France, ni l'Angleterre, ni la quête de la vérité.

Il se pencha sur elle, lui caressa doucement les seins, laissa sa main glisser plus bas, sur le ventre plat, la taille fine. Leur souvenir revenait sous ses doigts, ses paumes — le galbe de la poitrine, la courbe lascive, sous les côtes, s'exhaussant soudain sur la hanche.

Elle l'attira contre elle. Sous la demoiselle bien mise et bien élevée, elle avait toujours été sensuelle, presque dévergondée…

Elle le prit aux épaules et chercha sa bouche.

Il ferma les yeux pour remercier le ciel.

— Donnez-moi une seconde, ma chérie, murmura-t-il en s'asseyant sur le bord du lit pour ôter ses bottes en hâte — comme s'il craignait qu'elle ne se ravise — puis son pantalon.

Quand il se retourna vers elle, il la trouva offerte. Elle l'attendait, calmement, visiblement fascinée par ce qu'elle voyait au bas de son ventre, et ce regard lui fit l'effet d'une coulée de plomb fondu dans les veines. Lentement, il plaça ses deux mains sur l'oreiller, de chaque côté de la tête d'Ellie, et la couvrit de son corps. Sa peau soyeuse, sa chair tendre et brûlante… Elle était sienne. Pour toujours.

Il exhala un long soupir avant de prendre sa bouche et il savoura longuement le ballet de leurs langues se mêlant, la façon qu'elle avait de se courber contre lui comme un arc, de se blottir l'instant d'après, les yeux chavirés de bonheur. En appuyant à peine, il glissa son genou entre les jambes de sa bien-aimée.

Elle s'ouvrit à lui tendrement, avec une sincérité désarmante.

Les yeux embués de désir, elle lui sourit doucement. Il en avait le cœur brisé.

C'était bien ce qu'elle voulait. Son corps. Le plaisir qu'il lui donnait. Elle lui touchait les bras, les épaules, le torse, l'encourageant de ses caresses. Il n'allait pas la décevoir.

Quand il entra en elle, d'une poussée puissante et profonde, elle l'accueillit sans réserve, brûlante et moite, et son râle de plaisir l'électrisa à un point qu'il n'aurait pu imaginer. Il avait oublié à quel point les cris d'une femme pouvaient être excitants.

Avec un grondement sourd, il prit de nouveau sa bouche.

De le sentir en elle et de goûter sur sa bouche la caresse humide de ses lèvres la faisaient se sentir vivante pour la première fois depuis des années. Il lui semblait que le temps s'enroulait sur lui-même pour revenir aux jours les plus heureux de son existence. Si seulement elle avait pu s'en rendre compte à l'époque !

Il se trompait quant aux raisons de sa présence ici ce soir, même si elle n'osait pas se les avouer à elle-même. En prenant la place de Sissy, elle n'avait fait que répondre égoïstement à son désir de passer une nuit de plus dans ses bras et de prendre du plaisir avec lui, une dernière fois.

Chaque mouvement de son corps suscitait un feu d'artifice de sensations en elle. Sa langue la caressait, l'emplissait, la brûlait, au point que simplement penser devenait impossible à mesure que les lèvres de son amant s'aventuraient sur son cou, sa gorge, la naissance de sa poitrine.

Elle en voulait encore, haletante, tandis qu'il enfouissait son visage entre ses seins et en taquinait la peau du bout de sa langue. En gémissant, elle l'incita du geste à en prendre la pointe dressée entre ses lèvres.

Il titilla la première, puis la seconde, décrivant autour de chacune des cercles affolants, mordillant la chair frémissante, impitoyablement, au point qu'elle se sentait perdre la raison. Quand enfin sa bouche aspira le téton durci, elle crut défaillir.

Cette succion était comme une délicieuse torture. Le dos cambré, elle souleva les hanches pour venir à sa rencontre. Garrick pesait de toutes ses forces, cherchant à lui offrir la délivrance.

Il la retint entre la douleur et le plaisir, l'entraînant toujours plus haut, affermissant le lien qui les unissait, sans pour autant la laisser jamais basculer dans le précipice où l'extase l'attendait au milieu des ténèbres.

— Garrick ! dit-elle d'un ton plaintif. Je vous en supplie.

Les bras tendus, chaque muscle bandé à se rompre, il leva la tête, plantant son regard lourd, éperdu, dans le sien. Comme il le lui avait appris autrefois, elle l'enserrait au plus intime de son être, l'attirant plus profondément à chacun des coups de boutoir qu'il lui donnait, de plus en plus furieux, de plus en plus vite, en retroussant les lèvres sur un sourire de fauve.

Elle s'agrippait à ses épaules, percevant comme dans un rêve la chaleur qui émanait de son corps, la sueur qui perlait sur sa peau. A chaque coup de reins, elle se cambrait de plus belle pour le recevoir.

Il bascula son bassin pour donner à son va-et-vient un angle différent. Au tréfonds de son être, ce fut l'apothéose. Chaque nerf de son corps au bord de la rupture, elle sentit que la fin était proche. La tension déformait le visage de Garrick, son regard se faisait vague, tout à coup.

Son cri rauque la fit basculer dans l'abîme.

Une vague de chaleur passa sur elle, la faisant fondre. Sidérée, cherchant l'air, elle eut l'impression d'exploser tandis que Garrick se retirait de son ventre et répandait sa semence sur les draps trempés de sueur en tremblant de la tête aux pieds. Quand les spasmes s'apaisèrent, il s'étendit à côté d'elle et l'attira contre lui.

Blottie au creux de son épaule, comblée, béate, le souffle encore court, elle sentit l'amertume lui pincer le cœur. Même dans la frénésie de l'extase, il avait gardé le contrôle de lui-même alors qu'elle s'abandonnait entièrement, avec passion.

Quand elle tourna la tête vers lui, il lui effleura les lèvres de sa bouche en une caresse furtive et légère.

— Reposez-vous, mon cœur, dit-il en la serrant contre lui.

Lorsqu'elle ouvrit les yeux elle n'aurait su dire si des heures avaient passé, ou bien quelques minutes seulement. Lovée entre ses bras, la joue posée sur son torse, caressée par le souffle qui s'exhalait de sa bouche, elle regardait les reflets du feu danser sur sa peau, l'arc de ses pommettes, ses joues, son cou.

Son parfum musqué l'enivrait. La tendresse qu'elle éprouvait gonflait comme un ruisseau s'agrégeant à d'autres pour faire une rivière, un fleuve, un océan immense. Elle leva la tête pour lui embrasser le menton et s'étonna de la dureté de sa barbe naissante. Qu'il était beau, endormi. Dans son abandon, sa respiration tendait les muscles de son torse qu'on aurait pu croire taillés dans le marbre sans le duvet noir qui l'ombrait.

Elle contemplait ses traits familiers comme on s'abreuve à une source. Ses lèvres sensuelles, son visage viril lui semblaient plus fermes, plus durs, moins juvéniles, pour tout dire, que ceux qu'elle voyait en rêve chaque nuit depuis quatre ans. S'y lisaient désormais du caractère, une détermination impressionnante, et peut-être même aussi un peu de cruauté.

Cette idée lui semblait à la fois excitante et légèrement effrayante. Impulsivement, elle pressa les lèvres contre sa bouche. Si seulement elle avait pu lui dire ce qu'elle tenait enfermé dans son cœur ! Mais il était trop tard. A moins qu'elle ne se jette à ses genoux…

Garrick se réveilla d'un coup, le regard aux aguets en une fraction de seconde.

— C'est vous ! murmura-t-il, le temps de se rappeler où il se trouvait.

— Oui, c'est moi, répondit-elle, le cœur serré.

S'attendait-il à en trouver une autre dans son lit ? Tant pis. Cette nuit, il était à elle, rien qu'à elle, et parce qu'elle en avait l'occasion elle l'embrassa derechef.

Garrick la prit par la nuque et lui rendit son baiser au centuple, roulant sur le dos pour l'attirer sur lui.

Quand elle s'aperçut qu'il était prêt à lui faire l'amour de nouveau, un long frisson la secoua. Peut-être pouvait-elle lui montrer la force de ses souvenirs, avec ses mains, ses lèvres, son corps tout entier.

Elle suivit les contours de sa bouche avec une lenteur calculée et, quand il ouvrit les lèvres sous la caresse, elle s'enhardit, dardant sa langue en lui pour savourer la sienne. Garrick marqua son approbation d'un grognement sourd et guttural et lui rendit ardemment son baiser. De longs spasmes de plaisir agitaient le ventre d'Eleanor.

Que Dieu la protège ! Il la connaissait trop bien.

Furieusement excitée, elle se mit à onduler sur lui en petits cercles lascifs.

— J'ai envie d'être en vous, dit-il en se redressant sur ses coudes pour la pénétrer en s'aidant de sa main. Levez les hanches.

— Pas encore, répondit-elle d'une voix rauque qu'elle ne se connaissait pas.

— Par le ciel, Ellie, vous voulez ma mort ! s'exclama-t-il en retombant sur l'oreiller.

Avec un sourire, elle l'embrassa.

— Juste un peu.

Elle fit pleuvoir des baisers sur son front, son nez, ses joues, son menton, allant même jusqu'à prendre le lobe de son oreille dans sa bouche, le faisant se tordre dans le lit. C'était terriblement sensuel.

Il agrippa ses fesses et les serra entre ses mains vigoureuses pour renforcer les ondulations de son bassin contre lui, gémissant tout du long d'une voix à la fois plaintive et extasiée.

— Laissez-moi venir en vous.

— Chut ! Permettez que je joue un peu…

Elle glissa sur le côté en l'embrassant dans le cou, puis s'aventura plus bas, pour goûter à la peau brûlante de son torse velu. Elle laissa ses mains errer sur ses pectoraux aux étranges mamelons plats et pourtant dressés et durs, puis descendre vers son ventre lisse en en goûtant la fermeté. Comme des vagues sur l'océan, les muscles y jouaient souplement sous la peau hâlée à chaque nouveau baiser. Trop timide, trop jeune jusque-là pour se risquer à autre chose que de furtifs regards, elle se sentait subjuguée par la beauté et la puissance de ce corps d'homme.

— Pour l'amour du ciel, Ellie, ne vous arrêtez pas !

En levant les yeux sur lui, elle le trouva paupières closes, mâchoires serrées, le visage comme torturé par la douleur.

Elle prit pitié de lui, et sa main trouva facilement la chair ardente qui brûlait de désir. Elle enroula ses doigts autour de lui et les serra lentement.

Garrick ouvrit brusquement des yeux exorbités.

— Plus fort.

— Cela ne va-t-il pas vous faire mal ?

— Seigneur Dieu, non !

Il lui prit la main et lui montra comment le caresser sur toute sa longueur sans relâcher la pression de ses doigts.

L'extrémité prenait une teinte plus sombre, tandis que la hampe durcissait encore et palpitait violemment dans sa main.

— Sainte Vierge…

Curieuse, elle porta sa langue à l'extrémité. Cela avait un goût de sel, musqué et chaud.

Garrick sursauta puis la saisit aux hanches pour la soulever.

— Assez ! éructa-t-il en un grognement de bête.

Transportée par le frisson qui la secouait, elle se plaça instinctivement sur lui comme on monte en amazone sur un coursier fringant, à cette différence près que sa chair nue pesait sur le membre d'airain de l'homme qui lui servait de monture et qu'elle y sentait le sang battre follement à l'unisson de son cœur. Les poils drus des jambes de son amant caressaient rudement la chair tendre de ses cuisses. C'était étrange, et diaboliquement excitant.

Il entra alors en elle, l'ouvrant à lui par la force irrésistible de sa chair en fusion et dure comme l'acier. Elle se laissa glisser sur lui, savourant cette intrusion ineffable avec délices. Les mains crispées sur ses hanches, il imprimait un rythme de plus en plus frénétique à ses assauts. Cela ressemblait effectivement à une chevauchée, mais ô combien plus savoureuse, la friction de leur chair provoquant à chaque soubresaut des frissons inouïs.

Si elle n'avait pu voir le visage de Garrick déformé par la tension et ses muscles bandés à se rompre, elle aurait pu le croire soumis à sa volonté dans cette étreinte, comme un jouet dont elle aurait pu faire ce qu'elle voulait.

Si seulement !

Il fallait qu'elle sente ses mains sur lui, maintenant. Elle lui prit la main et la posa sur son sein en un geste sans réplique. Garrick s'exécuta de bonne grâce, massant, pétrissant le globe de chair nacrée qui semblait avoir été fait pour tenir dans sa paume puissante, puis titillant la pointe dressée avec une douce violence qui lui faisait pousser de petits râles de plaisir. Accordé au rythme de ses caresses, son bassin se soulevait et se rabaissait, l'empalant un peu plus profondément sur lui à chaque poussée.

Il releva la tête et engloutit le téton frémissant dans sa bouche. Le frisson qui la saisit la secoua tout entière, comme un raz-de-marée, un tremblement de terre, la menant au bord de l'extase.

— Oh, Garrick !

— Laissez-vous aller, ma chérie.

Il lança la main au point de contact de leurs deux corps, juste au-dessus de l'entrée du ventre d'Ellie, et se mit à décrire de petits cercles du bout du pouce en pesant légèrement sur la chair délicate, déclenchant une sensation qui ne pouvait se comparer à nulle autre, comme une douleur exquise, presque insoutenable.

— Oh oui ! râla-t-elle.

La tension atteignait son paroxysme, mais la délivrance semblait hors d'atteinte.

— Plus fort, ma chérie ?

— Non. Plus vite !

Il brusqua le tempo, la hissant vers de nouveaux sommets. Le temps semblait se contracter sur lui-même.

Elle jouit alors, traversée par une rafale de spasmes de plaisir d'une intensité ineffable. Garrick se retira aussitôt, répandant sa semence sur les draps en exhalant un soupir rauque tandis qu'elle continuait de vibrer à son côté en une transe qui n'en finissait plus.

Il roula sur le flanc et l'embrassa doucement sur le front, le coin de la bouche, la gorge, effleurant enfin ses seins du bout des lèvres.

— Vous avez été magnifique, murmura-t-il. Du fond du cœur, merci.

Elle reposait entre ses bras, la peau encore frémissante, des larmes au bord des paupières, le cœur meurtri. Avoir laissé échapper ce qui aurait pu être lui semblait aussi douloureux que la perte d'un être cher.

— Votre désir m'a ébloui, dit-il encore en laissant errer ses lèvres sur ses cheveux déployés.

Autrefois, c'était lui qui menait la danse, au lit.

— Oui…, répondit-elle. Cela faisait… longtemps. Mais pas pour vous, j'imagine.

Elle ne pouvait pas s'empêcher de se sentir un peu jalouse.

— Vous vous faites du mal pour pas grand-chose.

Pas grand-chose ? Elle aurait dû s'attendre à cela.

— William a toujours dit que vous étiez un scélérat sans principes.

— William ! répéta Garrick en repoussant les draps et en se levant, nu comme un ver. Je vous ai proposé le mariage, vous avez choisi de ne pas accepter. Vous auriez porté mon nom, mon titre. Que vous fallait-il de plus ?

Une déclaration d'amour ?

Cela aurait-il fait une différence ? Elle avait pris tant de mauvaises décisions cet été-là et causé tant de souffrance autour d'elle. Ce n'était pas le moment de rouvrir d'anciennes blessures. Et pourtant il méritait qu'elle lui réponde.

Avec difficulté, elle chuchota :

— Je ne pouvais pas abandonner ma sœur.

Garrick se raidit. Il ramassa sa chemise, la passa par-dessus sa tête.

— Vous aviez peur, avouez-le, lança-t-il en continuant de s'habiller comme s'il se souciait comme d'une guigne de la réponse qu'elle lui ferait.

Elle quitta le lit de son côté, passa sa chemise et noua les rubans qui pendaient des bords du col.

— Peur ?

— De moi, dit-il par-dessus son épaule. De ce que j'aurais pu faire.

— Ça ne s'est pas passé ainsi, objecta-t-elle en bataillant avec les lacets de son corset. J'avais fait une promesse.

— Et vous avez fait votre choix, c'est bien ce que j'ai dit. Et vous voici de nouveau dans le rôle de l'agneau sacrificiel.

Garrick s'avança vers le miroir qui surplombait la cheminée et noua sa cravate en quelques gestes sûrs.

— Mais vous, Ellie ? Quand donc allez-vous décider de vous choisir vous-même ? lança-t-il en éclatant d'un rire sans joie qui claqua comme un coup de fouet. Je vous en prie, ne répondez pas. Je ne veux pas savoir. Trouvez cette lettre, ensuite vous pourrez m'oublier et retourner à votre petite vie bien tranquille.

Il avait changé. Tellement qu'elle ne le reconnaissait plus. Il ne se trompait pas, hélas : sa vie était tranquille, en effet, et désespérément étriquée. Mais elle n'en avait pas d'autre.

— Ramenez-moi chez moi.

Garrick regarda la pendule.

— Certes, vous devriez rentrer, dit-il d'un air préoccupé. Mon ami sera bientôt de retour.

Il la fit passer dans le petit salon, prenant son manteau au passage avant de lui mettre son petit chapeau et sa voilette dans la main. Manifestement, il était impatient qu'elle déguerpisse. Comment pouvait-elle l'avoir perdu aussi vite ? Il semblait distant désormais, presque un étranger. Elle en avait le cœur brisé.

Avait-elle vraiment espéré qu'il lui renouvellerait sa demande en mariage après de brèves retrouvailles ? Non, il se servait d'elle pour obtenir ce qu'il voulait, tout comme elle s'était servie de lui, voilà la vérité. Elle méritait son sort, sans doute.

Dans le hall, ils trouvèrent le valet de pied, la main sur la poignée de la porte d'entrée.

Garrick jura en voyant un jeune homme plutôt échevelé flanqué d'une femme en tenue légère franchir le seuil de la maison et tendre sa canne au domestique.

Ellie poussa un cri de surprise et rabattit précipitamment son capuchon sur sa tête.

— Bonjour, Beauworth, lança l'homme en souriant sous sa moustache blonde. La partie s'est terminée un peu plus tôt que prévu. Je suppose que vous avez passé une bonne nuit…

Il tourna son regard vers Ellie et, en s'inclinant, un peu flageolant sur ses jambes, ajouta :

— Bonjour, lady Eleanor.

Le cœur au bord des lèvres, elle songea qu'encore une fois son impétuosité l'avait conduite à la ruine. A cette différence près qu'à présent elle était totale.

— Bonjour, lord Goring, répondit-elle en relevant le menton.

Chapitre 11

Qu'avait-elle fait ? Seule dans la voiture, Eleanor avait envie de sauter en marche et que des chevaux la piétinent. Dire que pendant des années elle avait bataillé durement pour éviter que son nom soit souillé d'une quelconque manière, et pour en arriver là !

C'était à son irrationnelle ardeur qu'elle devait de s'être retrouvée dans des situations difficiles, étant jeune, et voilà que les choses recommençaient. Mais, cette fois, elle ne s'en remettrait pas.

Tant qu'à faire, se dit-elle avec un petit frisson, puisqu'elle était perdue de réputation, désormais, pourquoi ne pas jeter sa gourme par-dessus les moulins et mener à son terme le marché passé avec Garrick ?

Rien que d'y penser, elle en avait le souffle court et les joues en feu.

Bien sûr ! Si elle tenait absolument à ruiner toutes les chances qu'avait encore Sissy de faire un beau mariage… Non, impossible. Elle ne pouvait pas lui faire ça. Il allait falloir qu'elle se retire à la campagne.

Quelle idiote ! pensa-t-elle en donnant un coup de poing dans l'un des coussins de la banquette.

Après s'être juré de ne plus commettre d'actes irréfléchis, elle était devenue une catin. Par sa propre faute, entièrement.

Quand la voiture se rangea devant la porte de sa maison, Garrick l'aida à descendre du véhicule et monta avec elle les quelques marches du perron sans dire un mot. Devant la porte, elle fouilla son réticule pour y prendre sa clé.

— Que diable… !

C'était la voix de William qui venait de résonner derrière eux.

Le cœur battant, Ellie se retourna. Garrick la saisit au coude, mais elle n'aurait su dire si c'était pour la soutenir ou pour l'empêcher de prendre ses jambes à son cou.

William bondit hors d'un coche, vêtu d'un uniforme rouge. Muette de surprise, elle le regarda jeter une poignée de menue monnaie au cocher avant de claudiquer jusqu'au pied du perron.

— Maudit bâtard ! lança-t-il d'une voix étranglée à l'adresse de Beauworth en le fusillant du regard.

— Mon lignage est aussi bon que le vôtre, rétorqua Garrick.

— Len, pour l'amour du ciel, entre dans la maison avant que quelqu'un te voie !

— Il est trop tard, répondit-elle, se surprenant elle-même tant sa voix semblait calme et neutre malgré la colère de son frère.

Garrick se tourna vers elle, visiblement surpris, voire impressionné. S'attendait-il à l'entendre mentir ?

William l'apostropha.

— Vous me rendrez raison de ceci, Beauworth. Dans une heure, à Green Park. C'est tout le temps qu'il me reste avant de m'embarquer.

Une peur panique saisit Eleanor à ces mots.

— Pourquoi portes-tu cet uniforme, William ?

— Parce que mon pays a besoin de tous ceux qui veulent l'aider dans cette guerre, surtout quand nous avons des traîtres comme celui-ci parmi nous, répondit Castlefield avec une moue pleine de mépris.

— Tu ne peux pas faire ça, Will, protesta-t-elle. Tu as des responsabilités.

— Toi aussi, répliqua Will, écarlate. Mais apparemment elles ne te retiennent pas beaucoup.

Là-dessus, il se retourna vers Garrick en portant la main sur la garde de son sabre.

— Donnez-moi le nom de vos témoins, milord, ou bien disparaissez comme le couard que vous êtes.

— Il y a longtemps que vous attendez cela, Castlefield, n'est-ce pas ? fit Garrick en toisant son adversaire. Ne dit-on pas que la vengeance est un plat qui se mange froid ?

— Will, je t'en prie, calme-toi, dit Eleanor en s'agrippant au bras de son frère. Je l'ai suivi de mon plein gré.

— Bonté divine, Len ! Pourquoi as-tu fait cela ?

Ce fut Garrick qui répondit avec un sourire cruel et provocant.

— Parce qu'elle voulait mettre un peu de piquant dans son existence, pour changer.

William lança le poing, mais Garrick para le coup et lui prit le poignet.

— Arrêtez ! cria Eleanor en se glissant entre les deux hommes. Je suis déjà morte de peur à l'idée que tu pourrais être tué à la guerre, mais mourir dans un duel, cela n'a pas de sens. Je n'ai plus de vertu à défendre.

— Un homme qui envoie une femme se battre à sa place a peu de chances de recevoir une balle française, asséna Garrick en relâchant la main de William et en faisant un pas un arrière.

— En effet, répliqua ce dernier en pâlissant. Un traître comme vous préfère tirer dans le dos…

Un rire hystérique monta dans la gorge d'Eleanor. On aurait dit des chiens prêts à se sauter à la gueule, le poil hérissé, montrant les dents. Les deux hommes qu'elle aimait le plus au monde se vouaient une haine mortelle.

William la poussa vers la porte.

— Vous rentrez à Castlefield, toi et Sissy. Entre et fais tes malles. Je déciderai de la marche à suivre à mon retour, mais crois-moi, si jamais ce qui s'est passé s'apprend en ville, tu ne seras plus jamais admise nulle part. Espérons au moins que ta conduite n'entraînera pas Cecilia dans ta chute. Quant à vous, scélérat, donnez-moi le nom de vos témoins, par tous les saints !

— Avec plaisir, repartit Garrick avec un sourire carnassier.

— Non ! s'écria Ellie. Je ne vous laisserai pas vous battre en duel à cause de moi.

Garrick baissa les yeux sur elle, une lueur étrange dans le regard. Etait-ce de la tendresse, ou de la méchanceté ?

— Si vous voulez mettre un terme à tout ceci, acceptez de devenir ma femme.

Elle le regarda, bouche bée.

— Si tu épouses ce traître, jamais plus tu ne verras ta famille, Ellie, je te le promets, menaça William.

Garrick resta silencieux, le visage figé comme un masque. La douloureuse vérité fit à Eleanor l'effet d'un coup de poing dans l'estomac : elle n'aurait pas de nouvelle chance.

— J'accepte, chuchota-t-elle au prix d'un effort terrible.

Garrick la fixait sans mot dire. Son offre n'était qu'une posture, un défi lancé à William. Il n'y songeait pas sérieusement.

— Je t'en prie, Len. Ne complique pas les choses, pour l'amour du ciel.

— Je pense que c'est le mieux, Will.

— Eh bien, pars avec lui alors, et allez au diable, tous les deux !

— Garrick veut la lettre de Piggot.

Le jeune homme tressaillit.

— J'ai dit qu'il aille au diable !

— Laisse-moi au moins dire au revoir à Sissy.

— Va-t'en, Eleanor. Sur-le-champ.

Comme elle descendait les marches du perron d'un pas mal assuré, soutenue par Garrick, celui-ci lui murmura à l'oreille :

— Ne le laissez pas voir vos larmes, Ellie.

Fièrement, elle redressa les épaules.

— Ah ! Je retrouve la Dame du Clair de Lune, dit-il en l'aidant à monter dans sa voiture.

Quand elle se retrouva au côté de Garrick devant l'autel de l'église Sainte-Marie, en plein cœur de la City de Londres, Eleanor s'aperçut que son cœur battait la chamade comme jamais, mais sans pouvoir déterminer si c'était la peur ou la joie qui le faisait s'emballer ainsi.

Derrière eux se tenaient le lieutenant Dan Smith, Joshua Nidd, et Johnson, le cocher, ainsi qu'une longue succession de rangées de chaises vides. Eleanor portait la même robe que la veille.

Le vicaire parcourut des yeux la licence de mariage.

— Tout semble parfaitement en ordre, commenta-t-il.

Le grincement de la porte d'entrée du lieu saint se fit entendre. Impatiemment, Garrick fit signe au pasteur de poursuivre, mais Dan leva la main pour lui intimer d'attendre un peu et rejoignit le retardataire à grands pas, le bruit de ses bottes résonnant longuement sur les dalles de la nef.

Curieuse, Eleanor se retourna. Une frêle silhouette vêtue d'une robe pêche et d'un petit spencer de velours vert remontait l'allée centrale au bras du jeune lieutenant.

— Cecilia ?

— Que diable fait-elle ici ? chuchota Garrick en portant son regard au-delà du jeune couple, comme s'il attendait quelqu'un d'autre.

Sissy repoussa une mèche de cheveux noirs derrière son épaule.

— William m'a défendu de venir, mais je me suis esquivée dès qu'il a eu mis le pied dehors, expliqua-t-elle en tendant à sa sœur un petit bouquet de fleurs de soie.

Elle lança un regard accusateur à Garrick en ajoutant :

— J'ai pensé que tu risquais d'en avoir besoin…

Le futur marié haussa les sourcils, puis se retourna vers le vicaire sans dire un mot.

Pour Eleanor, les minutes qui suivirent passèrent comme dans un rêve cotonneux. Tout le long de la cérémonie, elle s'agrippa à Garrick comme un marin à la main courante, pendant que le pasteur prononçait les formules rituelles.

Apparemment pressé d'en finir, Garrick répondit aux questions du vicaire d'une voix haute et claire et écouta Eleanor s'acquitter de cette tâche d'un air tendu. Il se montra poli et même tendre quand le prêtre l'autorisa à embrasser sa femme, plutôt distant ensuite quand il fallut recevoir les félicitations, presque affectueux lorsqu'il serra Cecilia dans ses bras en l'appelant *ma chère sœur* ; mais il était évident qu'il attendait impatiemment que tout cela se termine.

Regrettait-il déjà cette demande en mariage précipitée ?

Elle aurait dû se sentir heureuse, mais elle éprouvait une étrange appréhension, comme un pressentiment.

Dès que le vicaire eut jeté du sable sur leurs signatures apposées au bas du certificat de mariage, Garrick la poussa vers la sortie, la main appuyée sur le bas de ses reins. Une fois dehors, il la fit monter en hâte dans la voiture au lieu de la laisser causer avec sa sœur un moment sur le perron, comme elle en avait envie.

Il se retourna vers le lieutenant pour lui serrer la main et lui donner une petite tape sur l'épaule. Les deux hommes échangèrent un regard plein de tristesse. Cela n'avait rien d'un au revoir routinier, si peu en fait qu'Eleanor en resta abasourdie.

Garrick était sur le départ. Malgré son mariage, il partait pour la France tout de même. Bientôt, sans doute. D'un coup, elle se sentait comme un homme à la mer qui aurait regardé s'éloigner sur les flots son bateau, et avec lui ses dernières chances de survivre à la tempête. Il fallait qu'elle trouve un moyen de le retenir. N'importe lequel.

— Raccompagne lady Cecilia chez elle, Dan, dit Garrick avant de monter en voiture.

*
* *

Mariés. Ils étaient mariés !

Garrick regardait en coin sa délicieuse épouse assise sur la banquette en face de la sienne. En la voyant esquisser un sourire prudent en retour, il aurait tant aimé la prendre sur ses genoux, enfouir son visage dans ses cheveux et s'enivrer de son parfum… Hélas, il devait se préparer à quitter le pays.

Pire encore, il allait falloir le lui dire.

La voiture se rangea devant la porte de Beauworth House.

— Nous y voici, annonça-t-il pour combler le silence gêné qu'ils observaient depuis leur départ de l'église, eux qui n'avaient jamais été à court de sujets de conversation autrefois.

Il aida son épouse à descendre. Son épouse ? La superbe rose anglaise qu'il croyait avoir perdue, oui, celle-là même. Mais elle l'avait épousé pour sauver la vie de son frère et sa propre réputation. Allait-elle lui rappeler constamment son sacrifice ou bien se satisferait-elle de son sort ? S'ils n'apprenaient jamais la vérité sur la mort de lady Beauworth, continuerait-elle à le craindre toujours ? Sans doute. Et elle aurait bien raison.

Et pourtant elle était devenue sa femme. Qu'elle se soit fiée à lui corps et âme en acceptant effrayait terriblement Garrick et lui donnait en même temps un grand sentiment d'humilité.

Elle le regarda furtivement, l'air seulement un peu plus nerveux que la veille, alors qu'elle aurait dû être morte de peur. Un désir impérieux de la protéger menaçait d'entamer sa détermination ; cependant il la prit fièrement dans ses bras, comme tout jeune marié était censé le faire le jour de ses noces. Il savoura sa façon de s'accrocher à son cou, le poids de son corps charmant, la courbe de sa taille sous ses doigts, la pliure de ses genoux, le galbe entraperçu de ses chevilles lorsqu'il se pencha pour repérer les marches du perron.

— Cette maison est à vous désormais, déclara-t-il en la reposant sur le marbre de l'entrée une fois le seuil franchi, alors qu'il aurait de loin préféré la garder contre lui et monter sans attendre à l'étage. Vous pouvez l'aménager comme bon vous semblera.

Il s'effaça pour laisser le majordome la débarrasser de ce fichu manteau qu'elle avait déjà sur le dos la veille. Il détestait cette robe bleue. Il aurait aimé ne la voir porter que des soies fines et des satins dorés. Voire rien du tout, à cette heure, bonté divine !

— Madame est servie, dit le domestique.

— Ne laissons pas les plats refroidir, commenta Garrick. A moins que vous n'éprouviez le besoin de vous rafraîchir.

Eleanor secoua la tête.

— Parfait.

Il l'escorta dans la grande salle à manger aux murs lambrissés. Y trônait une table d'au moins sept mètres de long. Le couvert était mis aux deux extrémités.

— Le lieutenant Smith va-t-il se joindre à nous ? s'enquit-elle d'une voix hésitante.

Garrick eut un petit pincement au cœur.

— Avez-vous peur de vous retrouver seule avec moi, Ellie ? Pensez-vous que je vais me jeter sur vous au milieu du repas ?

Elle ébaucha un sourire qui fit s'illuminer son visage magnifique. Garrick en conçut un certain soulagement.

— Bien sûr que non, répondit-elle.

Le majordome disposa les plats sur la table, leur servit du vin puis alla se placer près de la porte en silence.

Garrick garnit leurs assiettes de quelques aiguillettes de canard rôti, de légumes et d'une part de tourte à la viande, après quoi ils se mirent à manger. A dire vrai, elle se contenta pour l'essentiel de pousser sur le bord de son assiette ce dont elle ne voulait pas, c'est-à-dire à peu près tout, tandis qu'il buvait verre sur verre. Après dix minutes d'un silence total, Garrick congédia le majordome. L'homme sortit en fermant la porte derrière lui sans un bruit.

— Que se passe-t-il, Ellie ?

Elle se mordit la lèvre inférieure avant de lever sur lui des yeux inquiets.

— Je… j'espère que vous ne regrettez pas ce…

Elle s'interrompit, agitant sa fourchette devant elle comme si les mots lui manquaient.

— Je veux dire… nous…, reprit-elle, le rouge aux joues.

S'était-il attendu à l'entendre dire qu'elle l'avait épousé pour d'autres raisons que la simple préservation de son honneur ? Il se laissa aller contre le dossier de son fauteuil et répondit délibérément d'une voix sans chaleur :

— Pour vous dire la vérité, le mariage ne faisait pas du tout partie de mes plans. Ma vie est déjà bien assez remplie.

Emu par sa vulnérabilité, Garrick avait furieusement envie de l'embrasser, mais il n'était pas question qu'il se laisse aller à s'humilier devant la seule femme au monde qui eût le pouvoir de lui faire plier le genou. Une fois suffisait.

— En ce cas, j'espère que je ne serai pas un obstacle pour vous, repartit-elle d'une voix claire mais qu'on sentait fragile. Après tout, ce que fait son mari pour s'amuser ne regarde pas une épouse.

Elle inspecta la corbeille de fruits placée au centre de la table comme si elle s'attendait à en voir sortir des asticots, puis affirma :

— Je ne vous demande pas de changer.

Par le sang du Christ ! C'était ainsi qu'elle envisageait leur avenir ?

— Comme vous êtes compréhensive, *ma mie*.

Il remarqua l'étincelle dans ses yeux.

— J'imagine, évidemment, dit-elle en lui décochant un sourire, que je pourrai jouir de la même liberté que vous ?

Elle voulait donc en découdre ? A la bonne heure. Cela ressemblait plus à la femme qu'il connaissait que cette silhouette chétive qui se tenait à son côté une heure plus tôt, dans l'église. Mais il n'avait pas le temps de jouer au plus fin.

— Non. Pas du tout.

La main d'Eleanor se crispa sur le manche de son couteau, comme si elle avait dans l'idée de le lui lancer au visage, mais elle se détendit et lui sourit. Quelle petite sorcière !

— Fi, milord, ce qui vaut pour l'un ne vaut-il pas pour l'autre ?

Garrick grinça des dents. Elle croyait vraiment l'inciter à rester en Angleterre en le menaçant de la sorte ? S'il admirait sa force de caractère depuis le premier jour, elle risquait d'être gravement déçue sur ce point.

— Je vois, dit-il en penchant la tête sur le côté et en se forçant à sourire.

La déception et la douleur luirent dans ses yeux comme des flammes vives. C'était méchant de sa part de s'en réjouir, mais elle aurait dû savoir que jouer au plus fin avec lui pouvait être dangereux.

Il se leva et s'approcha d'elle.

— Peut-être dois-je vous rappeler que vous êtes mienne, *ma chérie*, dit-il en la prenant par le bras pour l'obliger à se lever, heureux de constater qu'elle ne résistait pas.

Du pied, il repoussa le fauteuil et la fit pivoter sur elle-même. Elle le dévisageait intensément. Espérait-elle qu'il se rende ? S'il avait eu le moindre bon sens, il l'aurait allongée en travers de ses genoux et lui aurait donné une bonne fessée.

Une bouffée de désir monta en lui à cette idée.

Elle ouvrit grands les yeux comme si elle lisait dans ses pensées, et Garrick dut lutter contre le désir qu'il avait de s'y perdre.

Il avait son ordre de mission. Il partirait de Douvres, dès

ce soir, et serait en France au matin. Pendant le temps qu'il lui restait d'ici à son départ, il voulait qu'elle soit installée et en sécurité, quand bien même il ne pourrait pas apaiser ses peurs. Il ne voulait pas qu'elle aille se jeter à la tête d'un autre homme dans un accès de rébellion.

Il se pencha sur elle et l'embrassa. Elle se crispa un peu, ce qui le fit sourire, car il savait qu'elle ne résisterait pas longtemps, comme d'habitude. Un frôlement de lèvres, un petit mouvement de langue furtif et déjà elle respirait plus fort, plus vite. Bientôt sa main vint le prendre à l'épaule en même temps qu'elle lui offrait sa bouche.

Sa femme. L'amour de sa vie…

Il la prit dans ses bras, si frêle, si menue, si légère qu'il avait l'impression qu'elle allait lui glisser entre les doigts s'il n'y prenait garde. Sans hâte, il la porta à son lit, au premier. Il ne savait pas quand il ferait son prochain repas mais, durant l'heure qui venait, il allait nourrir son âme.

Et c'allait être un vrai festin.

Alanguie par leurs ébats, Eleanor se rendit à peine compte de ce qu'il avait quitté leur couche pour s'habiller. Ils venaient de faire l'amour avec une fougue sauvage, presque désespérée, qui l'avait à la fois vidée de toutes ses forces et remplie d'une plénitude exquise.

Elle ouvrit les yeux en percevant un mouvement près du lit.

Vêtu de noir comme à son habitude, il avait l'air sombre d'un homme qui s'apprête à faire son devoir par obligation. Le cœur brisé, elle comprit qu'il allait partir pour de bon. Si ses menaces de se jeter dans les bras d'un autre ne le retenaient pas, une nouvelle arme serait peut-être plus efficace.

— Il est trop tôt, murmura-t-elle en tendant la main vers lui avec un sourire aguichant. Revenez au lit.

— Je ne voulais pas vous déranger, répondit-il en se penchant sur elle pour l'embrasser d'un air absent.

Il marcha vers la porte.

— Je serai bientôt de retour.

— Il fait nuit. Restez au moins jusqu'au matin.

— Je suis désolé, répondit-il d'une voix sincère en tournant la poignée.

C'était une petite victoire.

— Vous partez pour la France, n'est-ce pas ? Est-ce vrai ce qu'on dit ? Que vous êtes passé de l'autre côté ?

Garrick ouvrit complètement la porte et parut s'abîmer dans la contemplation de l'ombre du couloir. Finalement, il répondit d'un ton neutre :

— Je ne tolérerai pas la présence d'un autre homme dans votre lit, Eleanor. Si vous ne faites ne serait-ce qu'un clin d'œil à l'un d'eux, je le tuerai. C'est bien compris ?

Il referma la porte derrière lui.

Ellie ne put contenir un rire hystérique. Instinctivement, elle porta la main à ses lèvres pour l'étouffer. Comme si elle avait eu envie d'un autre homme ! Décidément, il la comprenait bien peu.

Ils étaient mariés depuis vingt-quatre heures à peine, et voilà qu'il partait.

Elle se sentait si oppressée qu'elle avait du mal à respirer. Si Garrick travaillait vraiment pour les Français, il serait sûrement fusillé s'il se faisait prendre…

Une larme coula sur sa joue, qu'elle essuya d'un revers de la main.

Non, elle se refusait à croire qu'une telle chose fût possible. Trahir son pays était la pire chose qu'un soldat pût faire. Il fallait n'avoir aucun sens de l'honneur et, malgré tous ses défauts, on ne pouvait pas dire cela de Garrick.

Tandis que, dans le salon, elle attendait l'arrivée de Sissy, Eleanor posa la main à plat sur son ventre. Elle n'arrivait toujours pas à croire qu'ils aient pu faire un enfant lors de leur dernière nuit. Après toutes ces années passées à craindre qu'elle ne se marie jamais, voilà qu'elle allait devenir mère. Dieu qu'elle aurait aimé que Garrick soit là pour partager sa joie !

Une félicité intense l'envahissait, et l'avenir lui semblait radieux. Elle s'imaginait déjà vivant avec Garrick et le bébé, tous les trois.

A présent que la guerre était terminée, cette nouvelle ne manquerait pas de le faire revenir chez lui. Napoléon avait subi sa dernière défaite à Waterloo et, selon tous les récits qu'elle en entendait, cela semblait avoir été une victoire totale pour l'Angleterre et ses alliés.

Nidd frappa à la porte.

— Lady Hadley, annonça-t-il d'un ton solennel, comme si Sissy n'arrivait pas exactement à la même heure chaque jour.

Brave Sissy ! Elle passait outre l'interdiction de William sans sourciller et rendait visite à sa sœur quotidiennement.

— Les journaux sont-ils arrivés, Nidd ? s'enquit-elle avec un sourire enjoué.

Le pauvre majordome ne pouvait rien lui refuser.

— Je vais vous les chercher, milady, répondit-il en se dirigeant vers la porte.

— Tu ne vas pas te lever, au moins ? s'exclama la jeune femme en s'approchant du lit de sa sœur. Dans ton état, il faut redoubler de prudence.

— Je ne suis pas invalide, tout de même, répliqua Eleanor en posant un baiser sonore sur la joue de sa cadette.

Un instant plus tard, Nidd revint, portant un journal soigneusement plié.

— Voici le *Times*, milady.

Sissy le lui prit des mains.

— Merci.

— Autre chose, milady ?

— Oui, Nidd. Apportez-nous du thé et une petite assiette de biscuits. Et peut-être aussi quelques-uns de ces sandwichs au concombre que réussit si bien la cuisinière.

Le majordome opina du chef et sortit.

— Bonté divine, Len ! s'exclama Sissy. Tu as dû finir de déjeuner il y a une heure à peine.

— Si je ne mange pas, j'ai des nausées.

— Ma pauvre chérie. Ce doit être affreux.

Eleanor sourit largement.

— Non, c'est merveilleux, au contraire.

Sissy ouvrit le quotidien dans un grand bruit de papier froissé, en maudissant le format impossible du *Times,* pour faire ce que tout le monde à Londres faisait chaque matin, c'est-à-dire compulser la liste des militaires morts au champ d'honneur. Il n'y avait pas une seule famille dans la bonne société londonienne qui n'eût perdu un fils, un frère ou un ami proche.

Penchée au-dessus des feuillets chiffonnés, elle suivait du doigt la longue colonne de noms quand sa main se figea tout près du bas de la page. Elle leva les yeux en battant des paupières, comme si elle avait du mal à y voir clairement.

Eleanor lui arracha le journal des mains.

— Capitaine Castlefield, lut-elle à haute voix. Porté disparu.

Sissy la serra aussitôt dans ses bras.

— Porté disparu, Len. Seulement disparu. Cela ne veut pas dire qu'il est mort.

Eleanor prit une longue inspiration pour tenter de calmer le tremblement de sa voix.

— Il se peut qu'il soit blessé et qu'on ne l'ait pas encore identifié.

Si son jumeau avait été tué, elle le sentirait, forcément, non ? Pourtant, une boule se formait dans sa gorge, qu'elle ne parvenait pas à ravaler et qui l'étouffait. Parmi ceux qu'on disait portés disparus la semaine précédente, combien figuraient aujourd'hui sur la liste des morts ? Beaucoup. Vraiment beaucoup.

Et Garrick ? Aucune nouvelle. On ne donnait pas la liste des morts ou des blessés du côté français dans le *Times*.

— Je vais écrire au capitaine Smith, dit Cecilia en se ruant vers le petit bureau, les yeux luisant de larmes. Il fouillera chaque hôpital.

Dan Smith, désormais capitaine, leur avait fait porter de ses nouvelles par un camarade qui rentrait à Londres.

— Bonne idée, commenta Eleanor, quoique l'idée de demander au jeune officier d'aller s'enquérir du sort d'un homme qui l'avait si mal traité lui semblât incongrue.

Et si, finalement, il leur annonçait la mort de William ?

— Cecilia, murmura-t-elle, la gorge douloureusement nouée. Il faut nous préparer au pire.

Sissy cessa soudain de tailler sa plume.

— Non. William va très bien, c'est obligé. Et ton marquis aussi.

— Tu… tu as sûrement raison.

Si tel était le cas, pourquoi n'avait-elle aucune nouvelle ? Cet enfant verrait-il jamais son père ?

Une semaine plus tard, Sissy fit irruption dans le petit salon d'Ellie en brandissant une lettre, riant et pleurant à la fois.

— Il est vivant ! Oh, Len, William est vivant ! J'ai reçu un pli de lui ce matin. Il a été dans le coma pendant quelque temps, mais il en est sorti et va mieux à présent. Le capitaine Smith l'a trouvé dans un hôpital de campagne en compagnie d'autres hommes de son régiment. Tiens, regarde.

Elle fourra d'autorité dans la main de son aînée la lettre froissée.

Le soulagement submergea Eleanor comme un torrent débordant de son lit. Elle acheva de lire le texte des larmes plein les yeux, car les dernières lignes la touchaient profondément :

Dis à Len que je l'aime très fort. J'ai eu beaucoup de temps pour réfléchir dans mon lit d'hôpital, au milieu de tous ces braves garçons qui mouraient autour de moi. Je n'aurais pas supporté de quitter ce monde sans pouvoir lui demander de me pardonner. Je joins à cette missive un feuillet qui lui est destiné exclusivement.

— Tu vois, triompha Cecilia. Je savais bien qu'il ne pourrait pas être en colère contre toi pour le restant de ses jours.

Ces quatre ans lui avaient pourtant semblé durer une éternité.

— As-tu vu le passage où il mentionne le capitaine Smith ? Il n'a pas un seul mot contre lui. Il dit même que c'est un type bien, très courageux. Oh, Len, tout va se résoudre pour le mieux, tu verras !

William semblait en effet avoir beaucoup changé.

— J'espère, murmura-t-elle. Où est cette lettre qui m'est réservée ?

— Oh ! La voici.

Sissy tira de son réticule un pli cacheté. Pendant qu'elle lisait une nouvelle fois le passage concernant le capitaine Smith dans la lettre de son frère, Eleanor se tourna vers la fenêtre pour avoir plus de lumière. Les doigts tremblants, elle brisa le cachet. William lui avait pardonné !

Ma Len chérie,

Je suis navré d'être porteur de mauvaises nouvelles, mais je pense qu'il est de mon devoir de te les transmettre. L'un des blessés, qui est mort hier, m'a dit avoir vu Beauworth peu avant la bataille. Il venait d'être capturé par une brigade hollandaise et se trouvait au quartier général. Il ne fait aucun doute qu'il aura été exécuté.

Un spasme atroce lui déchira la poitrine. Sa main se porta à sa gorge instinctivement. Aveuglée par les larmes, elle cherchait l'air. Elle dut s'essuyer les yeux pour poursuivre sa lecture.

Je suis sincèrement navré. Et je me sens tenu aujourd'hui de dire enfin la vérité pour soulager ma conscience. Beauworth était totalement innocent du meurtre de sa mère. C'est Le Clere qui l'a tuée. J'ai en ma possession une lettre de Piggot qui en atteste. Elle se trouve dans mon coffre, à Castlefield. Je l'ai ramassée et lue ce fameux jour et l'ai gardée par-devers moi depuis lors. Je sais qu'en agissant ainsi j'ai manqué à l'honneur.

Quand j'ai eu sous les yeux la preuve de son innocence, je n'ai pas supporté l'idée qu'il puisse s'en tirer sans avoir à payer pour ce qu'il t'avait fait, pour ce qu'il m'avait fait, Dieu me pardonne. A présent que je connais également la vérité sur ce point — c'est le jeune Smith qui me l'a confiée —, je ne peux attribuer ma conduite qu'à une sorte de folie. Cela me hante depuis chaque jour que Dieu fait, et c'est sans doute la raison pour laquelle j'ai décidé de rejoindre mon régiment à la guerre. Pour me racheter, en quelque sorte, si cela est possible.

A ma grande honte, je crois que c'est ma soif de vengeance qui a poussé Beauworth à rallier les rangs des Français. Je ne peux que t'implorer de me pardonner et je prie le ciel que tu puisses en trouver la force dans ton cœur. Si cela t'est impossible, je ne pourrai t'en blâmer.

Quoi qu'il advienne, je prendrai toujours soin de toi, si tu m'y autorises.

Ton frère qui t'aime.

William.

Eleanor fixa le feuillet longuement. Garrick était mort. Ce que William avait fait ne soutenait pas la comparaison, grands dieux non ! Et les larmes qu'elle venait de verser en apprenant la nouvelle miraculeuse de sa survie séchèrent bientôt sur ses joues. Elle avait l'esprit comme anesthésié par la douleur. Les mots funestes résonnaient dans sa tête comme dans un sépulcre vide : *il a été fusillé comme espion.*

Jamais il ne verrait son fils.

Au-dehors, le soleil illuminait le jardin ; à l'intérieur, la maison semblait emplie de brouillard. Ellie ne sentait plus rien, ne voyait plus rien, n'entendait plus rien. Elle n'était même pas certaine de respirer encore. De toute façon, elle n'en avait plus envie.

Ses yeux la brûlaient. Elle avait laissé son homme partir à la guerre sans même lui dire au revoir.

— Que dit William dans sa lettre ?

La voix de Sissy lui parvint malgré tout à travers le vide qui l'entourait. Elle lui tendit le feuillet en évitant son regard. Il aurait suffi qu'elle y décèle de la pitié pour qu'elle se mette à hurler.

Ses doigts crispés serraient si fort le papier que Cecilia dut batailler pour lui faire lâcher prise.

— Oh non !

Le cri d'angoisse de Sissy lui sembla venir de très loin, et immédiatement après le sol se mit à tanguer. Elle ne fut pas surprise de constater que l'obscurité se faisait au moment où le plancher se précipitait sur elle.

Les mois passaient. Eleanor les traversait comme un mort-vivant, étrangère à tout sauf à l'enfant qui grandissait dans son ventre. Ce matin-là, comme à son habitude, elle se tenait dans son salon, tranquillement assise, attendant que Sissy vienne prendre de ses nouvelles. Sans nul doute, sa cadette ferait-elle part de ses progrès à William. Dans sa dernière lettre, celui-ci leur racontait mille anecdotes sur sa vie à Paris, où il se trouvait avec l'armée d'occupation. Il semblait en pleine forme, et surtout impatient de rentrer au pays dès que Wellington accepterait de le relever de ses engagements.

Leur réconciliation épistolaire avait été une chose

merveilleuse, certes, mais il restait néanmoins beaucoup de choses inexprimées entre eux, qu'il serait bon de clarifier enfin à son retour.

Nidd frappa à la porte.

— Milady ?

— Oui, qu'y a-t-il ? répondit Ellie d'une voix pleine de douceur.

Le vieux serviteur semblait de plus en plus maigre chaque jour, un vrai squelette. La perte de son maître avait été un choc terrible, pour lui comme pour tous à Beauworth.

— Un homme s'est présenté à la porte de service. Il prétend avoir été envoyé ici par le capitaine Smith pour aider Johnson aux écuries. Puis-je lui donner votre permission ?

C'était la troisième fois que Dan Smith leur envoyait un de ces pauvres hères à moitié morts de faim qui avaient servi sous Garrick en Espagne et dont il disait que ce dernier aurait voulu qu'elle les aide à survivre. Elle faisait confiance au capitaine, bien sûr, mais tout de même elle avait trouvé les deux premiers bien effrayants. C'étaient des hommes incroyablement costauds et rudes, et à l'évidence peu habitués à travailler dans une maison de maître. Une ou deux fois, elle les avait trouvés assoupis dans un recoin des écuries ou traînant à ne rien faire autour de celles-ci.

— Peut-être vaudrait-il mieux que je lui parle, pour commencer, lança-t-elle en emboîtant le pas à Nidd.

Avachi contre le chambranle de la porte, Garrick dut se retenir de bouger quand Ellie apparut sur le seuil de la cuisine. Allait-elle le reconnaître sous son déguisement ? Il y avait quatre jours qu'il peaufinait sa mise, pendant que ses hommes, avec l'aide de Dan, investissaient la place.

Dieu qu'elle lui avait manqué ! Elle avait l'air pâle, et trop mince malgré son corps épanoui. Il brûlait de passer ses bras autour d'elle, de la serrer, de la sentir fondre contre lui et de tâter de la main le joli arrondi de son ventre où grandissait leur enfant. Son enfant. Il priait depuis des mois pour qu'elle l'attende. C'était sans doute au fait d'avoir pensé à elle à chaque instant qu'il devait d'avoir survécu aux pires moments de son existence.

— Vingt-deux ! grommela-t-il en s'efforçant de jouer son rôle comme prévu, prenant l'accent qu'on entendait dans les bouges de l'*East End*. V'là milady.

— Un peu de respect, mon garçon, maugréa Nidd. Tu parles à la marquise de Beauworth. Il s'appelle Bill Dodds, milady.

Garrick gardait les yeux au sol, les épaules voûtées. Le bandeau qu'il portait sur l'œil droit couvrait la moitié de son visage et réduisait fort son champ de vision. Une barbe de huit jours lui mangeait le menton et les joues ; quant à ses cheveux, coupés très court par Dan, ils laissaient apparaître son cuir chevelu par endroits.

Il espérait qu'elle ne le reconnaîtrait pas, car cela mettrait à bas tous ses plans. Mollement, il s'avança vers elle pour la saluer avec gaucherie, s'appuyant si fort sur sa jambe gauche qu'il semblait moins grand qu'il n'était en réalité.

— Le capitaine Smith m'a suggéré de vous employer dans mes écuries. Que savez-vous des chevaux ?

Elle parlait d'une voix tendue, presque craintive. Pas étonnant. Il devait être vraiment affreux.

Il tritura entre ses doigts son chapeau crasseux, souvenir de son passage chez les *Horse Guards*.

— Je m'suis occupé des ch'vaux quand j'étais dans la cavalerie, milady.

— Etes-vous en état de faire ce travail ?

— Pour sûr, milady.

Elle le considéra un moment, comme si elle cherchait à mettre un nom sur son visage.

Tonnerre ! Malgré tous ses efforts, elle avait l'air de le reconnaître. Dieu qu'il aimait cette femme !

Il toussa, d'une quinte sonore et grasse qui le plia en

deux, puis chercha des yeux un endroit pour cracher avant d'opter pour l'évier de la cuisine.

Ellie tourna la tête avec une grimace dégoûtée. Il détestait cette ruse, mais elle ne risquait plus de le dévisager de nouveau. Pour faire bonne mesure, il se racla bruyamment la gorge.

— Fort bien, dit-elle. Vous irez vous présenter à M. Johnson.

Garrick soupira, soulagé. Le Clere risquait de frapper d'un moment à l'autre mais, pour atteindre Eleanor, il lui faudrait en découdre d'abord avec lui et ses hommes.

Les yeux toujours rivés au sol, il se toucha le front du bout du doigt pour la saluer et sortit en traînant les pieds. Elle le regardait, il le savait. Il allait falloir qu'il se méfie.

Chapitre 12

Un jour ou deux plus tard, comme le temps semblait s'être mis au beau, Eleanor décida d'aller se promener en voiture. Au sortir de la maison, elle fut un peu surprise en voyant Dodds, l'hirsute palefrenier, assis à la place du cocher.

— Où est Johnson ? s'enquit-elle en fronçant le sourcil.

— L'a du rhumatisme, milady, répondit Dodds.

A sa grande surprise, Johnson avait dit beaucoup de bien de la compétence de son nouvel assistant ; elle ne s'était donc plus préoccupée de la question.

— Eh bien, Dodds, si vous devez conduire ma voiture, j'aimerais que vous empruntiez la livrée de Johnson.

— Sûr, milady, mais elle me va pas !

Eleanor fit la grimace. Il était en effet bien plus grand que le vieux Johnson, malgré son étrange posture, et plus large d'épaules.

— Attendez…

Elle revint au bout de trois minutes, portant sur le bras l'un des manteaux de Garrick.

— Tenez. Voyez si cela vous va.

Quand il passa le vêtement, elle se fit la réflexion qu'on aurait pu le croire taillé sur mesure.

— Merci, milady. Z'êtes bien aimable, répondit Dodds avec un sourire qui découvrit des dents blanches sous la barbe sombre.

Eleanor eut l'impression étrange de reconnaître quelqu'un, subitement, mais l'homme lui tourna le dos pour faire Dieu savait quoi avec les rênes.

Elle se faisait des idées. Tous les hommes un peu grands et bruns qu'elle voyait dans les rues lui faisaient bondir le cœur. Si elle ne les suivait plus désormais, elle ne pouvait néanmoins s'empêcher d'espérer chaque fois.

Elle monta dans la voiture. Les chevaux trottaient tranquillement au milieu du trafic sous la conduite vigilante de Bill Dodds et bientôt ils tournèrent dans l'allée qui donnait sur Hyde Park. Il était encore trop matin pour que la bonne société soit déjà rassemblée en ces lieux, mais l'air frais et un peu d'exercice lui feraient du bien. Lasse d'entendre Sissy et tous les autres commenter l'évolution de son tour de taille avec des mines inquiètes, elle avait envie de passer un moment loin de leurs recommandations insistantes.

Elle donna quelques coups de la poignée de son ombrelle sur la lucarne qui la séparait du cocher et lança quand celle-ci s'ouvrit :

— Arrêtez-vous, Dodds. Je vais marcher un peu.

— J'suis pas sûr, milady. Vaut p't'êt'mieux qu'vous restiez dans la voiture.

— Oh, pour l'amour du ciel ! Vous n'allez pas vous y mettre vous aussi ?

Dodds marmonna ce qui semblait être des excuses et fit s'immobiliser la voiture. Puis il aida Eleanor à descendre et remonta rapidement à sa place. Il y avait quelque chose d'étrange dans la façon qu'il avait de ne jamais la regarder… Bah ! Il savait conduire un attelage, c'était tout ce qui comptait.

— Je serai de retour dans une demi-heure. Ne vous gênez pas pour faire un tour si vous pensez qu'il faut que les chevaux se dégourdissent les pattes.

Elle s'éloigna, consciente du regard noir qui pesait sur elle tout du long. Elle regrettait un peu de s'être montrée si cassante, car c'était finalement par respect pour elle qu'ils faisaient tous preuve de tant de sollicitude à son égard. Vu les rumeurs qui couraient sur Garrick, elle leur en était reconnaissante.

Rassérénée d'avoir marché un moment à bonne allure, elle s'assit sur un banc de pierre au bord de l'étang et regarda les canards folâtrer à la surface de l'eau en se promettant de venir ici avec son enfant quand il serait né. Garrick aurait sûrement approuvé la chose.

Qu'aurait-il fait s'il avait su qu'elle était enceinte ? Serait-il parti pour la France tout de même ? Elle ne put réprimer le sourire amer qui lui venait aux lèvres, car elle connaissait la réponse. N'empêche, elle regrettait de ne pas avoir eu le courage de lui dire ce qu'elle éprouvait pour lui. Avec un peu plus de temps, peut-être auraient-ils renoué avec la joie qu'ils avaient brièvement partagée autrefois, peut-être aurait-elle retrouvé en lui le beau marquis aux cheveux noirs et aux yeux de velours dont elle était tombée amoureuse dès le premier regard.

Elle ne le saurait jamais.

La gorge serrée, elle battit des paupières pour chasser les larmes qui s'y pressaient.

— S'cusez-moi, mademoiselle…

Ellie leva les yeux sur le gamin qui se tenait devant elle, visiblement gêné et hors d'haleine d'avoir couru.

— Z'êtes la marquise de Beauworth ?

— Pourquoi cette question, mon garçon ? s'enquit-elle, intriguée.

— J'ai un message important pour vous, milady. Mais va falloir me promettre de ne rien dire à personne.

Il se balançait d'une jambe sur l'autre, avec l'air d'avoir envie de prendre ses jambes à son cou.

Le cœur battant, elle lutta désespérément pour réprimer l'espoir qui montait en elle. A quoi bon ? Et pourtant, elle n'avait pas reçu de confirmation écrite du décès de Garrick, et l'espérance lui restait chevillée au cœur, prête à se raviver à tout instant, au dépourvu, comme une bougie qui aurait refusé de s'éteindre.

— C'est promis.

— Tenez, lança le gamin en lui fourrant dans la main une feuille de papier sale avant de s'enfuir à toutes jambes.

Eleanor déplia le feuillet. De grandes lettres s'étalaient en travers de la page :

Retrouvez-moi ce soir à l'angle de la place.
B.

B comme Beauworth ? C'était le genre de chose que Garrick aurait pu faire. Qui d'autre ?

Il était vivant.

En tremblant, elle examina le feuillet, y pressa ses lèvres. Ses yeux la piquaient. Mais il n'était plus l'heure de pleurer. Mieux valait réfléchir. S'il ne pouvait l'approcher ouvertement, ce devait être parce qu'il se sentait en danger. Et donc c'était à elle de le rejoindre.

Elle rangea le pli dans son réticule. Vivant ! Garrick était vivant ! Elle se leva, le cœur si léger qu'elle en dansait presque.

Qu'allait-elle porter ? Qu'allait-elle dire ? Allait-il lui demander de partir avec lui ? Elle retourna à la voiture et ordonna à Dodds de la ramener chez elle. Vite.

Serait-il heureux d'apprendre qu'elle attendait un enfant ? Quelles que soient les circonstances, cette fois, elle partirait avec lui, quand bien même il lui faudrait fuir jusqu'à l'autre bout de la terre. S'il le lui demandait, elle le ferait. La peur au ventre, peut-être, mais la joie au cœur.

Le reste de la journée passa avec une exaspérante lenteur. Les aiguilles de l'horloge se traînaient misérablement… Après le dîner, elle monta dans sa chambre puis, ayant congédié la femme de chambre, elle passa une robe plus adaptée à la marche que celle qu'elle portait et noua ses cheveux en un chignon des plus simples. S'ils devaient s'enfuir, le plus pratique serait le mieux. Puisqu'il ne lui demandait pas d'apporter quoi que ce soit dans sa lettre, elle décida de ne pas prendre de bagage ; peut-être n'auraient-ils pas de place pour cela. D'un autre côté il aurait probablement besoin d'argent, aussi jugea-t-elle prudent de remplir son réticule de billets de banque.

Quoi d'autre ? se demanda-t-elle en marchant de long en large devant la cheminée. Une arme ?

Elle se rua vers sa penderie et ouvrit le coffre qui s'y trouvait pour y prendre le seul objet qu'elle eût conservé de sa folle jeunesse : son épée.

Quand elle la tira de son fourreau, la lame, touchée par un rai de lumière, jeta un éclat diabolique. Suivant les instructions données jadis par son père, elle l'avait soigneusement huilée à intervalles réguliers pour lui éviter la rouille. Comme il se plaisait à le répéter, on ne savait jamais quand on aurait besoin d'une épée.

Une femme affublée d'une telle arme ne constituait pas un spectacle bien fréquent. Elle fouilla le coffre un instant et en tira un lourd manteau de laine, qu'elle jeta sur ses épaules avant de se placer devant le miroir. Si elle portait sa rapière bien calée dans son fourreau, sous son bras, et cachée par les plis du manteau, cela devrait passer inaperçu. Après tout, personne ne s'attendait à voir une femme armée jusqu'aux dents.

Incapable de penser plus avant, elle s'assit sur son lit pour attendre l'heure fatidique.

Ce fut sans conteste l'heure la plus longue de son existence, mais minuit finit par sonner à l'horloge du salon. Sans bruit, elle se glissa hors de sa chambre et ouvrit la porte d'entrée. Garrick l'attendait. Elle se raccrochait à cette idée.

S'il l'emmenait avec lui cette nuit, Sissy et William ne sauraient peut-être jamais ce qu'il serait advenu d'elle.

Comment envisager une telle chose ? Cela semblait tout bonnement impensable.

Un problème à la fois… D'abord, trouver Garrick. Comprendre ce qu'il se passait. Les mains moites, le cœur battant, elle se risqua hors de la maison.

Des ombres se dessinaient entre les demeures et sous les arbres qui se dressaient au milieu de la place, mais il n'y avait rien là d'inhabituel. Ses pas résonnaient sur le pavé dans le silence, une odeur de charbon flottait dans l'air de la nuit. Elle pressa le pas.

— Qui est-ce ? demanda Garrick à son voisin, sans s'écarter du mur de la maison.

— Sais pas. Une femme de chambre, je suppose. La petite délurée, sûrement. Elle sort à cette heure-là pour aller voir son coquin, des fois.

— Elle ferait bien d'être prudente. Courir les rues en pleine nuit, quelle idée ! dit Garrick en s'avançant prudemment, prenant soin de ne pas pénétrer dans la lumière du réverbère le plus proche.

La fille s'arrêta sur le bord du trottoir, puis traversa la rue à l'endroit où un fanal éclairait celle-ci.

— Que diable fait-elle ? maugréa Garrick entre ses dents, un peu de vapeur blanche s'échappant de sa bouche dans l'air glacé. Va me chercher mon cheval, vite !

D'un bond, il rejoignit l'autre côté de la rue sans se départir de sa démarche boiteuse, suivant la grille qui délimitait le parc. Il tourna le coin de la place juste à temps pour voir la jeune femme s'engouffrer dans une voiture qui l'attendait. Aussitôt, le cocher fit claquer son fouet.

Le ventre noué, il retourna sur ses pas ventre à terre, faisant désormais fi de la discrétion qui prévalait jusque-là. Il se mit à lancer des ordres tout en courant vers l'endroit où se trouvait son cheval.

— Toi, suis-moi ! Toi, porte ce message au capitaine. Maudite femme ! Maudit Le Clere !

Les hommes s'exécutèrent, le visage tendu.

Quand les chevaux s'arrêtèrent devant une auberge, tout près de Hampstead Heath, d'après ce qu'elle pouvait en juger, Eleanor ouvrit la porte et sauta à terre.

Le cocher descendit de son perchoir et désigna de la main l'entrée d'une petite construction inhospitalière au toit de chaume couvert de mousse et aux vitres ombrées de crasse.

— Après vous, milady.

La voix lui parut familière, aussi dévisagea-t-elle l'homme qui lui faisait face. Elle reconnut facilement l'un de ceux qui peuplaient ses cauchemars.

— Matthews ?

— Je ne pensais pas que vous me reconnaîtriez, milady, après tout ce temps, dit le cocher avec un sourire mauvais.

Pourquoi diable Matthews aurait-il servi Garrick ? Elle hésitait, non sans angoisse, mais il n'était pas question de repartir. Il devait y avoir une explication rationnelle à tout cela.

— Où est mon mari ?

— Ici, répondit l'autre en pointant du menton la porte ouverte.

Eleanor entra dans la première salle, Matthews sur les talons. Trouvant la pièce vide, elle se tourna vers ce dernier en haussant les sourcils, pour découvrir le canon d'un pistolet braqué sur elle.

— Que signifie ?

— Que vous m'avez gentiment assisté dans mon entreprise, milady, répondit une voix rauque derrière elle.

Elle se retourna lentement et dut attendre quelques secondes pour distinguer l'homme qui se dressait devant elle à contre-jour et venait de pénétrer dans la pièce par une autre porte, vraisemblablement. Il s'agissait d'un vieillard dont le corps courbé l'obligeait à la regarder de travers. De profondes rides creusaient son visage surmonté d'une masse de cheveux blancs.

Eleanor ne l'avait jamais vu.

— Où est le marquis ?

— Il est mort.

Elle sentit ses genoux ployer sous elle et la pièce se mettre à tourner.

— C'est faux, répondit-elle en s'appuyant au dossier d'une chaise. J'ai reçu un billet.

— Ah oui, un billet ! « Retrouvez-moi ce soir après minuit à l'angle de la place », c'est bien ça ? demanda le vieil homme d'une voix qui déchira son cœur plus sûrement qu'un couteau. Franchement, milady, croyez-vous vraiment que mon traître de neveu se risquerait à rentrer en Angleterre pour vous s'il était encore en vie ? Des espions vous surveillent jour et nuit, pour le cas où il oserait le faire quand même. Vous n'avez dit à personne où vous vous rendiez, j'imagine ?

Le Clere se tourna vers son homme de main.

— Tu es sûr de ne pas avoir été suivi, Matthews ?

— Oui, milord.

Ce gnome difforme était Duncan Le Clere. Elle reconnaissait ses yeux froids, à présent. Il l'avait abusée, et Garrick était mort. Une douleur atroce se diffusait en elle. Quelle cruauté de lui avoir fait miroiter cet espoir insensé pour l'anéantir ensuite d'un seul mot ! Elle n'avait plus envie que de se pelotonner sur elle-même comme une bête agonisante et de laisser les ténèbres l'engloutir. Mais elle ne pouvait pas. Pour son enfant. L'enfant de Garrick.

— Pourquoi ? demanda-t-elle d'une voix brisée.

— Je vous en prie, asseyez-vous, milady, répondit Le Clere. Vous êtes enceinte, n'est-ce pas ?

— En quoi cela vous regarde-t-il ? protesta-t-elle en

protégeant instinctivement son ventre rond de sa main, sans s'asseoir comme il l'en priait.

— Je veux cet enfant. Et je veux aussi une certaine lettre que vous seule êtes en mesure de me procurer.

Tout devenait clair. Dieu, quelle sotte elle faisait !

— Je vois...

Les yeux perçants de Le Clere luisaient comme ceux d'un serpent à l'affût observant un lapin, et elle avait nettement l'impression de tenir la place du rongeur dans cette affaire.

— Vous savez, n'est-ce pas ? fit le vieux lord.

Il ne fallait pas qu'elle ait l'air d'avoir peur.

— Que cette lettre prouve que vous êtes un meurtrier ? repartit-elle bravement. Oui.

Il pencha la tête sur le côté, la bouche tordue en un rictus. Visiblement, il n'appréciait pas cette réponse.

— Vous ne pouvez me retenir contre mon gré.

— Ah non ? On va très bien s'occuper de vous d'ici à la naissance de l'enfant. Si vous ne nous donnez pas un héritier mâle, nous trouverons une femme qui viendra d'avoir un garçon. Mais ce ne sera pas nécessaire. Les Le Clere n'engendrent pas de filles.

Il parlait d'une voix si froide, si rationnelle, qu'elle n'avait aucun mal à croire chacun des mots qu'il prononçait, si fous qu'ils puissent sembler. Elle avait de plus en plus de mal à respirer. Sa tête tournait. Quelle bêtise de s'être laissé piéger ainsi ! Il fallait qu'elle fasse quelque chose. Sous le manteau épais, sa main serrait le fourreau de son épée. Mais que pouvait une telle arme contre un pistolet ? Au moment propice, peut-être, mais pas n'importe quand. Elle devait faire preuve de patience. La vie de son enfant en dépendait. Si elle commettait une nouvelle erreur, c'en serait fini.

Le Clere eut un sourire maléfique.

— Faites ce que je vous dirai, et peut-être vous laisserai-je la vie sauve, dit-il en tirant un pistolet de sa poche, qu'il arma en en relevant le chien. Matthews, fais reconduire le coche à Londres par l'un des hommes et veille à ce que l'on en efface les traces. Ensuite, tu amèneras la voiture ici. Préviens-moi quand tu seras prêt. Cette fois, je ne laisserai personne contrecarrer mes plans. Le futur héritier des Beauworth sera sous mon contrôle, et je veillerai à ce qu'il soit obéissant.

Eleanor sentit un frisson d'horreur lui courir sur l'échine. La main crispée autour du fourreau, elle resta tendue, aux aguets, attendant le bon moment.

Matthews sortit pour exécuter les ordres de son maître.

— Voyez-vous, reprit Le Clere, Beauworth m'a rapporté une jolie fortune pendant les années de guerre, mais Garrick est néanmoins parvenu à bouleverser mes plans.

Il s'interrompit un instant pour rire comme un dément.

— J'avais transféré tout mon argent sur le Continent et, à présent que la France est ruinée, je le suis aussi.

Sa voix n'était plus qu'un murmure.

La porte s'ouvrit avec un petit claquement étouffé. Le Clere reprit une élocution normale, sans se retourner.

— Ce que nous avons déjà fait, nous pouvons le refaire, pas vrai, Matthews ?

La porte se referma.

— J'ai peur que Matthews ne soit occupé ailleurs.

— Garrick !

Eleanor manqua de s'évanouir en entendant la voix de son homme. C'était bien lui, accoutré comme Dodds, mais sans l'accent épouvantable ni la claudication du prétendu soldat blessé. Un sanglot de joie lui monta dans la gorge. Elle s'avança vers lui, impatiente de sentir ses bras l'enserrer, de le toucher, pour être certaine que son imagination ne lui jouait pas un mauvais tour.

— Pas si vite ! cria Le Clere en la retenant d'une main ferme et en lui passant un bras autour du cou, le pistolet pressé contre sa tempe.

Garrick étouffa un juron.

Eleanor ne pouvait détacher les yeux du visage de son bien-aimé. Garrick était de retour. Elle en pleurait de bonheur. Il était vivant !

— Eh bien, mon neveu, lança le vieux lord d'un ton moqueur. Je te croyais mort.

Garrick hocha la tête, le visage sombre.

— Je savais que ce petit stratagème vous ferait sortir de votre trou, où qu'il puisse être, mais je dois avouer que je ne vous aurais pas reconnu, mon oncle.

— Une balle perdue m'a touché à l'échine le jour où tu m'as trahi. Je n'ai plus marché droit depuis. Jamais je n'aurais dû te laisser traverser ce champ avec elle.

Le Clere serait capable de tout, y compris de tuer une femme innocente. Garrick n'en doutait pas une seconde. Cet homme-là avait perdu la raison.

— Jette ton arme et mets-toi à genoux, mon garçon.

Il aurait dû attendre l'arrivée de Dan, mais il craignait tant pour la vie d'Ellie que son jugement s'en trouvait altéré.

— Allez au diable !

Grimaçant de plus belle, Le Clere appuya le canon du pistolet contre la tempe de la jeune femme, qui étouffa un petit cri de douleur. Assez ! songea Garrick. Son oncle avait déjà fait bien assez de mal comme cela. Il jeta son pistolet de l'autre côté de la pièce et se mit lentement à genoux en priant le ciel que ses hommes arrivent vite.

— Voilà qui est mieux. Je déteste avoir à lever la tête pour regarder les gens en face.

— Libérez-la. Cette querelle ne concerne que vous et moi.

— Tu ne comprends pas, mon garçon. Elle est enceinte. De toi.

Garrick parvint à rester de marbre malgré le flot de sang qui se rua dans ses veines à ces mots.

— Je sais. Et alors ?

— C'est triste mais, quand tu t'es retrouvé soumis à mon autorité, à la mort de ton père, tu étais déjà rebelle. J'ai pensé que, délivré de l'influence néfaste de ta mère, tu t'amenderais. C'est pourquoi je me suis arrangé pour être débarrassé d'elle. Mais tu t'es montré totalement incontrôlable. Cet enfant qui va naître apprendra la première des vertus : l'obéissance. Lui au moins saura qui est le maître.

Ce scélérat venait d'avouer le meurtre de lady Beauworth. Une colère noire bouillait dans le cœur de Garrick, féroce, indomptable. Il ne voyait plus rien sinon le visage odieux de son oncle. Les poings serrés, il s'apprêtait à se jeter sur lui…

Ellie ! Le Clere la tenait en joue.

Garrick se força à respirer lentement, jusqu'à ce que le fauve en lui se calme. Pas question de risquer la vie de la femme qu'il aimait pour étancher sa soif de vengeance.

— Tu préfères ne pas bouger, à ce que je vois, mon neveu, dit Le Clere en le dévisageant, narquois. Tu as toujours été un couard.

Le vieux lord tourna son arme vers Garrick.

— La seule chose qui t'intéresse, c'est de sauver ta peau, comme d'habitude. Mais, cette fois-ci, j'ai bien peur que tu n'aies pas cette chance, mon garçon.

L'intéressé serra les dents furieusement. S'il parvenait à attirer son oncle à l'écart d'Eleanor, ne fût-ce qu'un petit peu, il donnerait le signal à ses hommes.

— Je ne suis pas votre garçon, comme vous dites. Je ne l'ai jamais été.

— Exact, concéda Le Clere avec une moue méprisante. Je dois dire que j'ai été choqué en apprenant la vérité sur tes activités en France.

Les poils dressés sur ses bras, mais toujours de marbre, Garrick dit d'une voix blanche :

— Vous ne savez rien de mes activités.

— Ah non ? J'ai entendu dire que certains secrets avaient changé de main. J'en ai vendu quelques-uns moi-même, pour compenser mes pertes. Bien obligé. Encore ces bâtards ne m'ont-ils pas payé bien cher.

Garrick nota qu'Ellie fouillait sous son manteau de sa main libre. Un manteau qui semblait étrangement raide, d'ailleurs. Soudain, un objet oblong tomba sur le sol dallé. Oh non ! Elle n'avait pas fait ça !

— De mon côté, j'ai fait fortune, répondit Garrick en surveillant sa femme du coin de l'œil.

— Elle me reviendra tout entière, jeta Le Clere d'un air gourmand.

Ellie changea de position, et l'éclair qui se refléta sur l'acier de sa lame aveugla Garrick. Par tous les saints du paradis ! songea-t-il, le sang cognant à ses tempes. Si elle manquait son coup, quelqu'un allait mourir.

Plus rien ne pouvait l'arrêter maintenant, à voir la détermination qui animait son visage d'ange. Elle attendait qu'il se joigne à elle pour l'assaut final, cela ne faisait aucun doute ; aussi fit-il mine de se lever en fusillant son oncle du regard.

— Es-tu si pressé de quitter cette vie ? lui demanda celui-ci en assurant son emprise sur la poignée de son arme.

Ellie laissa tomber son manteau, le poing crispé sous la garde de son épée. Une lame contre une balle ! C'était de la folie pure. Mais, pour lui, ce ne serait pas la première fois.

Il devait conserver l'attention de Le Clere sur lui.

— Vous ne vous en tirerez pas comme ça, fils de… !

— Modère ton langage, mon garçon, coupa Le Clere d'un ton moqueur en visant son neveu. Il y a une dame ici…

— Une dame… c'est vite dit, répliqua-t-il en priant le ciel de lui pardonner la douleur qu'il allait infliger à Eleanor.

— Je m'en doutais, commenta Le Clere avec un sourire écœurant.

Ellie fit un pas en avant, levant le bras pour l'abattre sur l'arme de Le Clere, qui tira. La balle atteignit le plafond, produisant une pluie de plâtre qui tomba sur les acteurs du drame assourdis par la déflagration. D'un geste, Eleanor lança l'épée à Garrick, la poignée en avant.

Celui-ci la saisit au vol en s'exclamant :

— Je vous présente la Dame du Clair de Lune, mon oncle.

Le Clere se retrouva presque cloué au mur avant d'avoir pu esquisser un geste, la pointe de la lame appuyée sur son cou entamant la chair. Garrick regarda le sang perler sur la peau du vieillard vaincu avec un sentiment de satisfaction qu'il n'essaya même pas de se cacher, bien au contraire.

La porte s'ouvrit à la volée sur ses hommes, qui entrèrent dans la pièce comme on monte à l'assaut d'une redoute. Terrifiée, Ellie se réfugia contre le mur, les yeux rivés sur son époux, croyant visiblement qu'il s'agissait des sbires de Le Clere.

Dan entra par la fenêtre, un pistolet à la main, l'air furieux. Quand il pointa son arme sur lui, le vieux lord se protégea le visage avec le bras en un geste pathétique.

— Pourquoi n'avez-vous pas attendu que nous arrivions, bonté divine ? s'exclama le capitaine.

— Donne-moi un instant, repartit Garrick en rejoignant Eleanor, sans trop savoir s'il devait l'embrasser ou la secouer pour la punir d'avoir pris ce risque insensé.

Elle le regardait, figée sur place, l'air si apeuré qu'il décréta les deux solutions également mauvaises.

— Petite sotte ! murmura-t-il en lui prenant la main.

Il ôta le gant de coton qui l'enserrait pour examiner la paume ensanglantée.

— Vous avez eu de la chance, car apparemment vous n'aurez même pas besoin d'être recousue, affirma-t-il en entourant la blessure de son mouchoir.

— J'irai parfaitement bien, ou mieux en tout cas, quand vous m'aurez dit ce qui se passe ici, répondit-elle d'une voix blanche. Qui sont ces hommes ?

Certains de ceux-ci parlaient français, ce qui expliquait

facilement qu'elle fût horrifiée, après ce qu'elle venait d'entendre de la bouche de Le Clere.

— Tous les Français ne sont pas bonapartistes, ma chérie. Je suis navré, mais je ne peux rien vous dire pour l'instant. Quelques-uns des sbires de mon oncle sont encore dans la nature. Le capitaine Smith va vous raccompagner chez vous.

Là-dessus, il lui tourna le dos. Le prisonnier était déjà menotté, et l'on venait de traîner Matthews dans la pièce, évanoui, mais il ne se sentirait pas tranquille tant que les deux hommes ne seraient pas en prison et bouclés à double tour.

— Dan, lança-t-il. Ramène lady Beauworth chez elle.

Abasourdie, assommée, incapable de comprendre ce qui se passait, Eleanor regarda Garrick s'éloigner. On aurait dit qu'il prenait prétexte des événements pour ne pas rester près d'elle et garder ses distances.

Dan apparut devant elle.

— Une voiture nous attend dehors, milady.

Elle jeta un coup d'œil à son mari, qui donnait des ordres en français de l'autre côté de la pièce.

Pas tous des bonapartistes, les Français ? Lequel disait la vérité, de Garrick ou de son oncle ? Ses paroles rassurantes n'étaient-elles qu'un écran de fumée destiné à obtenir qu'elle coopère sans se rebiffer ? Et comment le capitaine Smith pouvait-il être impliqué dans cette affaire, lui aussi ?

Ce dernier la pressa d'avancer tout en la soutenant par les épaules jusqu'à la voiture. L'un des nouveaux palefreniers sauta à terre à leur vue et s'empressa d'ouvrir la porte. Maintenant que Garrick avait atteint son but et entendu de la bouche de Le Clere l'aveu du meurtre de sa mère, allait-il regretter de l'avoir épousée ? Apparemment, il savait qu'elle était enceinte et pourtant il ne s'était pas manifesté.

Quel serait le pire ? D'apprendre qu'il travaillait pour l'ennemi ou de le perdre ?

Smith lui tendit la main pour l'aider à monter dans la

voiture, donna des ordres au cocher, puis revint lui dire un dernier mot par la fenêtre ouverte.

— Vous êtes en sécurité, milady. On va vous ramener chez vous.

— Mais… et Garrick ?

Elle savait sa question pathétique, autant que le son de sa voix, mais elle s'en moquait.

— Il vous rejoindra dès qu'il le pourra, il vous en donne sa parole.

Sa parole.

Elle n'avait plus que cette promesse à quoi se raccrocher.

Chapitre 13

Eleanor ouvrit les rideaux du salon au moment même où la cloche sonnait 5 heures du matin. Toujours aucune nouvelle de Garrick. Elle se frotta les bras pour essayer de se réchauffer un peu, le feu dans la cheminée ayant jeté ses dernières flammes bien des heures plus tôt.

S'il n'avait pas été traître à l'Angleterre, il aurait révélé sa présence au lieu de se faire passer pour un autre depuis des semaines dans les écuries. A moins que…

Elle trouvait toujours difficile d'imaginer qu'il ait pu trahir son pays. Malgré cela, elle venait de renvoyer la femme de chambre venue raviver le feu dans la cheminée, afin de ne pas risquer qu'elle le voie et qu'elle se mette à jaser.

S'il venait.

Elle perçut un bruit dans l'entrée et courut aussitôt pour voir de quoi il s'agissait. Quand elle l'aperçut, Garrick était en train de redescendre les escaliers et il se retourna en entendant la porte du salon s'ouvrir.

Il s'était changé, ses cheveux étaient toujours affreusement courts, mais sa barbe ne lui mangeait plus le visage. Elle n'eut aucun mal à reconnaître son mari dans cet homme-là.

— Ellie ! Je ne m'attendais pas à vous trouver éveillée, dit-il doucement en revenant vers elle et en lui posant la main sur l'épaule.

— Vous auriez préféré que je sois endormie ? s'étonna-t-elle en le repoussant.

— J'ai pensé que nous pourrions parler demain, répondit-il

en laissant son regard descendre vers le ventre rond qui tendait ses vêtements. Il faut que vous vous reposiez.

— Serez-vous seulement ici demain ? Vous m'avez fait croire que vous étiez mort depuis des mois.

Elle parlait d'une voix étranglée, difficilement.

— Il faut que je sache pourquoi.

Garrick eut l'air perplexe, mais il finit par hocher la tête et la prit par la main pour retourner avec elle dans le salon.

— Il fait froid ici, remarqua-t-il en regardant l'âtre éteint. Pas étonnant que vos mains soient glacées.

Il s'assit en face d'elle et s'appuya nonchalamment au dossier de son fauteuil.

— Que voulez-vous savoir ?

Encore une fois, il éludait la question. Comme s'il ne voulait pas lui donner une vraie place dans sa vie.

— Tout. Commencez par cette nuit.

Il grommela d'un air dégoûté, puis déclara :

— Il s'en est fallu de peu que ce soit un désastre. J'avais juré de mener Le Clere devant la justice afin qu'il soit châtié pour ses crimes envers vous. Il a tout avoué devant le magistrat : comment il m'a convaincu que j'étais coupable du meurtre de ma mère ; comment, quand la mort de celle-ci lui a laissé le champ libre, il a saigné le domaine à blanc, année après année.

— Cet homme est un monstre.

Garrick leva sur elle des yeux étonnés, surpris par cette véhémence, puis perdit son regard dans la cheminée vide.

— Je savais qu'il n'abandonnerait jamais, surtout maintenant qu'il vous savait enceinte et qu'il me croyait mort. Je vous ai utilisée comme appât.

Il marqua une pause, comme s'il s'attendait à une réaction. Le silence de la jeune femme l'incita à poursuivre.

— J'ai persuadé Dan de nous faire engager dans cette maison, mes hommes et moi, afin d'être près de vous. J'ai bien cru que vous m'aviez reconnu le premier jour et j'ai remercié le ciel pour cette toux qui me restait de mon séjour dans une prison hollandaise. Je n'ai jamais vu une expression aussi écœurée que la vôtre ce jour-là.

Ce souvenir parut l'amuser, mais il retrouva vite son air sombre.

— Je vous ai presque manquée, ce soir, quand vous êtes sortie. Nous ignorions totalement qu'il était entré en contact avec vous. Cela a dû se produire pendant cette fichue promenade dans le parc. Je ne pouvais pas abandonner les chevaux…

Il la fixa d'un air interrogateur, attendant qu'elle confirme, ce qu'elle fit en hochant la tête.

— Si je n'avais pas été informé de cette marche solitaire dans le parc, ni reconnu votre façon de tenir le menton bien droit quand vous avez décidé quelque chose, je n'aurais sûrement pas deviné qu'il s'agissait de vous, ce soir.

Une ombre passa sur son visage.

— Vous avez mis en péril la vie de mon enfant, grommela-t-il en se passant le poing sur le menton. Si vous ne vous étiez pas arrêtée sous ce réverbère, Dieu sait où nous en serions à l'heure qu'il est.

Elle se sentait affreusement coupable. Il avait raison : elle avait risqué la vie de leur enfant. En fait, elle n'y avait pas pensé un seul instant, obnubilée qu'elle était par l'espoir de revoir son homme. Elle aurait dû se douter que ce rendez-vous avait quelque chose de suspect, pourtant. Décidément, l'impulsivité était son plus grand défaut, depuis toujours.

— Dieu merci, vous m'avez reconnue… Comprenez-moi, Garrick. Le Clere a dit que vous vendiez des secrets aux Français. Et les hommes que j'ai vus ce soir, qui sont-ils ?

— Les deux que Dan a fait embaucher ici sont des soldats de mon ancien régiment. En termes militaires, on les appelle des ramoneurs. En plus d'espionner et de reconnaître le terrain, ils s'occupent de nettoyer derrière les hommes, dans tous les sens du terme. Quant aux Français, ce sont des amis. Ils ont suivi Le Clere depuis la France et ont encerclé l'auberge avant que nous n'arrivions. Je croyais pouvoir circonscrire mon oncle tout seul. Il était convenu qu'ils attendraient mon signal au-dehors.

Le sourire cynique dont elle savait qu'il usait pour cacher ses sentiments fit trembler sa lèvre.

— C'est cette balle qui m'a manqué de très peu qui les a alertés. Elle a bien failli me faire sauter la tête.

Ellie ne put réprimer un frisson.

Garrick la dévisagea, l'air étonné.

— Cela vous aurait-il attristée, *mignonne* ?

— Comment pouvez-vous me demander une telle chose ? s'indigna-t-elle. Mais ces hommes, ces Français, comment les avez-vous rencontrés ?

Il hésita un instant, les yeux baissés. Quels mensonges allait-il encore inventer ?

— *Ma chérie*, répondit-il d'une voix douce et grave, je n'ai pas le droit de vous le dire.

— Je suis votre femme, Garrick. Si vous ne vous fiez pas à moi pour garder vos secrets, à quoi bon continuer ?

— Que voulez-vous dire, *ma perle* ? Allez-vous me renvoyer une nouvelle fois ? s'enquit-il avec une amertume sincère dans la voix.

C'était sans espoir. Elle fit mine de s'écarter, mais se ravisa quand il reprit son récit. Il contemplait la cheminée comme si le passé reprenait vie sous ses yeux au milieu des cendres froides.

— J'ai acheté une charge d'officier après vous avoir vue à Castlefield, comme vous le savez certainement. Au quatre-vingt-quinzième. Ce n'est pas le régiment le plus en vue, et on y court de grands risques, mais cela convenait à mon état d'esprit.

Il se pencha en avant, les coudes sur les genoux.

— Vous savez ce que je craignais d'avoir fait.

— Vous êtes innocent de ce crime, Garrick. William a la lettre qui le prouve en sa possession.

— Je sais. Sissy l'a confié à Dan, qui me l'a rapporté.

Elle pensait que cet aveu lui ferait plaisir, mais il sembla l'attrister encore plus, au contraire, et le rendre plus distant, comme si le fossé entre eux était devenu infranchissable. Pouvait-elle l'en blâmer ? Après tout, ne l'avait-elle pas forcé à contracter un mariage dont il ne voulait pas ? Une irrésistible envie de lui tendre la main la saisit, mais elle n'osa pas.

— Vous avez vu de quoi Le Clere est capable, Ellie. C'est le même sang qui coule dans mes veines. J'ai espéré être tué, pour en finir avec cette malédiction. En fait, quand j'ai rejoint mon régiment, je tenais si peu à la vie que les hommes m'ont pris pour un dément. C'est d'ailleurs ainsi qu'ils me surnommaient.

Il disait cela avec un sourire sans joie et une sorte de sombre satisfaction qui donna le frisson à Eleanor.

— J'ai aimé la vie militaire. Le danger me permettait d'éviter de penser à certaines choses.

— Mais encore ? ne put-elle s'empêcher de demander. A quoi donc, exactement ?

Elle savait que c'était stupide, mais comment ne pas continuer à espérer ?

— A vous, répondit Garrick en relevant la tête, si simplement et d'un ton si peu accusateur qu'elle sentit presque physiquement la douleur qui le hantait.

Elle se força à rester immobile, malgré l'envie qui la taraudait de se jeter à ses genoux et d'implorer son pardon.

Une fois encore, il garda le silence, les yeux perdus dans l'évocation du passé, puis reprit, au bout d'un long moment, de sa voix profonde et grave :

— Les rumeurs ont commencé à circuler, selon lesquelles j'avais déshonoré une femme vertueuse et battu un homme à mort, ou presque. On racontait cela dans mon dos, bien sûr, quoique, une fois, quelqu'un y ait fait allusion devant moi. Lentement mais sûrement, mes camarades se sont éloignés de moi. Ils se mettaient à croire tous ces mensonges. Pas de fumée sans feu, comme on dit, n'est-ce pas, *ma chérie* ?

Ellie grimaça. Jamais il ne pardonnerait à William d'avoir été à l'origine de ces racontars, ni à elle-même de les avoir crus. Comment aurait-il pu ? Comme elle regrettait de ne pas avoir écouté ce que lui disait son cœur !

— Continuez.

— Pendant ce temps-là, l'un des officiers de l'état-major — vous me pardonnerez de taire son nom — s'est avisé de ce que j'étais à moitié français. Le fait que je fasse si peu de cas de ma vie entrait parfaitement dans ses plans. Bref, j'ai été recruté comme espion, mais pas par les Français.

Un sourire amer lui vint aux lèvres en disant cela.

— J'ai été très honoré d'être choisi, d'autant que ma mission était, et est encore, de la plus haute importance. Mais le prix à payer pour cet honneur est exorbitant.

Ellie entendit distinctement le petit hoquet désabusé qui accompagnait cette dernière phrase. Pour le réconforter, elle tendit la main vers lui mais, s'il la vit, il refusa de la prendre, gardant les yeux rivés sur la cheminée comme s'il ne supportait pas de la regarder en face.

— C'est la chose la plus difficile que j'aie jamais eue à faire. Presque…

Il avait l'air de souffrir si abominablement qu'elle sut immédiatement qu'il songeait à son départ de Castlefield. Elle comprenait sa peine. Que de regrets, mon Dieu, que de regrets !

Il secoua la tête.

— J'ai ouvertement changé d'attitude et me suis plaint d'avoir été mal servi dans mon avancement. Mes amis officiers m'ont suspecté derechef d'être un pleutre et, peu à peu, tous — sauf Dan, le pauvre — m'ont tourné le dos. J'ai adopté le comportement d'un homme aigri. A moitié français, en colère contre mon pays, et à la fois haut placé, je faisais une cible de choix pour les ennemis de l'Angleterre. Malencontreusement, j'ai été vu en France par un officier anglais prisonnier. Les rumeurs ont enflé à mon sujet, ce qui constituait un écran de fumée très appréciable, certes, mais qui aurait pu poser un problème, à terme : si je devenais un paria en Angleterre, je risquais de perdre tout l'intérêt que les Français trouvaient en moi. Aussi nous sommes-nous arrangés pour que je rencontre le prince de Galles et me fasse apprécier de lui. Après tout, qui aurait osé dire du mal sans preuves du meilleur ami du régent ? Les Français étaient ravis de cette situation, évidemment, ce qui amusait beaucoup le prince. Comme je pouvais circuler librement en France, j'ai rassemblé les quelques royalistes qui restaient. Vous en avez vu certains ce soir. J'ai encore rang de commandant dans l'armée anglaise, quand bien même c'est une chose qui ne sera jamais reconnue officiellement.

Cet état de fait le blessait, elle l'entendait dans sa voix.

— Garrick, je…

Il leva la main pour lui imposer le silence, le visage tendu, les yeux embués par la tempête qui faisait rage en lui.

— En tant qu'espion, j'avais accès à beaucoup de secrets, tant ici que sur le Continent. J'ai découvert que votre frère était à la source des rumeurs qui couraient sur le sort que prétendument je vous avais fait subir. Cela ne m'a pas surpris, je dois l'avouer. En tout cas, j'ai été heureux qu'il n'ait pas laissé votre nom être cité dans cette affaire. S'il l'avait fait, je n'aurais pas pu m'empêcher de le tuer.

La détermination qu'elle lisait sur son visage lui fit passer un frisson sur l'échine.

Garrick soupira.

— Au cours de toutes ces années, j'ai beaucoup réfléchi à la disparition de cette fameuse lettre, reprit-il avec un rire plein de dérision envers lui-même. Je suis si romantique

que j'ai cru que vous aviez essayé de me sauver la vie en la cachant.

Elle aurait dû lui faire confiance, comme son cœur l'y incitait.

— Je regrette de ne pas l'avoir fait, répondit-elle, aveuglée par les larmes, d'une voix brisée.

— Non, je vous en prie, Ellie. Laissez-moi finir. Une fois Napoléon exilé sur l'île d'Elbe, j'ai cru la guerre terminée. Le temps était venu pour moi de régler mes affaires personnelles.

— Mais pourquoi étiez-vous si résolu à retrouver cette lettre si vous pensiez qu'elle prouvait votre culpabilité ?

— Il m'est pénible de l'avouer, mais je vous ai rendu visite dans l'intention de trouver la lettre et d'accuser votre frère de protéger sciemment un assassin. J'aurais reçu le châtiment que je méritais, mais il serait allé en prison. Une vengeance parfaite, pour un Le Clere. Tout à fait dans le style. Je savais que William aurait accepté d'être puni plutôt que de vous voir prendre sa place. Tout ce qu'il a fait n'avait qu'un seul et même but : protéger sa famille. Mais je voulais qu'il souffre pour vous avoir arrachée à moi, quand bien même vous en souffririez vous aussi.

Quand elle posa la main sur la sienne, il regarda tristement les doigts menus encore bandés de son mouchoir, si pâles sur sa peau hâlée. Il s'en voulait affreusement de lui avoir fait courir un danger mortel. Et à leur enfant par la même occasion. Elle ne devait qu'à son propre courage d'être encore en vie.

Il posa son autre main sur les doigts glacés et remercia le ciel en constatant qu'elle ne les retirait pas. D'une certaine façon, de pouvoir la toucher de la sorte lui donnait le courage de continuer.

— Je suis allé, reprit-il en risquant une caresse, jusqu'à impliquer votre sœur dans cette affaire en vous donnant à penser que j'avais de mauvaises intentions, pour mieux vous tromper. Je me suis servi de vous. Quand vous avez accepté de m'épouser, je n'en ai pas cru mes oreilles. J'étais dans une situation impossible. J'avais des ordres stricts : je devais rentrer en France le jour d'après. Je n'ai pas pu résister, néanmoins, car vous avoir pour femme, fonder une famille avec vous, c'était tout ce dont je rêvais.

Sa voix se brisa.

— Je n'ai jamais voulu vous faire un enfant. Jusqu'à ce que je vous rencontre, j'étais résolu à ne jamais me marier. Pour ne pas transmettre la malédiction des Le Clere. Vous m'avez fait confiance, et je vous ai trahie.

Il avait la gorge si serrée qu'il ne pouvait plus parler.

La vérité les séparait désormais, toute nue et affreusement laide. Elle savait qu'il ne valait pas mieux que son oncle. Pire, elle savait qu'il avait tout fait pour perdre son frère chéri.

Elle ne fit pas un geste, ne dit pas un mot, se contentant de le regarder de ses grands yeux gris qui lui mangeaient le visage. Ce beau visage ovale qui hantait ses nuits depuis des années.

— Pardonnez-moi, Ellie, murmura-t-il. Je ne vous obligerai pas à rester à mes côtés. Je ne suis pas fait pour vivre avec mes semblables. Tout ce que je vous demande, c'est de me permettre de jouer un rôle auprès de notre enfant. De trouver un moyen de ne pas détruire sa jeune vie à force d'amertume et de haine, comme la mienne a été détruite.

Il ne pouvait pas affronter son regard. Il l'entendit se lever, néanmoins. Elle allait partir, et il ne la supplierait pas de rester. Il l'avait déjà fait, une fois, et elle l'avait chassé. Avec raison. Ce serait mieux ainsi.

Le silence dura une éternité.

Le chuintement de la soie froissée, quand elle vint s'agenouiller à côté de lui, fut comme un chant d'espoir.

— Je ne crois pas aux malédictions.

Ellie ! Toujours à essayer d'inverser les rôles. Mais il ne pouvait pas la laisser s'abuser ainsi.

— *Ma chérie*, les Le Clere sont célèbres pour leurs emportements. Le récit de leurs colères est partout présent dans les livres d'histoire.

— Dites-moi le nom d'une personne, une seule, que vous avez blessée dans un accès de colère, Garrick, répliqua-t-elle. Vous êtes sujet aux accès de colère, c'est entendu. Moi aussi, figurez-vous. Mais, comme tout le monde, vous vous contrôlez.

Il la regarda en ouvrant de grands yeux.

— Ne soyez pas aveugle, Ellie. Regardez ce que Le Clere a fait à votre frère aîné et à ma mère. Rappelez-vous comme j'ai comploté contre William.

— Le Clere est un monstre, sans doute, mais il n'a pas agi dans un accès de rage. Au contraire, il a froidement calculé point par point tout ce qu'il a fait. Et il vous a persuadé de ce que vous étiez un monstre vous aussi. Vous aviez toutes les raisons du monde pour en vouloir à William, mais vous n'avez mis aucun de vos projets à exécution. Souvenez-vous, Garrick, quand vous me teniez à votre merci après avoir découvert que j'étais la Dame du Clair de Lune, vous étiez fou de rage, mais vous ne m'avez pas fait de mal, bien au contraire. Vous m'avez aidée, vous m'avez traitée avec gentillesse.

— C'était différent, *ma chérie*… J'avais d'autres… projets pour vous.

Ces mots firent vibrer une corde particulière chez Eleanor, suscitant une bouffée de désir si torride qu'elle crut un instant qu'elle allait se consumer sur place. Elle dut lutter contre elle-même pour continuer à parler raisonnablement et ne pas céder à la passion.

— Tous les gens se mettent en colère, Garrick, et ils font comme vous : ils se maîtrisent.

La ride qu'il avait entre les sourcils se creusa un peu plus.

— Pas toujours, dit-il en serrant les poings. J'ai été très près de tuer un homme. Je ne sais pas ce qui serait arrivé si l'on ne m'avait pas retenu. C'est ce qui m'a décidé à rejoindre l'armée.

Il disait cela d'un air si sombre qu'elle se retint d'objecter, non pas par peur, mais parce qu'elle sentait qu'émettre le moindre doute le ferait fuir loin d'elle. Elle ne l'avait jamais craint. Pas une seconde.

— Dites-moi ce qui est arrivé.

— Je l'ai surpris alors qu'il frappait un enfant, répondit-il, les lèvres pincées. J'ai perdu toute retenue et l'ai attaqué, fou de colère.

— J'imagine qu'il s'agissait d'un avorton et qu'il vous a supplié de l'épargner quand vous lui êtes tombé dessus ?

— Je… grands dieux, non ! C'était un colosse. Il aurait pu tuer ce gamin d'un seul coup de poing. Il a fallu deux hommes pour le contenir, après qu'Harry nous a séparés.

— Il s'agissait d'une rixe entre deux hommes de même taille, donc. M'est avis qu'il méritait la monnaie de sa pièce. Cependant, vous ne l'avez pas tué.

— Ne prenez pas les choses aussi légèrement, Ellie. Et si je vous blessais un jour, vous ou notre enfant ? Comment pourrai-je jamais me fier à moi-même ? Non, décidément, vous serez plus en sécurité sans moi.

Eleanor sentit son cœur se fendre dans sa poitrine. Etait-ce la raison pour laquelle il s'était caché si longtemps ? Elle qui croyait qu'il lui en voulait de l'avoir contraint à l'épouser !

— Je vous connais, Garrick, repartit-elle d'une voix ferme en le prenant par le menton pour le forcer à la regarder en face. Je vous connais et j'ai confiance en vous.

Un sourire se forma lentement sur le visage du marquis, comme une aube se lève. Un sourire plein d'espoir et d'amour, qui chavira le cœur d'Eleanor.

— Mais alors… vous voulez tenter votre chance avec moi ?

— Bien sûr, répondit-elle en mettant toute son âme dans ces paroles. Je vous aime.

Garrick se pencha sur elle pour enfouir son visage au creux de son épaule.

— Vous en êtes certaine ? murmura-t-il.

Ce n'était plus simplement une bouffée de désir qui montait en elle, non, mais un incendie. Elle avait envie de lui, besoin de lui.

— Absolument certaine, oui ! s'exclama-t-elle en lui donnant un coup sur l'épaule. Prenez-moi dans vos bras et mettons-nous au lit.

— Aïe ! fit-il en sautant sur ses pieds. Assez de violence, mon amour. Et il n'est pas question que vous restiez dans ce salon glacé. Il vous faut prendre soin de cet enfant, désormais. Mon enfant.

La fierté qu'elle décela dans sa voix à ces mots lui mit du baume au cœur.

— Je connais un endroit où nous pourrons être au chaud tous les deux, susurra-t-il en la regardant au fond des yeux. Acceptez-vous de me suivre, amour de ma vie ?

Il resta un instant la main tendue, attendant qu'elle réponde à cette invite.

Le bonheur mouillait les yeux d'Eleanor. Il venait de l'appeler mon amour, enfin !

— Oh, Garrick ! Si seulement j'avais dit oui au lieu de vous chasser, rien de tout cela ne serait arrivé, soupira-t-elle en réprimant le sanglot qui menaçait de l'étouffer. J'ai été une couarde. J'avais peur de me tromper une nouvelle fois.

Il lui caressa la joue du bout des doigts, essuyant une larme au passage.

— Vous êtes la femme la plus courageuse que j'aie jamais rencontrée.

Beaucoup de choses avaient conspiré contre leur amour, et en premier lieu leur fierté ombrageuse sans doute, mais qu'ils l'aient compris l'un et l'autre augurait bien de l'avenir.

Jamais plus il ne serait le jeune homme insouciant et plein de malice dont elle était tombée amoureuse au cours d'un été lointain. Non, l'homme qu'elle aimait aujourd'hui revenait de loin, et d'avoir souvent côtoyé la mort lui permettait de laisser parler son cœur sans honte. C'était de cet homme-là qu'elle avait besoin, tout comme le petit être qui poussait dans son ventre.

— Oh, Garrick, je vous aime tant ! s'écria-t-elle en lui tendant les bras. Depuis toujours. Quand je vous ai cru mort, je serais morte aussi, sans cet enfant.

— Alors, remercions le ciel encore une fois, dit-il d'une voix que l'émotion rendait rauque. Venez, Ellie. Je vous veux à mes côtés, où que la vie nous conduise désormais.

— Oui, mon amour, dit-elle en frôlant ses lèvres.

Il la serra contre lui à l'écraser et prit sa bouche, le cœur en transe. Eleanor se sentit fondre contre lui. Lorsqu'il la souleva dans ses bras et posa le pied sur la première marche de l'escalier, elle l'entendit nettement pousser un long soupir de soulagement.

— Bienvenue chez vous, M. le marquis, murmura-t-elle.

À découvrir ce mois-ci

3 nouveaux romans dans la collection

Les Historiques

UN TROUBLANT FUGITIF,
d'Elizabeth Lane - n°513

Colorado, 1919. Une chute de cheval, une main virile et douce qui l'aide à se relever, un échange de regards — et Clara, Clara la passionnée, se sent littéralement fascinée par le sombre Jace Tanner, qui vient de la secourir. De cet étranger qu'elle n'avait encore jamais croisé, elle ne sait que deux choses : il vient d'être embauché sur le domaine... et un voile de mystère l'entoure. Un mystère si fascinant qu'il fait naître chez Clara le désir violent de se donner à Tanner. Mais lorsqu'elle s'offre à lui — lui qui lui affirme n'être qu'un aventurier sans scrupules —, il la repousse. Dès lors, désespérément amoureuse, la jeune femme n'a plus qu'un but : découvrir quel secret a conduit Tanner jusque sur ces terres... et l'empêche de l'aimer comme elle y aspire corps et âme...

LA REBELLE ET LE LIBERTIN,
d'Ann Lethbridge - n°514

Angleterre, 1811. Après avoir perdu toute sa fortune, Eleanor Hadley n'a eu d'autre choix que de devenir... bandit. Une occupation qu'elle doit exercer avec une prudence sans faille. Pourtant, un soir, elle baisse la garde : envoûtée par l'homme qu'elle est en train de voler, elle cède à la sensualité qui couve en elle et que son séducteur a si bien su deviner... Une défaillance qui ne tarde pas à lui coûter cher : car le trop habile voyageur n'est autre que le marquis de Beauworth, celui-là même qui a causé la ruine des Hadley. Puissant, influent, le marquis n'est pas le genre d'homme à se laisser détrousser sans conséquences. Mais pour Eleanor, il y a pire : poussé par l'irrésistible désir qui les a rapprochés, qui sait si Beauworth ne va pas chercher à la retrouver coûte que coûte ?

NOCES SCANDALEUSES,
de Terri Brisbin - n°515

Ecosse, 1357. Poursuivie par un passé sulfureux qui a jeté le déshonneur sur elle et sa famille quelques années plus tôt, Marian vit à l'écart, avec sa fillette de quatre ans. Un fragile équilibre qui vacille à chaque nouvelle visite de Duncan MacLerie, l'émissaire envoyé pour négocier une alliance avec les Robertson. Et Marian est d'autant plus bouleversée que Duncan ne fait rien pour fuir la fascination qu'ils exercent l'un sur l'autre. Pire ! le guerrier semble ignorer le risque qu'il prend à venir ainsi la voir. Pourtant qu'adviendra-t-il de lui si on le surprend avec Marian la scandaleuse ? Si on apprend que l'homme chargé d'établir la paix avec les Robertson se compromet avec cette femme qui n'est autre que… la sœur honnie de Iain, le chef du clan lui-même ? Pressentant le drame que pourrait déclencher leur passion, Marian s'efforce de refuser les attentions dont MacLerie la couvre. En vain car un soir, le drame éclate…

H
Les Historiques

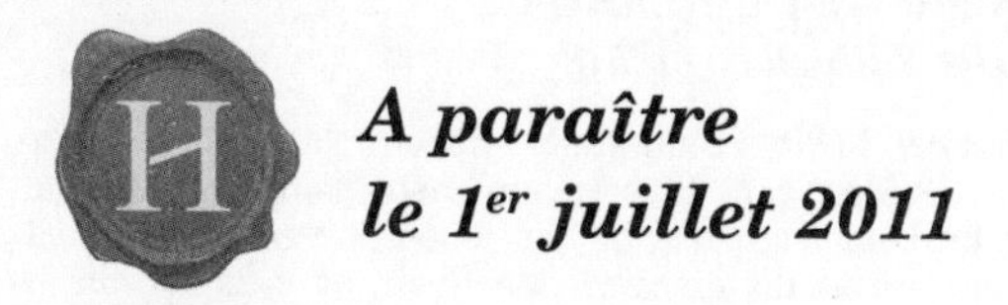

A paraître le 1er juillet 2011

TROUBLÉE PAR UN DÉBAUCHÉ,
de Carole Mortimer - n°516

Londres, 1817. Qu'adviendrait-il d'elle, si la bonne société de Londres découvrait que l'héritière des Saint Clair chavire dans les bras du plus grand libertin qui soit ? Que le seul homme capable d'éveiller son désir est Darius Wynter, ce débauché notoire ? Tandis que son envoûtant cavalier l'emporte dans le tourbillon d'une valse, lady Arabella ne peut empêcher ces questions de la hanter. Car telle est la scandaleuse vérité : en dépit de la froideur qu'elle affiche, elle ne rêve que de frémir sous les caresses de Wynter et de connaître enfin la passion véritable grâce à lui. Au point qu'elle ne lui oppose aucune résistance lorsqu'il l'entraîne à l'écart pour lui voler fiévreusement un baiser. Un instant de faiblesse qu'elle ne tarde pas à regretter lorsque son frère les surprend enlacés...

SECRET DE VELOURS,
de Joanna Maitland - n°517

Londres, 1812. Pour échapper à un mariage forcé, la fière Alexandra s'est depuis longtemps réfugiée sous le masque et l'uniforme d'un valeureux hussard. Aux yeux de tous, elle est Alexei Alexandrov, aide de camp du tsar. Mais voilà que le subterfuge qui l'a protégée jusque-ici semble maintenant l'emprisonner comme un piège. Car face à Dominic Calder, cet officier anglais désigné pour escorter le tsar lors de son séjour à Londres — un officier si fascinant, si viril —, Alexandra frémit et s'enflamme... sans pourtant pouvoir révéler sa véritable identité. Et elle ne voit plus comment brider la passion dévastatrice qu'elle éprouve pour Calder...

Ne manquez pas le deuxième volet de cette trilogie à paraître le 1er août 2011

Trois femmes emportées par les tourbillons de la passion...

L'INSOUMISE ET L'IRLANDAIS

de Michelle Willingham - n°518

Angleterre, 1180. Frémissante, Honora s'abandonne dans les bras de MacEgan. Plus rien n'existe pour elle sinon le contact brûlant des lèvres de son ténébreux guerrier sur sa peau. Qui aurait dit qu'Ewan MacEgan, avec lequel elle a grandi, deviendrait cet homme viril et puissant ? Ewan dont elle était follement éprise et qui n'avait déjà d'yeux que pour sa sœur, la douce et fragile Katherine, si différente d'elle... Sa propre sœur ! Katherine ! Brusquement ramenée à la réalité, Honora repousse le guerrier avec colère. Comment ose-t-il l'embrasser alors qu'il est venu prétendre à la main de Katherine ? Qu'il convoite une autre femme ? N'a-t-il donc aucun honneur ? Bouleversée, Honora s'enfuit, déterminée à tout faire, désormais, pour résister à la scandaleuse attirance que le bel Irlandais exerce sur elle...

PASSAGERS DE LA PASSION,

de Kate Welsh - n°519

New York et San Francisco, 1876. Quelle folie d'avoir voulu secourir cet inconnu ! Amber ne peut croire à sa malchance : elle qui espérait vivre l'aventure à bord du Young America, la voilà confinée, en quarantaine, dans la cabine de celui qu'elle a sauvé! Pis encore, on l'a désignée malgré elle pour prendre soin de cet étranger. Un étranger dont la proximité, elle doit bien l'admettre, éveille en elle d'embarrassants émois, tant il est viril et magnifique. Pourtant, et malgré son trouble, elle s'efforce de jouer son rôle sans ciller. Jusqu'à cette nuit où, en proie à une terrible fièvre, l'inconnu la réveille d'un baiser brûlant. Emportée par son désir, Amber s'abandonne. Sans imaginer un seul instant que cet homme n'est pas un passager ordinaire...

4 romans inédits à retrouver tous les mois

dans vos points de vente habituels.

A paraître le 1er mai

Best-Sellers n°468 • historique

Noces secrètes - Margaret Moore

Ecosse, 1235.

Marianne Beauxville rumine avec colère le malheur qui la frappe : pour conclure une alliance durable avec les Ecossais, son frère, seigneur normand, n'a rien trouvé de mieux que de la fiancer à l'un de ces barbares, un vieillard vil et pervers. Et bientôt, elle est emmenée de force puis enfermée sur les terres hostiles et inconnues de son futur époux. Ulcérée, Marianne guette la moindre occasion de s'enfuir. Une occasion qui se présente enfin sous les traits du séduisant Adair Mac Taran, fils d'un chef de clan écossais. Certes, en dépit de son charisme indéniable qui le distingue des autres barbares, Marianne n'a aucune raison de faire confiance à Adair, mais a-t-elle vraiment le choix ? Puisqu'il est son seul espoir, elle se risque à lui exposer son plan d'évasion et, contre toute attente, Adair accepte de l'aider à échapper à cette union forcée... pour mieux la réclamer comme sienne !

Best-Sellers n°469 • historique

L'intrigante - Rosemary Rogers

Angleterre et St-Petersbourg, Régence

Pour entrer dans les bonnes grâces de son père, Leonida, fille illégitime du tsar Alexander Pavlovitch, accepte une mission secrète : subtiliser, par tous les moyens, des lettres que sa mère a adressées à une vieille amie, la duchesse de Huntley, et qui contiendraient des secrets d'Etat. Bien que peu enthousiaste à cette idée, Leonida est déterminée à remplir sa mission. Mais sitôt arrivée en Angleterre, dans le domaine des Huntley, elle perd sa belle assurance. Car le maître des lieux, l'énigmatique Stephan Summerville, exerce d'emblée sur elle une dangereuse fascination. Une fascination telle que, fatalement séduite, Leonida se sent bientôt déchirée entre l'accomplissement de son devoir et l'élan de son cœur...

Composé et édité par les
*éditions*Harlequin
Achevé d'imprimer en France (Malesherbes)
par Maury-Imprimeur
en mai 2011

Dépôt légal en juin 2011
N° d'imprimeur : 163338